KB103975

Why Service?

서비스학 개요
왜 서비스인가?
Service Science

(사)서비스사이언스학회 | 김현수 공저

CONTRARIA SUNT COMPLEMENTA

목 차

시작하는 말 / 7

제1장 왜 서비스인가?　··········· 13

01 세계는 서비스 네트워크　······ 15
인간 삶의 전부는 서비스
현대 경제는 서비스 경제
서비스네트워크 속의 인간의 길

02 미래는 더욱 서비스 세상　······ 29
인간 노동의 기계 대체
수요 측면 변화 요인
공급 측면 변화 요인
인류의 의지 측면 변화 요인
산업 및 고용 구조의 변화
미래 경제사회의 리더

03 서비스는 인류사회 구원 외길　　　 …… 42

　서비스의 인류사적 의미

　서비스의 철학적 의미

제2장 서비스란 무엇인가?　　 ………… 55

01 서비스의 구조와 운용　　　 …… 57

　서비스의 구조

　서비스 구조는 우주의 구조

　서비스 운용 과정

02 서비스 본질과 특징　　　 …… 88

　서비스는 물

　서비스의 본질

　서비스의 특징

　서비스 중심 논리

03 서비스 철학　　　 …… 110

　서비스철학의 구조

　서비스철학의 인간관

　서비스철학의 역사관

　서비스철학의 사회관

　서비스철학의 경제관

　서비스철학의 경영관

제3장 서비스학 개요 ············ 129

01 서비스학 구조 ······ 131
서비스학의 기본 구조
서비스학은 3세대 학문
학문의 새로운 구조

02 기반 서비스학 ······ 148
기반 서비스학의 주요 분야
기반 서비스학의 실용적 프레임워크

03 내부 서비스학 ······ 161
내부 서비스학의 주요 분야
내부 서비스학 사례

04 외부 서비스학 ······ 172
외부 서비스학의 주요 분야
외부 서비스학 사례

제4장 서비스 경제사회 ············ 179

01 서비스 경제 및 금융 ······ 182
서비스주의 경제시스템
서비스주의 경제시스템 구조
서비스주의 경제시스템 운용모델

서비스주의 금융시스템

금융시스템 운용모델

02 서비스 정치행정 및 법제도 ······ 211

서비스주의 정치행정시스템

서비스주의 정치행정시스템 운용모델

서비스주의 민주주의시스템

서비스주의 민주주의 모델 운용방안

서비스주의 법제도시스템

서비스주의 법제도 운용모델

03 서비스 사회 및 인간 ······ 241

서비스주의 사회시스템

서비스주의 사회시스템 구조

서비스주의 사회시스템 운용모델

서비스주의 인간 및 교육시스템

제5장 모든 길은 서비스로 ············ 267

01 모든 학문은 서비스학 ······ 269

서비스학이 되어가는 모든 학문들

서비스학 사례로서의 신경영학

02 모든 산업은 서비스산업　　　　　…… 293
　　산업간 경계 해체
　　표준산업분류의 변화
　　인류 역사는 서비스의 산업화 역사
03 모든 길은 서비스로　　　　　　　…… 309
　　위대한 문명의 핵심 사상은 모두 서비스 사상
　　우주 원리와 생명 원리는 서비스 원리
　　인류사회의 성공 구조는 서비스 구조
　　나의 성공과 행복도 서비스에

에필로그　　　　　　　　　…………… 355
참고문헌　　　　　　　　　………… 361
서비스학 연보　　　　　　　………… 377

시작하는 말

만약, 이 세상에 단 하나의 진리가 있다면 아마 그것은 서비스일 것이다. 지난 20여 년간 서비스 관련 학술 활동을 하면서 내린 결론이다. 이 책은 이 이야기를 하려고 시작하였다. 그래서 나와 내 회사와 내 나라와 우리 인류사회 또는 우주를 구원하는 유일한 진리가 서비스라는 이야기를 하려고 시작하였다. 또 나를 행복하게 하고 내 가정을 행복하게 하고 내 직장을 행복하게 하고 내 나라를 살기 좋은 나라로 만들고 인류사회를 오래도록 지속 가능하게 할 수 있는 유일한 진리가 서비스라고 결론짓고 그 이야기를 하려고 시작하였다. 이 세상의 모든 학문들이 진리를 추구하고, 이 세상의 모든 인간들이 행복을 추구한다. 이 세상에 진리가 있을 수도 있고 없을 수도 있다. 존재하는 진리가 하나일 수도 있고 여러 개일 수도 있다. 예를 들어 물리학에서는 뉴톤역학이 유일한 진리라고 생각했었는데, 거시세계에서만 진리일 뿐, 미시세계에서는 뉴톤역학은 진리가 아니고 양자역학이 진리라고 생각하게 되었다. 인생에서도 행복 추구가 인간 삶의 진리일 수도 있고, 아닐 수도 있다. 기원전 3,200년 경 수메르문명 시대 이후 5,200 여년의 역사시대를 통틀어서 인류의 무수한 현자들이 진리에 대한 수많은 책을 써서 진리를 전수해 왔지만, 그 역사시대 전체에서 가장 공통적으로 진리라고 인정되는 것은 "모든 것은 변한다" 라고 할 수 있다. 『사피엔스』로 빅히스토리를 대중화한 유발 하라리도 자신의 『호모데우스』 책을 '모든 것은 변한다(Everything Changes)'로 시작하고 있다. 즉 이 세상에 변하지 않는 하나의 진리가 있다면 그것은 '세상의 모든 것은 변한다'라는 것일 것이다. 그렇다면 변화에 대해 인간은 얼마나 적극적인 탐구를 하고 있는가. 동양철학서인 『주역』이, 영문 번역 그대로 '변화에 대한 책(The Book of Changes)' 정도로 기본적인 탐구를 하고 있을 뿐, 변화에 대한 체계적인 연구를 하는 대학이나 대학원의 학과를 찾기는 쉽지 않다. 그 변화에 대해 체계적으로 연구하는 학문이 서비스학이다. 이 세상의 모든 것은 관계로 이루어져 있고, 그 관계는 계속 변화하는 과정 속에 있다. 그 관계와 과정과 변화를 탐구하는 학문이 서비스학이다.

인간의 눈이 앞에만 있고, 또 가시광선 밖은 볼 수 없기 때문에, 본질적으로 인간은 서비스에 대한 이해와 서비스철학이 없이는 인류사회를 오래도록 유지하기 어렵다. 또 서비스철학이 없이는 개인도 행복하기 어렵다. 이것이 궁극의 진리일 수 있다. 철학과 역사 문학 음악 미술을 포함하여 모든 분야가 서비스다. 무형성과 인간을 위한 가치라는 서비스의 핵심 속성을 생각하면, 예술이야말로 가장 서비스적인 분야다. 학문도 마찬가지다. 철학을 비롯한 모든 학문이 서비스학이 아닌가. 무형적인 것을 탐구하여 눈에 보일 수 있게 만드는 것이 학문의 작업이고, 인간에게 가치있게 만드는 것이 학문이 아닌가. 그래서 모든 학문은 서비스학이다. 개별 학문 차원에서도 마찬가지다. 예를 들어 경영학은 서비스 개념을 도입하여 비로소 대학에서 다루는 학문이 되었다. 프레드릭 테일러가 1911년 『과학적관리법』 책을 통해 경영자와 노동자가 대립면을 공유하고 있는 하나의 존재로서 서로 팽팽하게 균형을 이루려고 노력할 때 최고의 생산성과 최고의 성과가 시현 됨을 보여주었다. 이를 위한 경영자의 과학적 노력이 경영학이 된 것이다. 과학적으로 노력하지 않으면 노동자가 최고의 생산성을 낼 수 있는 환경과 직무를 찾아내기 어렵다. 또한 불필요한 업무 제거도 할 수 없기 때문에 최고의 생산성을 내기 어려운 것이다. 노동자도 자신이 최고 성과를 낼 수 있는 과업을 통해 최고 생산성을 보여야 최고의 급여를 받을 수 있기 때문에 경영학이 과학이 된 것이다. 눈에 보이지 않는 노동자의 활동을 눈에 보이게 관리하려고 함으로써 경영학이 비로소 학문이 된 것이다. 서비스라는 무형재화는 무한히 창조될 수 있고 가치 있는 재화로서 거래될 수 있기 때문에, 서비스는 현대 경제사회에서 새로운 재화와 일자리를 만드는 축복이 되고 있다. 무형 재화인 서비스에 대한 인식이 경영학을 비롯한 많은 학문을 탄생시키고 금융서비스를 비롯한 많은 산업을 성장시켰다.

다시 서비스 본질로 돌아가서, 자기 중심적인 자아(ego)가 있는 인간의 본성 때문에 유토피아 이상 사회를 구현하기는 어려울 수 있다. 하지만, 불확정성과 운의 작용이 더욱 많아진 현대사회에서 서비스에 대한 이해가 없이는 더욱 고통스럽고 불안정한 나, 내 회사, 내 나라, 내 인류사회가 될 가능성이 크다. 서비스 이론과 철학이 정립되어 있는 개인과 사회는 고통과 불안의 시간을 훨씬 짧게 건너뛰어 행복한 세상으로 나아갈 것이다. 따라서 조금이라도 더 행복하려고 한다면, 또 조금이라도 내 사회를 더 행복하게 만들고 싶다면 서비스 이론과 철학을 이해해야 한다. 이런 목적으로 이 책은 이야기를 시작한다.

그동안 서비스에 관련한 책들이 전세계적으로 많이 출판되었다. 그러나, 인류사회의 대다수 구성원들은 여전히 서비스를 오해하고 있거나 부분적으로 알고 있다. 많은 사람들은 서비스를 단순한 활동, 저급한 활동, 부가가치 낮은 활동, 생산성을 높여야 하는 활동 등으로 오해하고 있다. 서비스의 본질과 그 가치에 대한 오해가 매우 큰 상황이라고 할 수 있다. 우선 서비스는 가장 고귀한 인적자본의 행사 과정이고, 현대 경제사회의 중심 재화인 무형재화임을 알리는 이야기부터 시작한다. 그래서 서비스 활동은 그 가치를 제대로 인정받아야 함을 이야기한다. 그리고 서비스에 대한 모든 학문을 의미하는 서비스학은 인간의 모든 활동과 그 가치에 대한 학문이므로 깊이 있게 연구되어야 함을 이야기한다. 즉 서비스학은 나와 인류사회 전체의 구원을 위한 가장 본질적이고 가장 철학적인 학문이고, 나와 인류사회의 행복을 위해서 절대적으로 중요한 진리 체계임을 이야기한다. 이것이 이 이야기를 시작하는 목적이다.

이 책의 끝에서 우리는 서비스가 인류의 이상 사회를 향한 가장 중요한 진리로서 널리 전파되고 뿌리를 내리는 것이 나와 인류사회를 위한 구원의 외길임을 확신하게 될 것이다. 모든 학문은 사실상 서비스학이며, 모든 산업은 서비스업이고, 모든 길은 서비스로 통하고 있음을 확인하게 될 것이다.

2024년 2월

저자 씀

제 1 장

왜 '서비스'인가?

01 세계는 서비스 네트워크

02 미래는 더욱 서비스 세상

03 서비스는 인류사회 구원 외길

01 세계는 '서비스' 네트워크

누구든 그 자체로서 온전한 섬은 아닐지니
모든 인간은 대륙의 한 조각, 대양의 한 부분일지니

만일 흙덩이가 바닷물에 씻겨 내려가게 될지면
유럽 땅은 그만큼 작아질지며

만일 모래톱이 그리 될지라도 마찬가지일지며
그대의 친구들이나 그대의 영지(領地)가 그리되어도 마찬가지일지라.

어느 누구의 죽음이라 할지라도 나를 감소시키나니
나란 인류 속의 존재이기 때문일지라.

누구를 위하여 종은 울리나를 알려고
사람을 보내지는 말지라.

종은 바로 그대를 위해 울리기에..

- 영국 성직자 시인 존 단(John Donne: 1572-1631)의 기도문 중에서

인간 삶의 전부는 서비스

인간의 삶은 시작부터 끝까지가 모두 서비스다. 서비스를 주고 받는 과정이 인간의 삶이다. 서비스를 받아야 생을 시작할 수 있고 생을 마감할 때는 장례서비스까지 받고 인간의 삶은 마무리된다. 문화권마다 다르기는 하지만, 죽음 이후에도 제사 등의 서비스

를 오랜 기간 받는다. 살아가는 모든 과정에서도 서비스를 주거나 서비스를 받는 과정이 삶의 전부다. 성장할 때까지는 육아서비스와 교육서비스 등을 받고, 성장해서는 그러한 서비스들을 준다. 경제활동을 하면서도 서비스를 주고 그 대가를 받아 생활을 한다. 서비스업에 종사하는 사람만이 아니라, 농업이나 제조업에서 경제활동을 하더라도 그 생산물은 누군가에게 서비스하기 위해 제공되는 것이다. '서비스'라는 목표를 위해 농업이나 제조업 활동을 한다. 인간 삶의 모든 활동이 서비스로 연결되어 있는 것이다. 세계는 서비스로 모두가 연결되어 있는 하나의 거대한 서비스네트워크인 것이다.

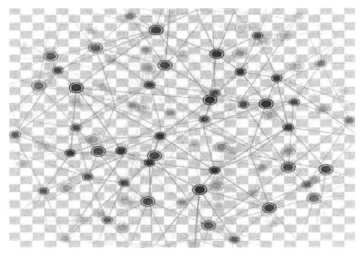

[그림 1-1] 세상은 모두가 연결된 거대한 서비스네트워크

(출처 Freepik, 작가 Harryarts)

경제 차원에서도 현대 세계는 과학기술 발전과 생산성 증대로 농업 등 1차 산업 비중이 크게 축소되었고, 제조업도 그 비중이 급격히 축소되고 있다. 21세기 들어 경제 측면에서 서비스화 속도는 더욱 빨라지고 있다. 인류경제는 메소포타미아문명 수메르시대 이후 역사시대 5,200여년 중 거의 5,100년 동안은 농업 등 1차 산업이 절대적인 중심 위치를 차지하고 있었다. 불과 100여년 전까지도 선진국을 포함하여 거의 모든 나라의 경제는 제조업이나 서비스업의 비중이 매우 작았고 농업 등 1차 산업이 중심이었다. 아래 [그림 1-2]에서 보이는 바와 같이 미국 독일 일본 등 대표 국가들에서 20세기가 시작하는 1900년도의 각 산업별 고용 비중은 농업이 절대적으로 큰 상황이었다. 하지만 20세기 중반이 되면서 제조업의 비중이 매우 커졌고 20세기 후반을 거치면서 제조업은 성숙하며 그 비중이 조금씩 낮아지고 있고 서비스업은 고용 비중이 가장 큰 산업이 되었다. 아래 그림에서 보듯이 미국은 20세기 후반부터 서비스업이 중심인 국가 경제를 운용하고 있고, 제조업이 강한 대표적인 국가들인 독일과 일본도 21세기에 들어서면서 서비스업이 중심인 국가가 되었다. 대한민국도 1970년대에 농업 비중이 50% 이하로 내려가면서 제조업 중심 국가가 되었으며, 1990년대에 서비스업 비중이 50%를 넘어서 서비스 중심 국가가 되었다. 하지만 현재 대한민국은 서비스업의 일자리 비중이 GDP 비중보다 높아서 서비스업의 생산성 혁신이 크게 요구되고 있는 상황이다.

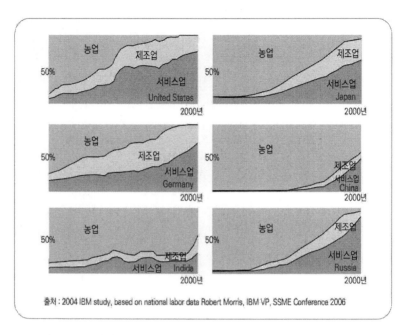

출처 : 2004 IBM study, based on national labor data Robert Morris, IBM VP, SSME Conference 2006

[그림 1-2] 세계 주요국의 20세기 100년간 산업별 고용비중 변화

현대 경제는 서비스 경제

21세기 전반기의 세계 경제 상황은 선진국의 경우 서비스업이
일자리(고용)와 GDP(Gross Domestic Product: 국내총생산) 모두
경제의 80% 정도를 점유하고 있고, 대한민국도 경제의 70% 정
도가 서비스업인 상황이다. 따라서 인류 경제사회의 미래 운명은
서비스라는 무형재화를 다루는 인류의 능력에 의해 좌우된다고 할

수 있다. 더구나 제조업이나 농업과 같이 서비스라는 무형재화를 직접적으로 생산하지 않는 산업도 제4차 산업혁명이나 인공지능 기술 개발로 서비스업화 되고 있으므로, 서비스에 대한 깊이 있는 이해는 현대인에게 필수적이다. 예를 들어, 자동차 제조업도 전기 자동차 보급, 무인자동차 개발이 촉진되면서 서비스화 추세가 뚜렷하게 나타나고 있고, 이동서비스업화 되고 있으므로, 서비스를 이해해야 자동차산업을 잘 경영할 수 있는 것이다. 왜냐하면, 인간이 자동차에 탑승하면 이동서비스를 제공받으면서, 자동차 안에서 사무업무를 볼 수도 있고, 각종 엔터테인먼트 서비스를 받을 수도 있으므로 서비스기기가 되는 자동차의 본질을 정확히 이해해야 하기 때문이다. 1차 산업인 농업도 2차 산업인 제조업과 3차 산업인 서비스업을 결합하여 6차 산업으로 발전하고 있으므로, 서비스를 정확히 이해해야 산업 발전이 가능하다. 인공지능(Artificial Intelligence:AI)의 발달도 전체 산업의 서비스화를 촉진하고 있다. 제조업의 자동화를 촉진하는 것은 물론이고, 인공지능은 제품의 지능화를 촉진하여 제품을 서비스기기로 만들어주기 때문이다.

따라서 기존 경제를 대표하는 제조업 중심의 산업 경제와 신경제를 대표하는 서비스업 중심의 서비스경제는 운영 방식과 수익 원천에서도 확연하게 차별화된다. 자원 및 자본의 원천, 자원 조달 방법, 수익의 원천, 주력 산업, 경제 초점 등 대표적인 다섯 가지 차이를 간단히 살펴보면 다음과 같다.[1] 우선 산업 경제에서는 유

---

1) Kim, Hyunsoo(2018), 경영의 신경영, pp.46-51 참고하여 보완

형적 자원이 중심이다. 경작이나 제조에 필요한 토지, 생산 공장 등의 건물, 생산설비와 원자재가 주요 자원이다. 이들은 크기가 고정되어 있고, 움직이기 어려운 특성을 지니는 정태적 자원이다. 서비스경제에서는 인적 자본과 지식 자본이 중심 자원이다. 토지나 건물, 생산설비가 중요한 생산요소의 일부이기는 하지만, 서비스를 위한 플랫폼(인프라)을 구축하는 용도로 사용될 뿐 그 자체가 부가가치를 창출하지는 않는다. 부가가치를 창출하는 주체는 인적 자원이나 지식 자원이다. 사람이 지식을 이용해 서비스플랫폼 위에서 부가가치를 창출하는 형태가 일반적이며, 때로는 서비스플랫폼에 내재된 지식 자원이 부가가치를 창출하기도 한다. 인적 자원이나 지식 자원은 형태가 없으므로 크기와 가치가 고정되지 않는다. 활용 방식이나 상황에 따라 가치가 높아지기도 하고 낮아지기도 한다. 따라서 동태적 특성을 보인다고 할 수 있다. 예를 들어, 한 개인의 가치는 매우 클 수도 있고 작을 수도 있다. 과거 연구에서 개인들의 생산성은 상위 10%의 평균이 하위 10%의 평균보다 약 30배 높다는 결과도 있었는데, 과거보다 더욱 자동화되고 인공지능이 발달된 현대 서비스경제에서는 그 이상 차이가 날 수 있다는 의견을 보이는 CEO들도 있다. 즉 유능한 개인들과 그렇지 않은 개인들 간에 생산성 차이가 매우 클 수 있기 때문에, 기업에서는 유능한 개인들을 채용하여 생산성을 최대한 높이려고 하는 상황이 현대 서비스경제의 특징이라고 할 수 있다. 예를 들어, 평범한 직원을 연봉 5천만원 주고 10명 채용하여 회사를 운영하는 것보다는, 생산성이 10배 높은 유능한 직원 1명을 연봉 5억원을 주고 채용하여 함께 일하는 것이 훨씬 이익이 되는 상황이라고 할 수 있다. 기업에서는 간접비 비중도 크기 때문이다. 그래서 넷플릭스 등에서 최고의 인재를 최고의 대우로 채용하여 함께 일한다는 기준을 공개적으로 선언한 것이라고 볼 수 있다. 넷플릭스의 표현대로, 높은 성과 관련해서는 평범한 성과를 내는 직원들은 퇴사를 권유하고, 뛰어난 성과를 유지하는 직원들로만 조직을 운영한다는 것이다. A급 노력을 했는데도 B급 성과를 내는 직원은 후한 퇴직금을 주어 내보내고, 작은 노력으로도 A급 성과를 지속적으로 내는 직원은 더 많은 권한을 주고 급여도 인상 해준다는 것이다. 높은 성과에 집착하는 이유는 자신들의 사업 영역이 고성과자와 저성과자의 성과 차이가 매우 큰 영역이기 때문이라는 것인데, 서비스경제에서는 이러한 직무 영역이 점점 더 늘어나고 있는 상황이다.[2] 그래서 새로운 산업들을 많이 창출해야 할 필요성이 커진 것이 현대 경제의 특징이다. 하지만, 제조업시대에 주로 만들어진 경제시스템 관련 법제도는 새로운 일자리와 새로운 산업을 많이 만들어내기 어려운 구조라고 할 수 있다. 왜냐하면 새로운 산업이나 일자리는 인간을 위한 인간의 새로운 욕구 충족을 위한 산업이거나 일자리일 수 밖에 없는데, 인간을 중심으로 학문들과 산업들이 원스톱으로 교류하거나 협업하기 어려운 구조이기 때문이다. 기존의 학문체계나 기존의 산업체계는 사일로(silo)처럼 수

---

2) Kim, Hyunsoo(2018), 경영의 신경영, p.267

직적 산업체계, 수직적 학문체계를 견고하게 유지하고 있기 때문이다. 예를 들어 대학의 학과 구성만 보더라도, 기존의 수직적 학과 체계가 아직 그대로 견고히 유지되고 있기 때문에, 산업 현장에서 요구하는 융복합 인재를 길러내기 어려운 구조라고 볼 수 있다. 그래서 서비스네트워크 구조에 기반을 둔 새로운 시스템으로의 혁신적 전환이 필요하다. 현대 경제사회의 법제도 및 학문체계가 모두 혁신될 필요가 있다.

자원 조달 방법도 큰 차이가 있다. 산업 경제에서는 토지 매입이나 생산 설비 구축, 원자재 구입을 위해 대규모 자본이 필요했고, 주로 주식과 채권 등의 금융자본으로 이를 조달했다. 주식은 1602년 네덜란드에서 인도 사업을 위해 동인도회사를 설립하면서 최초로 발행한 뒤, 400년 넘게 대표적인 자본 조달 방법으로 활용되고 있다. 그러나 현대 서비스경제가 성숙하면서 대규모 자본이 필요한 산업은 급격히 감소하고 있다. 대신 사람과 지식, 관계 자원 등을 결합 또는 변형해 자원을 창출하는, 즉 무에서 유를 창조하는 산업이 증가하였다. 심지어 대규모 자본 조달이 필요한 경우에도 주식이나 채권을 발행하지 않고, 무형의 프로젝트 계획서로 사업 자본을 조달하는 프로젝트 파이낸싱(Project Financing: PF)이나 운영수익자가 선투자를 하는 민간시설투자 방식이 활성화되었다. 금융자본을 반드시 획득해야 자원을 구매할 수 있던 시대에서, 무형의 아이디어나 인적 자본, 지식 자본을 활용하여 부가가치 창출에 필요한 자원을 만들어내는 경제가 된 것이다. 예를 들어, 에어비앤비는 땅이나 건물이 없이 호텔사업을 시작한 것이고, 우버도 자동차 없이 운수업을 시작한 것이니 현대 서비스경제에서는 누구라도 소규모 자본으로 큰 사업을 일구어낼 수 있는 것이다. 산업 경제와 서비스 경제는 수익 원천도 전혀 다르다. 산업 경제에서는 냉장고나 휴대폰 등 유형의 제품을 판매해 수익을 올렸고, 서비스는 제품 품질 불량이나 고장에 대한 대응으로서 부수적인 역할만 했다. 산업 경제에서 서비스는 제품에 종속되었으며, 부가가치를 창출하지 못했다. 반면 서비스경제에서는 제품을 쓰기는 하지만, 제품이 아닌 서비스를 통해 수익이 창출된다. 금융과 교육, 통신, 관광레저 서비스를 포함한 거의 모든 서비스산업이 장치 및 설비, 건물 등 유형 제품을 사용하지만, 이들은 서비스플랫폼으로서의 역할을 할 뿐이고, 수익을 창출하는 원천은 플랫폼을 이용하여 고객에게 서비스되는 활동이다. 제품을 팔아서 수익을 내는 경우라도 수익의 비중이 제품 기능보다 서비스에 더 많이 실린다. 자동차는 기본 성능보다 소프트웨어로 구현하는 서비스 기능이나 디자인으로, 휴대폰은 통신 기능보다 소프트웨어로 구현된 부가 서비스 기능으로 차별화하여 높은 가격에 판매되고 있는 것이다. 산업 경제의 주력 산업은 자동차, 철강, 화학, 전자, 조선 등을 비롯한 대형 제조업이었으나, 서비스경제에서는 금융, 정보통신, 문화관광레저, 의료보건, 교육, 예술 등 소프트 산업이 중심이다. 이제는 제조만으로는 경쟁력을 갖지 못하기 때문에 대형 제조업체도 인간의 확장된 욕구를 충족할 수 있도록 끊임없이 제품을 서비스화하고 있다. 이미 휴대폰은 애플리케이션이 중심인 서비스기기가 되었고, 자동차도 소프트웨어를 장착해 서비스 기기화하고 있다. 한편 서비스업은 연구개발을 강화하고, 신기술을 도입하여 생산성을 높임으로써 제조업의 특성을 보이는 주력 산업으로 변모하고 있다. 서비스경제에서는 제조업과 서비스업의 구분이 없이 모두가 하나의 산업, 즉 서비스업이라고 할 수 있다. 따라서 현대 서비스네트워크 세계의 운용시스템은 새로운 서비스 중심 원리로 변화해야 한다. 그래야 새로운 일자리를 많이 만들 수 있고, 좋은 일자리는 인류사회의 많은 문제를 해결하는데 기여할 수 있을 것이다. 그리고 현재 정당한 대우를 받지 못하고 있는 저임금 서비스 직무, 감정 노동이 많아서 힘든 서비스 직무들의 여러 문제들을 해결할 수 있을 것이다. 현대 서비스 경제사회에 부합하는 법제도로 개선하면 정상적인 가치 중심 임금 체계, 임금 수준과 업무 수준이 적절한 대칭을 이루는 균형적 보상 체계로 정상화될 수 있을 것이다. 인공지능 등 과학기술의 발전으로 인간 일자리가 위협받는 상황이므로, 수만 년 이상 축적된 인간 고유의 역량을 발휘하는 직무들인 서비스 일자리들에 대한 재평가가 필요하다. 인간의 노동 가치가 경제적 가치로만 환산되고 평가받는 현재의 가치체계에 대한 재검토도 필요하다. 양(量) 중심의 사회에서 질(質) 중심 사회로의 전환에 대한 논의도 필요하다. 보다 근본적인 차원에서 인류사회의 바람직한 일자리 구조와 보상 체계에 대한 논의가 필요하다.

[표 1-1] 산업경제와 서비스경제 패러다임 비교[3)

	산업경제 패러다임	서비스경제 패러다임
자원 및 자본	정태적 자원 경작 및 제조용 토지와 건물, 시설 설비, 원자재	동태적 자원 인적 자본, 지식 자본 서비스 플랫폼
자원 조달 방법	자원 획득 및 구매 주식과 채권	자원화(창조, 통합 등) PF, 리츠, 민간시설투자 등
수익 원천	제품(서비스 공존)	서비스(플랫폼(서비스인 프라) 구축을 위한 제품 중요)
주력 산업	자동차, 철강, 화학, 전자, 조선 등	금융, 정보통신, 문화관광 레저, 의료보건, 교육, 예술 등
경제 초점	제조업 경쟁력 강화를 위한 서비스업	서비스업 발전 전체 산업의 서비스화

서비스네트워크 속의 인간의 길

이렇게 서비스가 현대 경제사회의 중심이고, 서비스가 인간 삶의 모든 것이므로, 서비스를 주고 받는 네트워크 관계가 우리 인간이 살고 있는 이 세계의 구조가 된다. 70억 명 이상의 전체 인류 구성원이 모두 하나의 서비스네트워크 상의 노드(node)로서

---

3) Kim, Hyunsoo(2018), 경영의 신경영, p.47

각자 주어진 역할을 하고 있는 것이다. 전체 서비스네트워크 구조 속에서 주어진 역할을 수행하는 하나의 노드로서의 속성을 벗어날 수 있는 인간은 없다. 대통령이나 재벌기업 회장일지라도 하나의 작은 노드에 불과하다. 그가 서비스를 받고 서비스를 제공하는 행위가 전체 네트워크에 미치는 영향이 아래 [그림 1-3]의 한 노드처럼 다른 노드들보다 클 수는 있지만, 또한 그 크기만큼 다른 노드들로부터 저항을 받으며 행위할 수 밖에 없으므로, 서비스네트워크상의 무수한 노드들 중 그저 하나의 노드일 뿐인 것이다.

[그림 1-3] 누구나 거대한 서비스네트워크 속의 하나의 작은 노드

(출처 Freepik, 작가 Harryarts)

그래서 각 개인이 서비스를 주고 받는 관계 네트워크 구조에서 '어떻게 서비스를 주고 받는 것이 가장 바람직한가?'라는 질문은

인간 삶의 궁극적인 질문이 된다. 이걸 진리(眞理: veritas)라고도 하고 도(道)라고도 한다. 인간사회의 진리인 도(道)를 가장 잘 설명한 고전 중의 하나인 노자(老子) 『도덕경(道德經)』에서는 제15장에 도(道)를 아래와 같이 설명하였다.4)

豫兮若冬涉川(예혜약동섭천)

猶兮若畏四隣(유혜약외사린)

儼兮其若客(엄혜기약객)

渙兮若氷之將釋(환혜약빙지장석) ...

즉 도(道) 모습, 가장 바람직한 행동 모습은 겨울에 강을 건너듯 신중하게 행동하는 것이고, 사방의 주위를 두려워하는 듯이 조심하는 것이고, 마치 손님인 듯이 의젓하게 행동하는 것이고, 어울리는 모습은 마치 얼음이 녹는 것처럼 부드럽게 행동하는 모습이라는 것이다. 거대한 서비스네트워크 구조 속의 하나의 노드로서 현대 인간은 관계 속에서 자신을 절제하면서 살아야 하고, 변화 속에서 어울리며 살아야 한다는 것이다.

현대 세계의 서비스네트워크 구조와 그 구조 속에 있는 인간들의 바람직한 삶의 방식에 대한 연구는 이 책의 중심 주제다. 서비스네트워크는 인공지능과 생명과학 기술 등 과학기술의 발전과 인간 욕망의 개발에 따라 끊임없이 변화해 갈 것이다. 이 변화의 방향을 이해하고 미리 대비하는 것이 인간 삶의 바람직한 활동이다. 이 책에서는 이 변화 방향에 대한 이해를 돕기 위해서 기본 지식

---

4) 이 장은 매우 유명하여, 다산 정약용도 이 장에서 그의 당호를 지음.

을 제공한다. 또한 서비스라는 재화 또는 활동에 대한 근본 이해를 위한 기본 지식을 제공한다. 서비스를 깊이 있게 이해하면 서비스네트워크 속에서 하나의 노드인 자기 자신을 보다 깊이 있게 이해할 수 있고, 자신의 행동 방향과 삶의 방식을 조정하면서 행복한 삶을 살아갈 수 있기 때문이다. 서비스를 이해하기 위해 연구하는 학문이면서, 서비스네트워크 사회의 모든 인간 활동을 연구하는 학문인 서비스학을 소개하며 연구 활성화를 도모한다. 서비스학은 현대 인간이 행복하기 위해 가장 필요한 학문이기 때문이다. 서비스학을 통해 구현되는 이상적인 사회에 대한 이해도 필요하다. 현대인이 행복하기 위한 구조적 환경이기 때문이다. 서비스네트워크 기반의 경제 시스템, 정치 행정 시스템, 사회 교육 시스템 등을 소개한다. 새로운 세상은 모든 산업이 서비스업이고 모든 학문이 서비스학이다. 서비스네트워크 구조를 가진 세계이기 때문이다. 궁극적인 인간의 행복 및 인류사회의 지속가능성은 서비스에 대한 바른 이해에 있다고 할 수 있다. 아래에서 미래 세상의 변화 방향에 대한 이해를 도우면서 이 책의 본론을 시작한다.

02 미래는 더욱 서비스 세상

인간 노동의 기계 대체

　서비스네트워크는 과학기술 발전으로 더욱 서비스 중심 네트워크가 된다. 인간이 기계에게 전통적 일자리를 많이 내어주고, 인간은 새로운 서비스들을 창조하기 때문이다.[5] 인간이 기계에게 자의로 또는 타의로 일자리를 내어주는 방향은 아래 [그림 1-4]와 같이 '힘의 필요 정도'와 '과학화 가능 정도' 라는 두 개의 축으로 방향을 설정할 수 있다. 힘의 필요 정도는 위험함의 정도를 포함하는 포괄적인 개념으로 정의한다. 즉 힘이 많이 들거나 위험하여 인간이 수행하기 어렵거나 또는 어떤 이유로 기피하는 정도를 보편적으로 표현한다. 힘이 많이 필요하거나 위험한 직무일수록 인간은 기계에게 일을 맡기려고 많은 기술개발을 할 것이고, 또 과학화가 가능한 직무는 쉽게 기술을 개발하여 기계로 대체하는 것이 가능하기 때문에, 힘이 많이 필요하거나 위험하면서도 과학화가 가능한 직무는 제일 먼저 기계로 대체되었다. 제조 공정의 상당부분 직무를 현재 로봇 등의 기계가 대체하고 있는 것이다. 한편 힘도 많이 필요하지 않고, 과학화도 어려운 직무는 인간의 고유 영역으로 상당기간 남을 수 있을 것이다. 힘이 많이 필요하지

---

5) 아래에서 Kim, Hyunsoo(2016)의 서비스연구 저널 논문 요약 제시

만 과학화가 어려운 직무에 대해서는 인간이 과학기술 개발을 강화할 것으로 전망된다. 개발 노력 대비하여 대체 효과가 높기 때문이다. 과학화가 가능하기는 하지만 힘이 덜 필요하여 기계 대체 필요성이 적었던 직무들은, 인간 노동 원가 상승에 따라 점차 기계로 대체되는 추세로 가고 있다. 현재 글로벌 경영을 하는 자동차 회사들이 각 지역별로 자동화율을 달리 하고 있는 사례에서 보듯이, 인간근로자의 노동원가가 자동화 추진의 주요 변수가 되고 있다. 세계경제포럼에서 가까운 장래에 가장 많이 소멸될 것이라고 전망한 사무 및 행정 일자리도 과학화 가능하지만 힘이 덜 필요하여 인간이 수행해 온 직무의 대표격인데, 과학기술의 발전과 인건비의 상승으로 이러한 일자리들이 기계로 대체되고 있는 중이다. 이러한 기계의 인간 노동 대체 방향을 2차원 그림으로 도식화하면 아래 [그림 1-4]와 같다. 즉 기계 우위 직무와 인간 우위 직무 사이에, 현재 기계로 대체가 진행되고 있는 직무들이 그림의 중간에 있는 '기계 우위 추세', '다소 인간 우위' 부문으로 표시되어 있다. 과학화가 가능한 직무들 전체와, 아트 영역 중 인간이 수행하기 어려운 직무들이 계속 기계로 대체되고 있다. 이러한 방향으로 기계의 인간 노동 대체가 계속 진행되면 산업구조와 고용구조가 재편될 것이다. 산업구조와 고용구조 변화 요인은 수요 변화, 공급 변화, 그리고 정책 방향과 인간의 의지 차원에서 이야기할 수 있다. 수요와 공급 측면에서는 서비스에 대한 수요와 공급이 동시에 증대될 것으로 전망된다.

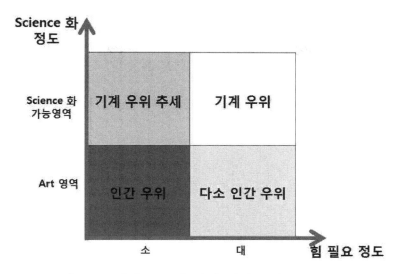

[그림 1-4] 인간 노동의 기계 대체 방향

제4차 산업혁명으로 생산성이 증대되면 인간의 유휴시간이 증대되고, 이러한 유휴시간의 증대가 서비스산업의 발전을 촉진할 것으로 전망된다. 현대사회에서 시간활용과 인간의 욕구발현에 개인의 자유가 증대된 것도 서비스산업 발전을 촉진하는 주요 요인이다. 또한 인공지능, 빅데이터, 사물인터넷, 초고속인터넷 등으로 서비스플랫폼이 고도화되고, 서비스 공급능력이 증대되는 것도 서비스산업 발전의 주요 요인이 될 것이다. 따라서, 인류사회의 일자리는 기존의 전산업에 고르게 펼쳐져 있는 평탄한 일자리 구조에서 인간 고유 영역의 일자리 중심으로 재편되는, 즉 U 자형 구조로 이전될 것으로 전망된다. 산업 매출의 구조와 일자리의 구조가 달라지는 상황으로 전개될 것으로 전망되는 것이다. 아래에서 상세 분석을 제시한다.

수요 측면 변화 요인

수요 측면의 변화요인은 크게 인구증가, 도시화, 글로벌화, 고령화, 생산성증대, 개인의 자유증대, 인간의 욕구확장 등을 들 수 있다. 우선 지난 200여 년간에 비해 인구증가 속도가 둔화되고 있기는 하지만, 여전히 세계인구는 증가추세여서 재화에 대한 수요는 계속 증가될 전망이다. 집이나 자동차나 휴대폰 등 유형재화에 대한 수요는 한계가 있을 것이며, 무형재화에 대한 수요가 크게 증대될 것이다. 인류가 소득이 많이 높아져도 한 개인이 집을 10채 이상 소유하려 하지는 않을 것이며, 휴대폰을 20대 이상 소유하려 하지도 않고, 자동차를 30대 이상 소유하려 하지도 않을 것이기 때문이다. 더구나 에어비앤비나 우버 등 공유경제 기업들의 성장 발전으로 유형재화에 대한 소비 증대는 더욱 한계에 봉착할 것으로 전망된다. 따라서 인류의 소비는 무형재화 중심으로 증대될 것으로 전망된다. 도시화의 진전으로 인해 서비스재화, 관계재화에 대한 수요가 크게 증가될 것이다. 도시는 사람들이 집적하여 생활하는 공간이므로, 사람들 간의 관계의 수가 기하급수적으로 증가한다. 10명이 거주하는 마을과 10만 명이 생활하는 도시 간의 관계의 수량 차이는 단순히 1만 배가 아니라, 사람 간의 관계

조합이 반영되어 1억 배가 될 수도 있다. 대량의 관계재화를 효율적으로 공급하기 위해서 서비스플랫폼이 필요하다. 도시는 거대한 서비스 플랫폼이므로 도시화는 서비스재화 공급시스템 구축이라고 할 수 있다. 도시화된다는 것은 서비스 수요가 급증한다는 의미이다. 글로벌화로 관계의 수와 빈도가 증가되는 것도 관계재화인 서비스재화의 수요가 증가하는 요인이다. 무역이나 국제관계 관련 서비스 직무가 크게 증가하고 있다. 고령화로 인해 보건의료서비스, 관광레저 및 엔터테인먼트서비스 등 고령친화 서비스 재화 수요가 증대될 것이다. 유형재화에 대한 소비보다 무형재화 소비가 증대될 것이다. 과학기술 발전으로 인한 생산성 증대는 인간의 유휴시간을 크게 증가시킬 것이다. 과거 그리스나 로마에서 시민계급이 노예에게 수고로운 노동을 맡기고 평생을 유한계급으로 살면서 휴식과 오락, 학문과 예술에 시간을 보냈었는데, 현대사회에서도 생산성 증가로 이러한 서비스에 대한 수요가 증대될 것으로 전망된다. 중세와 근대시대에도 노동의 의무가 없었던 유럽의 귀족들이 음악과 미술을 후원하여 문화를 융성시킨 바 있으므로, 생산성 증가는 인간에게 여유시간을 주고, 여유시간은 인간에 대한 서비스 수요를 증대시킬 것이다. 엔터테인먼트서비스산업의 급성장이나 스포츠산업의 주력산업화 경향은 이러한 추세를 설명한다. 정치 민주화 등으로 개인의 자유가 증대되면서 재화 소비에 대한 수요증대가 가속화될 것이다. 의식주 등 인간의 기본 생활에 필요한 재화는 자유의 증대와 무관하게 소비되었으나, 자유의 증대와 함께 비 필수적 재화인 무형재화에 대한 수요가 증대될 것이다. 신경제의 주요 특징인 욕구가 무한히 확장하는 시대에는 잠재된 인간의 욕구가 끝없이 발굴되고 확장되게 되는데, 유형재화에 대한 욕구도 확장되겠지만, 유형재화에 대한 욕구가 어느 정도 충족되는 일정 시점 이후에는 무형재화에 대한 수요가 크게 증대될 것이다. 이와 같은 분석에 의해, 무형재화인 서비스재화에 대한 수요가 계속 크게 증대될 전망이며, 산업구조는 더욱 서비스산업 중심으로 재편될 것으로 분석된다.

공급 측면 변화 요인

공급 측면의 변화 요인은 과학기술의 발달, 인구 및 인적자원의 변화, 경영의 변화 등이다. 우선 과학기술의 발달은 유형 및 무형 재화의 공급을 크게 증대시킬 것이다. 지난 제1차, 제2차, 제3차 산업혁명에서 증기기관, 기계자동차제품, 전기전자제품, 정보기술 제품 등의 공급이 창출되고 크게 증대하였듯이, 제4차 산업혁명시대에는 전 산업에서 인공지능과 초연결의 보편화로 유형 및 무형 재화의 공급이 증대될 것이다. 특히 로봇 기술의 발달로 비 인간 노동력이 증대될 것이다. 서비스 로봇의 보편화로 비 인간 서비스 노동력의 공급이 증대될 것이다. 인구의 지속적인 증가와 고령화는 공급 측면에서도 큰 변화 요인이다. 노동력의 공급이 계속 늘어나는데, 특히 힘보다는 지식 및 지혜를 사용하는 노동력의 공급이 증대될 것이다. 인적자원의 질적인 변화도 공급 측면의 주요 변화 요인이다. 고학력 노동력 공급이 증대되면서 과학기술이 더 빠르게 발전하고, 발전된 과학기술이 더욱 생산성을 향상시키고, 다시 인적자원의 유휴시간이 많아지고, 이로 인해 노동력 공급이 증대되어 과학기술 발전과 생산성 향상이 가속화되는 상황이다. 경영의 변화도 공급 측면의 중요 요인이다. 경영의 주요 활동이 생산성을 향상시키는 활동이며, 새로운 비즈니스를 창출하는 활동이기 때문에, 경영 활동의 확산과 보편화로 인해 재화의 공급 역량도 크게 증대되는 것이다. 과학기술의 발전 결과를 경영 활동에 도입하여, 재화를 보다 효율적이고 효과적으로 공급하기 위해 서비스플랫폼이 등장하였다. 서비스플랫폼의 급성장은 재화 공급 역량 증대의 주요 요인이다. 관계재화, 서비스재화를 공급할 수 있는 플랫폼이 구축되면서, 유형 및 무형 재화의 공급 량과 공급 속도가 크게 증대되었다. 이렇게 재화의 공급이 증대되는데 비해, 유형 재화에 대한 수요는 유한하기 때문에, 무형재화의 생산과 공급이 더 크게 증대되는 것이 미래의 방향인 것이다. 즉 무형재화인 서비스재화를 생산하여 공급하는 방향으로 산업이 발전하고, 서비스재화를 공급하는 일자리에 인간의 노동력이 배치될 전망이다.

요약하면, 과학기술의 발달로 비인간 노동력 공급이 증가하고, 인구 증가로 인간 노동력 공급도 증가하고, 경영 혁신으로 인한 생산성 증가로도 유휴 노동력이 증가하기 때문에 서비스 재화 공급은 계속 증대될 것이다.

인류의 의지 측면 변화 요인

인류의 의지도 산업구조와 고용구조에 변화를 미칠 주요 요인이다. 기본적으로 자아(ego)가 있는 인류는 자신의 발전을 위한 노력을 계속할 전망이기 때문에, 산업과 고용구조도 인류에게 유리하다고 판단되는 방향으로 변화될 것이다. 즉 기계의 인간노동 대체 용이성과 인간의 영역 지키기 노력 난이도 간의 경쟁과 타협에 의해 새로운 일자리 구조가 형성될 것이다. 인간의 고유 영역 지키기 활동(pull)과 생산성 혁신과 경영 성과 향상을 위해 인간의 일자리를 기계로 대체하려는 활동(push)간의 경쟁과 타협이 활발해질 것이다. 우선, 현대 경제에서 인간에게 일자리의 의미는 사회시스템에의 소속 여부에 관련되므로, 일자리를 지키기 위한 인간의 노력은 더욱 강화될 것이다. 과거에는 일자리가 없어도 사회시스템에서 밀려나지는 않았었다. 가족공동체가 건재하였고, 남이 만들어 놓은 일자리를 얻는 취업이라는 것이 사회적으로 희귀했기 때문이다. 그런데, 이제 일자리를 잃은 인간은 사회시스템에서 퇴출되는 의미를 가지게 되는 상황에 가까이 왔으므로, 인간은 일자리를 지키기 위한 노력을 과거보다 강화할 것으로 전망된다. 즉, 인간 우위의 일자리를 계속 창출하는 노력을 강화할 것으로 전망된다. 정치시스템 또한 민주화되어 있으므로, 정치 권력을 획득하기 위해서라도 국민들의 일자리를 확보해 주려는 노력은 계속 강화될 것이다. 인류가 노력할 수 있는 방향은 두 가지다. 즉 기계를 능가하는 고차원의 지식노동 일자리를 만들어내거나, 기계가 모방하기 어려운 상호작용이 많고 감성 역량이 필요한 순수 인적 기반 일자리를 많이 만들어내는 방향으로 노력을 강화할 것으로 전망된다. 인간의 일자리를 기계로 대체하려는 노력도 강화될 것이다. 경영의 보편화로 모든 활동이 경영 목적 달성에 초점이 있다. 생산성을 향상시키고 비용을 절감하려는 경영의 기본활동이 보편화되고 있다. 따라서, 개발되는 과학기술을 최대한 활용하여 비용을 절감하고 생산성을 증대시키려고, 인간노동을 기계로 지속적으로 대체하고 있다. 자본주의 시스템이 존속하는 한 이런 현상은 가속화될 것이다. 선거로 권력을 결정하는 정치시스템과 이윤 창출 기반의 자본주의 시스템이 상호 경쟁하면서 인류의 방향을 결정하게 될 것이다.

산업 및 고용 구조의 변화

위와 같은 변화 요인에 의해 과학기술 혁신으로 인한 미래의 산업구조 및 고용구조는 아래와 같이 U자형 모델로 변화될 것으로 전망된다. [그림 1-5]와 같이 산업구조는 상호작용이 많은 고유한 인적 역량을 필요로 하는 A타입 산업과, 고도의 지식 및 지혜를 필요로 하는 B타입 산업이 크게 발전할 것이다. 중간에 있는 적정 수준의 지식 및 인적 역량을 요구하는 산업은 서비스플랫폼을 공급하는 차원에서 현재 수준을 유지할 것으로 전망된다.

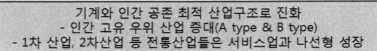

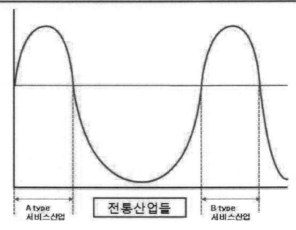

A type
서비스산업

전통산업들

B type
서비스산업

[그림 1-5] 미래 산업구조 변화 모델

이에 따라 인류사회의 일자리 구조도 아래와 같이 U자형 모델로 변화될 것으로 전망된다. 즉 아래 [그림 1-6]과 같이 제조업 등에 있는 전통산업 일자리는 많이 사라질 것이며, 창조력과 협동력이 필요한 B타입 일자리와 상호작용력과 감성력이 필요한 A타입 서비스직무는 증가할 것이다. 산업 측면에서 A타입 산업은 현재의 전형적인 인적 서비스 중심 산업들이며, B타입 산업은 현재 크게 발전하고 있는 창조형 신 서비스산업들이다. 중간에 있는 전통산업 일자리들은 기계에 의해 우선적으로 대체되어 갈 것이다.

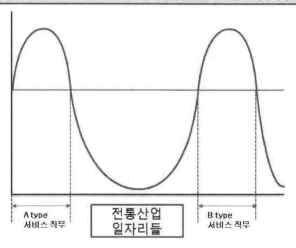

[그림 1-6] 미래 일자리구조 변화 모델

미래 경제사회의 리더

그동안 지속적으로 서비스 경제가 발전되고 있었지만, 제4차 및 제5차 산업혁명의 영향으로 서비스경제화가 더욱 촉진되고 있다. 고용 측면에서는 과학기술 발전이 일자리 구조를 서비스 중심으로 더욱 크게 변화시키고 있다. 제조 직무는 기계로 이전되고 서비스 직무 중심으로 인간의 일자리 체계가 개편되고 있다. 또한 서비스 직무 중에서도 인간의 고유 역량 영역 중심인 U자형 구조로 일자리 구조가 개편되고 있는 것이다. 전문 분야일지라도 시스템화 및 과학화가 가능한 서비스 직무는 기계에 의해 대체되고, U자형의 양극단인 인간의 역량이 우세한 영역 중심으로 일자리 구조가 변화될 것으로 전망된다.

요약하면, 미래의 세상에서는 유형 재화 생산 활동에 투입되는 인간노동력이 대폭 감소될 것으로 전망된다. 또한 표준화되는 무형재화 제공 활동에도 인간 노동력 투입이 감소될 것이다. 따라서 인간의 유휴시간이 증대되고, 개인의 자유 증대로 인간의 욕구가 대폭 확장되며 인간의 서비스 욕구가 크게 증가할 것이다. 고속인터넷 및 사물인터넷(IoT) 등으로 서비스플랫폼의 초연결화, 그리고 인공지능 및 빅데이터에 의한 서비스플랫폼의 고도 지능화로 서비스네트워크의 한 노드인 개인의 서비스 역량 및 영향력이 증대되며 새로운 세상으로 이동할 것이다.

미래에 어떤 개인들이, 또 어떤 나라가 서비스네트워크 경제사회의 주도권을 가질것인가? 당연히, 미래 경제사회의 리더는 서비스 이해력과 활용력이 높은 개인들과 국가들이 될 것이다. 또한 인류사회의 바람직한 모습인 경제적 불평등 완화 및 사회 이동성 증대, 정치적 불평등 완화 및 투명성 증대, 사회적 불평등 완화 및 사회성숙도 증대, 신뢰와 배려 및 공정성 등의 사회적자본 증대, 문화적 불평등 완화 및 국민행복도 증대 등의 목표를 동시에 달성할 수 있는 가장 빠른 길이 서비스를 바르게 이해하고 활용하는 이 길일 것이다. 장기 지속가능한 국가사회의 모델이면서, 인류 사회의 갈등 완화 및 해결에 기여하는 최적 모델도 서비스네트워크 모델이다. 장기적으로 인류사회의 공존력과 지속가능성을 증대시키는 가장 빠른 길이 서비스에 대한 올바른 이해와 서비스 연구 강화일 것이다.

03 서비스는 인류사회 구원 외길

서비스의 인류사적 의미

인류의 역사는 전쟁과 갈등의 역사라고 할 수 있다. 수 많은 국가들이 나타나고 또 사라졌다. 가장 장수했다는 1,000년 제국 로마도 얼마나 많은 전쟁 속에서 간신히 살아남았던가. 인간의 삶 또한 경쟁과 고통의 과정이라고 할 수 있다. 평화와 행복의 시간은 짧고 갈등과 고통의 시간은 길다. '슬픔은 짧았고 기쁨은 길었다'고 다산 정약용은 그의 결혼 60주년 기념 회혼(回婚)시에서 썼지만, 18년 유배생활을 포함한 그의 인생에서 슬픔이 짧았을 리가 없다. 착시 속에서 인생의 시간은 흘러간다고도 볼 수 있다. 불교에서 인생은 괴로움의 바다라고 하듯이, 기독교에서도 부활이라는 다음 생의 구원을 강조하듯이, 인간 삶의 본질은 고통이고 갈등이라고 본 것이 지금까지 인류의 역사였다고 할 수 있다. 그래서 인류 역사와 개인의 삶에서 종교가 큰 역할을 하였다. 무수한 종교들이 출현하여 사회 구원 역할을 수행하였다. 하지만 근대 이후 과학문명이 발전하면서 종교의 인간 구원 역할이 크게 약화되고 있다. 또한 현대 철학과 현대 문명이 '나' 중심성을 강조하면서 자유가 증대된 대신, 삶과 문명의 불확실성은 크게 증대되고 있다. 인류사회의 미래는 불확실하고, 인류의 삶은 방향타를 잃어가고 있다. 학문은 방향타를 잃어가고 있고, 개인은 삶의 목적을 잃어가고 있다. 각종 갈등은 심화되고 있다. 최근 인류는 공산주의와 자본주의(자유민주주의) 간의 갈등으로 인해 여러 번의 참혹한 전쟁을 치르는 등 혹독한 20세기를 보냈고, 지금은 기독교와 이슬람의 갈등, 전체주의와 민주주의의 갈등, 선진국과 후진국의 갈등, 부자와 빈자의 갈등 등으로 불확실성이 증폭되는 시기를 보내고 있다. 다행히 현대 세계가 서비스경제사회가 되고 서비스네트워크 세상이 되면서 인류사회의 문제를 근본적으로 해결할 수 있는 길이 서비스를 통해 열리고 있다고 볼 수 있다. 서비스학을 발전시키고 서비스문화를 확산하고 서비스철학적 기반을 공고히 하면 인류사회의 문제를 근본적으로 해결할 수 있을 것이다. 지금이 인류사회를 오래도록 행복하게 할 수 있는 기반 시스템을 구축할 수 있는 절호의 기회라고 볼 수 있다. 세가지 차원에서 인류사회 및 인간의 삶을 구원하는 서비스의 역할을 제시한다.

우선 첫 번째 역할로서 '서비스'는 무형재화를 통해 인류의 삶을 행복하게 할 수 있다. 그동안 농업 생산성의 향상으로 인류의 절대 빈곤 문제가 해결되었고, 제조업 생산성의 향상으로 인류의 생활 필수품 문제가 해결되었다. 공급과잉이 일상화된 것이 현대 경제사회라고 할 수 있다. 끝없이 욕망을 추구하는 인류를 행복하게 하는 길은 인류가 요구하는 서비스를 지속적으로 창출하여 제공하는 것이다. 교육 의료 금융 IT서비스와 같은 기반 서비스만이 아니라 관광 문화 콘텐츠 엔터테인먼트서비스 등의 부가 서비스를 무한히 창출하여 제공할 수 있기 때문에 인류는 행복할 수 있다. 인간이 하루 세끼 이상의 식사를 하는 것은 행복도를 크게 증진 시키지는 않겠지만, 또 인간이 휴대폰을 여러 대 가지는 것도 행복도를 크게 증가 시키지는 않겠지만, 건강하게 장수하는 의료보건서비스를 제공하거나 더 즐거운 엔터테인먼트서비스를 제공하는 것은 행복도를 크게 증대시킬 수 있을 것이다. 인공지능 등 과학기술 발전으로 줄어드는 일자리 문제도 새로운 서비스 관련 일자리의 창출로 해결이 가능하다. 인류사회의 서비스 생산과 소비 역량이 높아지면, 행복 증진 과제와 일자리 부족 문제가 동시에 해결될 수 있을 것이다. 그래서 서비스역량이 크게 증대된 진정한 서비스 사회가 된다면 인류사회의 현안 문제들이 거의 모두 해결될 수 있을 것이다. 인류사회는 서비스 역량 증대를 통해 모든 개인이 각자, 그리고 모두가 함께 행복한 이상 사회를 구현할 수 있을 것이다.

두 번째 역할로서 '서비스'의 가치를 인식할 수 있는 서비스문화를 확산하면 인류사회 전체를 더욱 행복한 사회로 발전시킬 수 있을 것이다. '돈'은 말할 것도 없고 '제품'과 같이 눈에 보이고 손으로 만져지는 재화는 그 품질을 평가하기도 쉽고 이해하기도 쉽지만, '서비스'와 같이 눈에 보이지도 않고 과정 자체가 결과물의 주요 부분인 활동이나 무형재화는 그 품질을 평가하기도 어렵고 가치를 인정받기도 쉽지 않다. 예를 들어, '말'로 한 약속을 지키는 것 등은 법률이나 문서로 된 약속 등을 지키는 것보다 가치를 인정받기 어렵다. 마음과 몸으로 하는 봉사활동은 눈에 보이는 제품을 생산하는 활동보다 가치를 인정받기 어렵다. 소프트웨어는 하드웨어보다 가치를 인정받기 어려운 것이 일반적인 상황이다. 따라서 서비스의 가치를 이해하고 평가할 수 있는 인식 체계와 문화 체계를 갖추는 것이 인류사회의 현안 과제다. 서비스를 통해서 인류사회의 문제를 해결하려면, 우선 '신뢰'라는 사회적 자본을 강화해야 한다. '익명'이 아닌 '실명'으로 말과 행동을 하고 그에 대한 책임을 지는 문화를 만들어야 한다. 서비스는 실명으로 행위를 하고 그에 대해 책임을 지는 활동이기 때문이다. 거짓말을 하거나 신뢰를 잃으면 큰 패널티가 부과되는 활동이기 때문이다. 서비스 사회가 되면 거짓말이 줄어들고 사기 등의 범죄가 거의 없어질 수 있다. 이렇게 서로를 신뢰하는 문화가 뿌리내리게 되면 서비스의 품질이 높아지고, 서비스가 정당한 가치를 인정받으며 거래될 수 있다. 서비스가 정당한 가치를 인정받으면 서비스 품질이 더욱 높아지고 새로운 서비스와 더 나은 서비스를 개발하기 위한 창의성이 꽃을 피우게 된다. 서비스를 통해 인류사회의 여러 문제들을 해결할 가능성이 더욱 커지는 것이다. 또한 서비스사회가 되기 위해서는 '배려'라는 사회적 자본을 강화해야 한다. 서비스는 내가 아닌 타인인 상대방에 대한 배려에서 출발한다. 서비스에서는 타인과 활동 및 감정을 주고 받는다. 나 혼자서도 할 수 있는 제품 개발 활동과는 다르다. 반드시 상대방이 있다. 그 상대방도 서비스하는 사람이나 기계(기계를 운용하는 사람이나 기업)

가 그의 상대방이 된다. '무지'와 '에고(ego)'라는 근본 한계를 가진 인간 입장에서 상대방과의 효율적이고 효과적인 교류는 쉬운 일이 아니다. 그 누구도 전적으로 어떤 것을 잘 알기는 어렵고, 그 누구도 자기 중심성을 완전히 벗어나기는 어려우므로 상대방과 효과적으로 교류하기는 쉽지 않다. 델포이 신전의 '너 자신을 알라' 경구를 평생 가르친 소크라테스를 언급하지 않더라도, 인간이 자신의 인지 한계와 자기 중심성을 극복하는 일은 매우 어려운 일이다. 지식이 폭증하고 과학기술이 눈부시게 발전하는 현대사회에서는 무엇을 잘 안다고 하기가 더욱 어려워졌다. 따라서 '나' 중심성을 제한하고 상대를 배려하는 서비스적 마인드는 현대사회에서 가장 필요한 덕목이라고 할 수 있다. 현대사회에서는 타인인 상대방의 입장을 존중하고 배려하는 서비스문화체계의 강화가 더욱 필요한 것이다. '배려' 문화가 강화되면 서비스는 더욱 활성화될 것이다. 상호작용이 깊어지고 그 폭이 넓어지면서 인간을 위한 많은 새로운 서비스들이 꽃을 피울 수 있다. 또한 배려 문화가 강화되면 '비교'가 줄어들 것이다. 상대방의 입장이 존중되는 수평적 네트워크 사회가 되기 때문에, 수직적 사고방식인 비교 문화가 크게 줄어들 것이다. 모두의 자존감이 크게 향상될 것이다. 남과의 비교보다는 자신의 고유한 특성을 소중하게 생각하고 그 역량을 발휘하는데 더 집중하기 때문이다. 돈으로 비교하거나, 권력이나 지위로 비교하거나, 명예나 인맥으로 비교하는 등의 비생산적인 비교가 사라질 것이다. 상대를 배려하기 때문에, 또 상대의 고유한 특성을 존중하기 때문에 하나의 잣대로 나와 상대를 평가하는 비교는 허용되지 않을 것이다. 70억 명 이상의 인류 구성원 모두가 각자 자신의 고유한 특성과 능력으로 존중받는 사회가 될 것이다. 서비스문화가 정착되면 사람과 사람 간의 관계만이 아니라, 인간과 자연 간에도 상생과 배려가 자연스럽게 일상화될 것이다. 타자 존중 문화는 계속 확장되어 인간의 삶의 공간인 자연도 중요한 상대방으로서 배려 대상이 되기 때문이다. 따라서 인류사회가 그토록 오래도록 갈망해 온 고통 없는 행복한 세상이 서비스문화 강화로 구현될 수 있을 것이다. 올더스 헉슬리가 그의 저서 『영원의 철학(The Perennial Philosophy)』에서 세계적인 심층 종교들의 가장 중요한 공통되는 가르침으로 제시한 것이 '당신이 그것이다(tat tvam asi: 인간에 내재하는 자아(Atman)는 우주의 절대원리(Brahman)와 하나라는 산스크리트어)'라고 하는 궁극적 인간 존중 사상인 것을 보면, 상대를 나와 같이 최고로 존중하는 서비스문화는 인류사회를 행복으로 이끌어주는 외길이라고도 할 수 있다. 각자가 우주적 존재로서 최고의 존중 대상이므로 상대를 존중하는 서비스문화가 확산되는 것이다. 당연히 서비스문화가 정착된 사회에서는 각자가 존중 받으므로 각 개인의 창의력이 최대한으로 발현될 수 있어서, 인류사회는 창의성이 주된 경쟁력인 서비스산업은 물론이고, 모든 산업의 생산성이 향상될 것이다. 인류의 역사는 인간 위상 향상의 역사라고 할 수 있는데, 서비스 문화가 잘 정착된 사회는 인간 위상이 가장 높아진 사회라고 할 수 있다.

서비스의 철학적 의미[6]

세 번째 역할로서 서비스철학을 인류사회에 깊이 뿌리내리면 인류는 오래도록 행복한 사회를 지속할 수 있을 것이다. 서비스는 공급자와 수요자가 서로의 욕구를 맞추면서 성립한다. '나와 너'라는 대립자가 존재하는 기본 구조를 가지고 있는 것이다. 이 기본 구조 위에서 공급자도 변하고 수요자도 시간과 공간이 변화하면서 함께 변해가는 것이 서비스의 주된 특징이다. 모든 생명체는 시간과 공간의 변화에 따라 함께 변화하므로 서비스에서 변화는 필연적이다. 서비스하는 자와 서비스받는 자 사이의 욕구의 균형은 시간과 공간이 변화하면서 깨질 수 있다. 앞서 언급한 무지와 자아(ego) 때문이다. 그 기울어지는 관계의 균형을 회복하는 활동이 실시간으로 행해져야 한다. 예를 들어, 서로 사랑해서 평생을 함께하기로 약속하고 결혼을 한 부부 사이 일지라도, 시간이 경과하고 공간이 변화하면 '서로 사랑'이라는 상호 간의 균형이 깨지기 시작한다. 결혼 생활은 그 균형을 계속 유지 해나가는 치열한 노력의 과정이라고 할 수 있다. 또한 변화는 우주의 근본 원리이기도 하다. 우주의 모든 존재, 즉 행성과 항성은 물론이고 은하까지도 모두 끊임없이 이동하며 변화하고 있다. 우리 지구만이 자전과 공전을 하는 것이 아니라, 우주 내의 모든 존재가 그러하다. 그 원인은 각 존재가 생성될 때 서로 다른 물질들이 엉겨 붙으면

---

6) The Service Korea Initiative(2023), 환영사 참조

서 서로 다른 물질들이 가진 힘들이 만유인력 중심점을 기준으로 회전력으로 작용한 것이라고 한다. 두 물질이 충돌하며 결합했을 때 반대쪽의 힘이 정확히 한 지점에서 정확히 정반대의 방향으로 충돌하며 결합 되었을 가능성은 사실상 없기 때문에, 각 물질이 가진 힘은 에너지 보존 법칙에 의해 회전력으로 작용했을 것으로 짐작된다. 충돌하면서 어느 한쪽이 다른 한쪽을 소멸시키지 않고, 두 존재가 서로의 힘을 인정하면서 함께 공존하는 이러한 우주의 상생적 발전 구조와 운행 방식이 우주를 혼돈의 Chaos가 아닌 조화의 Cosmos로 만든 근본 원리인 것으로 짐작된다. 서비스 구조와 원리도 우주의 구조 및 원리와 동일하다. 서비스 공급자와 서비스 수요자가 서로 다른 방향의 힘을 가진 상태에서 하나로 결합되어 서비스가 이루어지기 때문이다. 공급자와 수요자라는 서로 반대 방향의 힘이 충돌하지 않고 각자의 자아(ego)가 유지되려면 중심점을 기준으로 회전해야 할 것이다. 회전하며 변화하면서 서로가 서로의 욕구를 충족시켜가는 과정이 서비스라고 할 수 있다. 물론, 지구가 매우 빠른 속도로 서에서 동으로 자전하는데 비해, 금성은 매우 느린 속도로 동에서 서로 자전하는 등 자전과 공전의 형식이 모두 다른 것을 볼 때, 서비스 공급자와 서비스 수요자의 변화 속도와 방식은 모두 다를 것이다. 하지만 실시간으로 서로가 변화한다는 것은 근본 원리다. 더구나 현대사회는 더욱 도시화되고 글로벌화되어 인간사회에서의 관계 맺음과 충돌이 일상적이다. 나와 너, 조직과 직원, 국가와 국민, 국가와 기업, 기업과 기업, 국가와 국가 등의 모든 관계가 대체로 서로 반대 방향에서 관계 맺고 있고 충돌하고 있는 것이 현대사회의 일상적 모습이기 때문이다. 서비스 공급자와 서비스 수요자가 서로 다른 방향과 크기의 힘으로 만나고 있는데, 서로 다른 힘이 끊임없이 변화하면서 연결된 하나로서 최선의 상태를 유지하려고 노력하는 것이 서비스 활동이고 서비스 현장이라고 할 수 있다. 무생물 또는 제품과 달리 서비스는 생명체 및 인간에 대한 살아있는 인간의 활동이기 때문에 더욱 그러하다. 대립자가 뚜렷이 존재하고, 시간과 공간의 변화에 따라 대립자와의 치열한 균형화 노력이 끝없이 지속되어야 하는 서비스 상황은 서비스철학의 기반 환경이 된다. 즉 '변화'는 서비스의 근본 모습이자 이 세상의 본래 모습이기 때문에, 항상 지금 이후 그 다음을 생각하는 것이 서비스철학적 사고의 기본이 된다. 그 다음을 생각하고 지금의 활동과 생각을 변화시키는 것이 서비스철학 기반 사고다. 서비스철학에 의하면 흥망성쇠는 개인에게 있어서나 조직, 국가에 있어서 피해갈 수 없는 운명이다. 다만 흥성하는 기간을 길게 하고 쇠망하는 기간을 짧게 하려고 노력하는 것이 서비스철학적 사고를 하는 우리 인간의 역할일 것이다. 역사를 보더라도, 서비스철학 기반 사회는 흥성하는 기간이 길었고, 쇠망 기간이 짧았다. 인류 역사에서 가장 강대한 제국을 1,000년 이상 유지했던 로마도 서비스철학 기반 사회였다. 건국 시점 사비니족과의 전쟁 승리 후 공동 통치 제안을 시작으로 대립자인 상대방과의 치열한 균형화 노력이 지속적으로 강조되었던 사회라고 할 수 있다. 역사상 가장 짧은 시간에 가장 큰 발전을 이룩한 현대 대한민국도 건국 초기에 도입된 해양 문명과 전통적 대륙 문명 간의 치열한 경쟁과 조화가 성공 요인이었다고 볼 수 있다. 서비스철학적 기반이 붕괴되어 쇠망한 직전 조선왕조와 달리, 대한민국은 동양사상과 서양사상이 경쟁하며 조화를 이루어 최단기간 성공신화를 만들어냈다. 조선왕조의 경우에도, 조선 전기에는 사상적으로 성리학 유교와 대승불교 등이 팽팽한 균형을 이루며 서로 치열하게 경쟁하는 구도였기 때문에 큰 성과가 가능했다고 볼 수 있다. 사대부들은 성리학 기반의 이상사회를 만들어가려고 노력했고 왕실과 민간에서는 불교 기반의 이상사회를 여전히 생각하고 있었기에, 서로 경쟁하는 구도 속에서 최선의 노력으로 좋은 결과를 창출한 사회였다고 볼 수 있다. 많은 요소들이 관련되어 있기에 단순화하기는 매우 어렵지만 유교의 수직적 세계관과 불교의 수평적 세계관이 서로 경쟁하며 조화를 이루고 있었던 사회가 조선 전기 사회였다고 볼 수 있고, 이러한 경쟁 구도가 좋은 성과로 이어졌다고 볼 수 있다. 하지만 조선 후기는 달랐다. 16세기를 기점으로 사원이 탄생하고 흥성하며 성리학 기반 사회로 완전히 기울어져 결국엔 전쟁도 없이 나라를 잃게 되는 등 망국의 방식조차도 안타깝게 되었다. 큰 철학적 경쟁이 없었기에 내부 당파도 형성되고 싸움도 생겨난 것으로 볼 수 있다. 이이나 이황처럼 개인적으로 큰 성취를 이루어서 후대에 지폐의 표지 인물까지 되었다 할지라도, 전체적으로는 그들의 큰 성취가 큰 쇠망의 원인이 된 것이니, 그 어떤 것에 대해 크고 작음과 높고 낮음을 쉽사리 단정하지 않는 서비스철학 차원에서는 시사점이 크다. 서비스철학적 사고에 의해 항상 크게 길게 보고 그 다음 변화를 미리 대비하는 지혜가 중요하다. 계속 변화하면서 대립자들 간의 치열한 균형이 유지되고 있는가, 기울어진 운동장으로 향하고 있지는 않은가 등을 점검하고 그 다음에 전개될 조직의 상황을 미리 예견하고 대비해야 한다. 진정한 서비스 사회가 되기 위해서는 제조업적 마인드와 서비스업적 마인드가 치열하게 경쟁하며 팽팽한 균형을 이루는 사회가 되어야 한다. 조선왕조의 흥성과 쇠망이 그러했듯이, 현재의 인류사회 및 대한민국도 흥성과 쇠망의 사이클을 피해갈 수 없을 것이므로, 그 다음 미래를 서비스철학 기반으로 기획하여 흥성의 기간을 최대한 오래 지속시킬 필요가 있다. 시공간의 변화에 따라 실시간 대응 변화가 필요하다. 항상 미래를, 그 다음을, 서비스철학적 사고에 의해 생각하고 예견하고, 행동과 사고의 변화를 추구하는 사회가 되는 것이 서비스가 인류사회에 기여하는 세 번째 역할이다.

특히 서비스철학은 인류사회가 지속가능하기 위한 필수 조건이면서, 행복한 인류사회를 위한 기반 조건이다. 서비스철학이 인류사회에 보편화되면 인류사회를 행복한 사회로 만들고 또 지속적으로 번영시킬 수 있는 기반 시스템을 완성하게 될 것이다. 인류사회가 함께 행복하고 지속적으로 함께 번영할 수 있을 것이다. 서비스철학을 통해 인류사회 전체와 인류의 모든 개인들이 자신의 흥성의 기간을 최대화하고, 쇠망의 기간을 최소화하는 지혜를 획득할 수 있을 것이다. 서비스는 개인들과 인류사회 전체의 구원을 위한 가장 넓고 빠른 길이다.

제 2 장

서비스란 무엇인가?

01 서비스의 구조와 운용

02 서비스의 본질과 특징

03 서비스 철학

01 '서비스' 의 구조와 운용

내 뒤에서 걷지 말라
나는 그대를 이끌고 싶지 않다

내 앞에서 걷지 말라
나는 그대를 따르고 싶지 않다.

다만 내 옆에서 걸으라
우리가 하나될 수 있도록.

– 미국 원주민 유트(Ute)족의 금언 –

'서비스' 의 구조

　서비스의 기본 구조는 두 대립자 간의 상호작용이다. 서비스하
는 자(사람 등)와 서비스받는 자(사람 등)간에 서로 반대편에서
시작하는 상호작용이 서비스의 기본 구조다. 과거에는 서비스 공
급자가 주로 사람이었지만, 지금은 많은 산업이 자동화되고, 또 컴
퓨터와 정보통신의 발달로 기계나 소프트웨어가 서비스를 하고 있
는 경우도 많다. 물론 사람이 하는 서비스도 계속 남아있을 것이
다. 기계가 대체하기 어려운 인간의 섬세한 육체 동작을 요구하는
서비스 직무나 추상적인 고도의 지적 능력을 요구하는 서비스 직
무는 앞으로도 상당기간 기계나 인공지능이 대체하지 못하고 인간

이 직접 수행하는 서비스직무로 남아있게 될 것이기 때문이다. 서비스를 받는 자도 과거에는 주로 사람이었지만, 현재는 사물과 사람, 또는 사물만이 서비스를 받는 경우도 있다. 그 어떤 경우든 서비스의 기본 구조는 서비스를 하는 자와 서비스를 받는 자라는 두 대립자로 구성되어 있다. 이 두 대립자 간의 치열한 상호작용이 서비스의 기본 구조다.

또한 서비스는 과정이라는 특징을 가지고 있다. 농산물과 공산품은 그 결과를 가지고 가치가 판단되지만 서비스는 결과와 함께 과정을 통해 그 가치가 구현된다. 서비스 하는 자와 서비스 받는 자 사이의 상호작용 과정에서 서비스가치가 높아지거나 서비스가치가 낮아지게 된다. 서비스 받는 자의 요구 수준이 상대적으로 높으면 서비스 하는 자는 자신의 직무수준을 높여야 가치를 인정받을 수 있고, 서비스 받는 자의 요구 수준이 낮으면 서비스 하는 자는 자신의 직무 수준을 낮추어서 더 효율적으로 서비스 직무를 수행할 수 있다. 이 과정이 일회적이 아니고 서비스의 전체 과정에서 여러번 상호작용이 일어나는 것이 서비스의 기본 구조다. 서비스 하는 자와 서비스 받는 자 라는 두 대립자가 서로 균형을 맞추어가는 상호작용 과정은 변증법적 과정으로 진행된다. 서로가 각자에게 최적점을 찾기 위해 치열하게 상호작용하는 과정이다.

따라서 서비스는 아래와 같은 두 대립자 간의 팽팽하고 치열한 상호작용 구조로 표현할 수 있다. 서비스 하는 자와 서비스 받는 자는 서비스를 구성하는 분리할 수 없는 하나이므로, 서비스는 전형적인 태극(太極) 구조로 아래와 같이 표현할 수 있다.

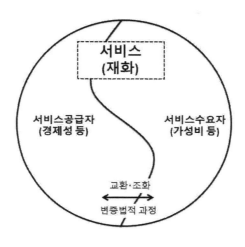

[그림 2-1] 서비스의 기본 구조 17)

　　현대 경제에서는 전체 산업이 서비스산업화되고 있으므로, 무형
요소 중심이었던 서비스가 무형과 유형을 포함하는 새로운 서비스
로 확대 발전되고 있다. 따라서 서비스는 무형요소와 유형요소의
결합재화가 되고 있다. 현대 서비스의 발전 방향을 반영한 서비스
의 구조는 아래 그림과 같이 또 하나의 태극 그림으로 도식화할
수 있다. 서비스는 두 개의 큰 내부 요소, 즉 유형적 요소와 무형
적 요소를 가지고 있으며, 이들 간의 상호작용이 활발한 구조를
가진다. 그러나 전체는 개별요소의 구분이 없는 하나의 태극 구조
로 표시할 수 있다.

---

7) Kim, Hyunsoo(2019d), 한국대표사상의 서비스철학성 고찰, p.3

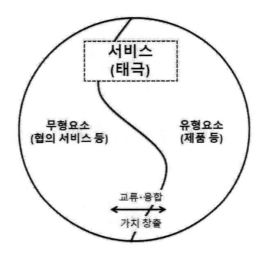

[그림 2-2] 서비스의 기본 구조 28)

　태극에 해당하는 서비스는 겉으로 보기에는 두 개의 서로 다른
요소를 포함하고 있지만 본질적으로는 두 개의 요소가 결합되고
융합되어 있어 구분이 되지 않는다. 즉 수요자와 공급자, 유형적
요소와 무형적 요소가 융합되어 서비스가 수행되므로 두 개의 요
소는 분리되기 어렵다. 예를 들어 교육서비스에서 강사와 수강생
이 하나로 결합되어야 강의가 성립되며, 그 결합에서의 상호작용
강도가 높아야 최고의 교육서비스가 된다. 또 음식서비스에서 음
식의 재료와 레스토랑의 물리적 요소들과 같은 유형적 요소는 요

---

8) Ibid., p.3

리사의 요리 행위와 종업원들의 접객 행동과 같은 무형적 요소와 융합되어 하나의 음식서비스로 제공된다. 음식서비스의 각 부분 요소들은 본질적으로는 분리 불가능한 것이며, 유형적 요소와 무형적 요소는 한 서비스의 세부 요소로서 기능하는 것이다. 전통 철학에서 유, 무에 대한 개념을 수천 년간 치열하게 전개하며 토론하였듯이 서비스에서도 서비스의 무형적 요소와 유형적 요소의 가치와 기능과 역할, 상호 관계 등에 대해 심도 깊은 논의가 필요하다. 예를 들어, 무(無)나 공(空)의 개념이 '없음'으로 단순히 해석되는 것이 아니라 유(有)의 '있음'과 구분할 수 없는 결합되어 있는 하나, 또는 '있음'을 생성하는 근원이며 우주의 생성 원리를 모두 가지고 있는 하나, 또는 '무한'의 의미로 사용되고 있듯이, 서비스에 있어서 '무형적 요소'도 그 의미와 용도가 무(無)에 대한 설명과 같은 방식으로 해석될 필요가 있다. 우주의 생성 원리를 보더라도 블랙홀은 무에 가까운 것이지만, 거기에서 온 우주가 생성되었다. 또 마음과 영혼 등도 보이지 않는 무에 가까운 것이지만 무한대로 확장되고 그 안에 온 우주가 담겨 있다. 따라서 '없음'은 없는 것이 아니고, 실제로는 있으나 눈에 안보이고 감각하기 어려워서 없는 듯이 보이는 것이므로, 서비스에서 무형적 요소는 서비스의 유형적 요소보다 더 중요하게 다루어야 할 대상이 되는 것이다. 서비스의 유형적 요소는 전통 철학에서 '기(氣)가 모여 형성되는 모든 실체'와 동일한 의미를 가지는 형상화 가능한 모든 요소들을 의미하는 것인데, 눈에 보이고 감각할 수 있는 특징을 지니고 있다. 이것들은 서비스의 기반구조로서 역할을 하기도 하고, 서비스의 재료나 수단으로서 역할을 하기도 한다. 예를 들어 통신서비스에서 통신망이나 기지국과 같은 유형적 요소는 전체 서비스에서 매우 중요한 역할을 하는 요소이고, 추상 영역에서 슬로우리빙(Slow Living)을 하나의 서비스로 볼 때 슬로우푸드(Slow Food)는 그 유형적 요소로서 매우 중요한 역할을 한다. 산업경제시대의 전통서비스에서는 무형적 요소의 중요성이 강조되었는데, 서비스경제시대의 현대적 서비스에서는 과학기술의 발달에 힘입어 유형적 요소의 중요성이 증대되고 있다. 이와 같이 [그림 2-2]에서의 각 요소는 고유한 속성을 가지고 있으면서, 또 각 요소들은 상호 긴밀하게 연동되며 가치를 창출한다. 서비스는 유형과 무형 요소들의 융합을 통해 구현되고, 그에 내포된 유, 무는 별개로 구분하여 분석해 내기 어려우므로 서비스는 태극과 같다고 할 수 있는 것이다. 이들 요소를 개별로 분석할 경우 다른 의미를 가지거나 축소 해석될 가능성이 크기 때문이다. 따라서 서비스에는 우주의 원리가 담겨있고, 서비스의 구조는 우주 및 세상의 구조와 그 본 모습이 일치하다고 할 수 있다.

즉 다음 [그림 2-3]과 같이, 서비스는 여러 대립적인 요소들이 중첩되어 있는 다층적 융합구조다. 인류가 삶을 영위하는 이 세상의 모습과 같이, 공급자와 수요자, 유형과 무형 등의 기본적인 대립자들의 융합은 물론이고, 여러 무형적인 요소들도 각각의 대립자들이 융합되어 있고, 여러 유형적인 요소들도 각각의 대립자들이 융합되어 있다. 실제로는 매우 다차원 융합이 있는 태극 모델인 것이다. 예를 들어, 의료서비스의 경우, 우선 환자와 의사 및 환자와 병원, 의사와 병원이라는 여러 차원의 대립자가 있다. 환자에게 최선의 의료서비스와 의사 또는 병원 입장에서의 최선의 의료서비스는 서로 다를 수 있다. 병원은 환자로부터 얻을 수 있는 수익성을 먼저 생각할 것이고, 의사는 병원의 수익성과 의사로서의 의무 사이에서 최적 균형을 생각하며 진료할 것이고, 또한 환자를 여러 고객 중의 한 사람으로 생각하며 자신의 입장에서 의료서비스를 하겠지만, 환자는 그 반대 입장에서 있다. 즉 병원이 저렴한 비용으로 의료서비스를 제공해 주기를 원하고, 의사 또한 환자 자신에게 100% 집중하여 서비스해 주기를 원한다. 의사에게도 두 대립자가 있다. 각종 검사 기기라는 유형적 요소와 자신의 의료 지식이라는 무형적 요소가 대립자가 된다. 검사 기기가 정밀하고 정확할 경우 기본적인 의료 지식으로 처방 및 진단이 가능할 것이며, 검사 기기의 신뢰도가 낮으면, 많은 임상적 의료지식이 동원되어야 정확한 진단 및 처방이 가능할 것이다. 같은 검사 데이터를 가지고도 의사들이 매우 다른 진단과 처방을 하는 경우가 수시로 있는데, 이는 유형적 요소와 무형적 요소가 균형이 맞지 않은 경우라고 볼 수 있다. 이렇게 하나의 서비스에는 여러 차원의 대립자들이 서로 치열한 균형을 이루고 있지만, 우리가 어떤 특정한 대립 측면을 보려고 하면 그 측면만 강조되어 보이는 것이 서비스의 현장이다. 예를 들어 환자와 의사 간의 대립을 보려고 하면 그 측면만 강조되어 보이는 것이다. 마치 양자역학에서 여러 파동이 동시에 중첩되어 존재하지만, 관측자가 하나의 파동을 관측하면 나머지는 모두 사라져 버리는 것과 같은 현상이라고 볼 수 있다.

[그림 2-3] 서비스의 기본 구조 3

서비스의 구조가 우주의 모습이고 이 세상의 진리일 수 있다는 것은 여러 가지로 확인할 수 있다. 양자역학의 거두이면서 현대 물리학의 대표적 학자인 닐스 보어는 자신의 개인 문장(紋章)을 다음 [그림 2-4]와 같이 태극 모델로 디자인하였다.

[그림 2-4] 닐스 보어의 개인 문장(紋章) (출처: 위키백과)

닐스 보어 자신이 발견한 미시 세계의 원리인 상보성(相補性: 두 대립자간에 서로를 보완해주는 성질)이 태극의 구조와 동일함을 알아내고 *"CONTRARIA SUNT COMPLEMENTA* (대립적인 것은 상보적인 것)" 이라는 라틴어 문구를 넣어 자신의 기사 작위 문장을 태극 문양으로 디자인하였다. 미시 세계에서는 두 대립적인 물리량 간에 상보적 관계가 성립한다는 것이다. 예를 들어, 전자의 위치와 운동량 측정은, 어느 한쪽을 정확하게 측정하려면 다른 한쪽의 측정 정확성을 그만큼 희생해야 된다는 것이다. 전자의 위치를 더욱 명확하게 하려고 하면, 이에 대하여 상보적인 관계에 있는 전자의 운동량에 대한 정보는 그만큼 불명확해지는 것이고, 전자의 운동량을 정확히 측정하고자 하면, 전자의 위치 불명확성은 증대되는 것이다. 빛도 입자의 성질과 반대되는 파동의 성질을 동시에 가지고 있는데, 운동량의 변화를 조사하기 위한 실험에서는 입자의 성질이 나타나고, 에너지 분포를 조사하기 위한 실험에서는 파동의 성질이 나타난다. 빛의 파동의 성질과 입자의 성질은 서로 보완하는 관계에 있어서 빛을 이해하기 위해서 두 가지가 모두 필요한 것이다. 닐스 보어의 문장 안에 있는 태극 그림은 원래의 태극 그림이다. 즉 두 대립자 문양 안에 있는 반대 색깔의 점은 자신 안에 대립자를 품은 모양을 나타낸다. 자신과 반대되는 성질을 자신 안에 내포하고 있음을 나타내는 것이다. 예를 들어, 자신의 의견이 틀릴 수 있다거나, 상대방의 속성을 자신이 가지고 있다거나 등의 다양한 상황을 함축적으로 표현하는 것이다. 인간의 눈이 자신의 앞만 바라볼 수 밖에 없는 구조이기 때문에, 자신의 뒤에 있는 나머지 절반을 볼 수 없는 인간의 구조적 한계를 표현하는 그림이라고도 할 수 있다. 나머지 절반은 자신이 볼 수 없기 때문에 그 나머지 절반을 보고 있는, 자신과 마주하고 있는 상대방이 얼마든지 옳을 수 있다는 것을 인정하는 것이 태극 그림이다. 서비스에서도 공급자가 자신만이 옳은 것이 아니고, 자신이 틀리고 고객이 맞을 수 있다고 생각하며 서비스를 해야 하는 것이고, 고객은 자신이 원하는 서비스 방향이 옳다고만 주장할 것이 아니라, 자신이 절반 밖에 볼 수 없기 때문에, 상대방이 옳을 수 있다고 생각하며 서비스를 받아야 하는 상황을 표현하고 있는 것이다. 따라서, 공급자와 수요자는 우주의 원리대로 서로 상보적이며, 서로 함께 서비스를 완성해가는 하나의 통일체라고 할 수 있다. 이것이 서비스의 본래 구조다. 따라서 '고객은 왕이다'라든지, '일방적 고객 만족'이라는 개념은 서비스의 본래 구조가 아니고, 잘못 전파되어 오해되고 있는 개념들이라고 할 수 있다.

서비스 구조는 우주의 구조

서비스 구조는 우주의 구조와 일치한다. 우주의 운행 원리는 서비스의 전개 과정과 같다. 우주의 운행 원리는 천체의 운행 원리인 매크로(macro) 원리와 원자의 운행 원리인 마이크로(micro) 원리인데, 마이크로 세계의 원리는 앞서 닐스 보어가 입증하였듯이, 서비스 원리와 동일하다. 매크로 원리는 물리학 법칙들과 열역학 법칙들이다. 중력(만유인력)의 법칙, 관성의 법칙, 가속도의 법칙, 작용반작용의 법칙, 에너지보존의 법칙 등이 매크로 원리들에 해당한다. 우주는 만유인력의 법칙에 따라 철저한 균형 원리로 운행되고 있다. 우주임계밀도(critical density)는 중력으로 우주의 팽창을 멈추게 하는 밀도인데, 이 임계밀도가 팽창과 수축을 결정하는 임계점 부근에서 철저한 균형을 이루며 안정적인 상태에 있다. 우주론에서 우주가 열린 우주가 될 것인지 닫힌 우주가 될 것인지를 결정해 주는 우주의 밀도는 10^{-29}g/㎤ 정도(임계밀도)인데, 오메가(= 우주의 밀도 / 우주의 임계밀도) 값이 1보다 작으면 열린 우주가 되어 팽창하다가 얼어붙게 되고, 오메가 값이 1보다 크면 닫힌 우주가 되어 수축하여 빅크런치가 일어나며, 오메가 값이 1에 매우 가까운 값이면 안정적 팽창을 하게 된다. 우주의 오메가 값은 1에 매우 가까운 값을 계속 유지하고 있기 때문에 우주가 안정적 팽창을 계속하고 있는 것이다.[9] 작용반작용 법칙도 우주 운행의 균형 원리를 설명한다. 한 대상에 가해지는 힘은 반대방향으로도 동일한 힘이 항상 작용한다는 이 원리는 모든 것의 대칭성을 설명하는 중요 원리다. 서비스하는 자와 서비스받는 자 사이에 서로 반대 방향으로 동일한 힘이 작용하고 있는 것이다. 이러한 원리들은 두 힘 간의 조화와 균형 원리가 된다. 전체 시스템에서 조화를 이루어내는 원리이며, 좌우 상하 전후의 균형을 통해 대칭을 이루는 원리이기도 하다. 대립자의 어느 한 쪽이 절대적인 힘의 우위를 가질 수 없는 것이 우주의 구조인 것이다. 우주를 유지하기 위해서는 모든 개체가 대립자로부터의 힘과 거의 같은 수준의 힘을 가질 수 있어야 한다. 서비스에서도 서비스받는 자와 서비스하는 자 중의 어느 한쪽이 절대적인 우위를 가질 수 없고 가져서도 안되며, 또 어느 한쪽이 절대적인 열세에 있어서도 안된다. 균형이 깨지면 우주와 생명이 붕괴되고 파멸하듯이 서비스도 붕괴되기 때문이다.

---

[9] Hawking, S.(1998)

[그림 2-5] 우주의 서비스적 구조

　따라서 아래 [그림 2-6] 및 [그림 2-7]과 같이 서비스 수요자가 우위에 있거나, 서비스 공급자가 우위에 있는 구조는 교류와 융합이 활성화되기 어려우므로 서비스가 재화로서 성립되기 어렵거나 지속성에 한계가 있다. 즉 일시적으로 또는 강제로 재화가 형성될 수는 있으나, 스스로 지속하는 힘은 없는 것이다. 따라서 서비스 공급자와 서비스 수요자의 균형성과 조화성이 지속가능한 서비스의 필수요소인데, 이는 우주의 지속가능성 원리와 같다. 우주가 태초의 빅뱅 1초 후부터의 팽창율이, 재수축하는 팽창율 모형과 영원히 팽창을 계속하는 팽창율 모형을 구분하는 임계 팽창율에 가까운 비율로 지금도 팽창을 계속하고 있는데, 팽창율이 이 비율보다 1,000 억 분의 1 만이라도 더 작았다면, 우주는 현재 크기에 도달하기 전에 재수축했을 것이라는 우주론 원리와 같이,[10] 서비스도 양자 간의 힘의 비율이, 그 균형을 유지하는 임계비율에 가까워야 지속적으로 유지되고 발전할 수 있을 것이다. 서비스의 구조는 조화로운 우주 원리를 닮고 있고, 균형적 대칭 구조는 지속가능서비스의 필요조건이다. 아래 [그림 2-6]은 서비스수요자가 절대적으로 큰 힘을 가진 경우로서, 서비스 재화의 공급 가격을 크게 낮추거나 무리한 서비스를 요구하게 되며, 서비스공급자는 결국 서비스를 지속하지 못하게 되는 경우를 도시하고 있다.

[그림 2-6] 비서비스 사례: 수요자 우위 구조

---

10) Hawking, S.(1998)

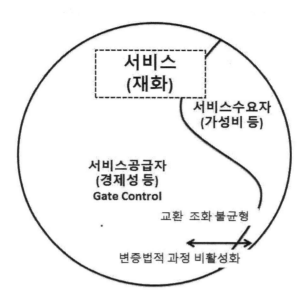

[그림 2-7] 비서비스 사례: 공급자 우위 구조

'서비스' 운용 과정

서비스의 구조에 나타나듯이 서비스 운용은 시공간의 전개에 따라 변증법적 과정으로 운용된다. 기본적으로 서비스에서는 서비스 공급자와 서비스 수요자 간의 상호작용이 나선형으로 전개된다. 즉 서비스 공급자가 서비스 수요자에게 가치를 제공하면, 서비스 수요자는 이에 대해 다양한 측면에서 반응을 하고, 서비스 공급자는 수요자 반응을 참조하여 자신들의 판단에 의해 개선된 서비스를 제공하고, 이에 대해 서비스 수요자는 더욱 심화된 반응인 서비스협력을 수행하는 과정으로 전개된다. 이러한 과정에서 서비스 공급자와 서비스 수요자는 각자의 경험을 누적해가며 각 상황에서의 최적 판단과 최적 자원투입 및 활용 결정을 하게 된다.

이와 같은 서비스과정을 2차원 그림으로 표현하면 아래 [그림 2-8]과 같다. 서비스공급자와 서비스수요자를 두 개의 축으로 하여 서비스제공 -> 서비스반응 -> 서비스개선 -> 서비스협력 으로 나선형 발전 사이클이 진행되는 것이다.

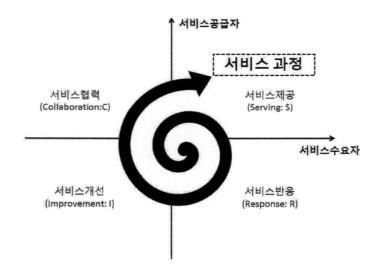

[그림 2-8] 서비스 진행 과정11)

11) Kim, Hyunsoo(2019d), 한국대표사상의 서비스철학성 고찰, p.5

이러한 서비스 기본모델을 거시적 차원으로 발전시키면, 서비스 운용을 무형요소와 유형요소의 변증법적 발전과정으로 도식화할 수 있다. 앞서 제시된 바와 같이, 현대 경제에서는 전 산업이 무형과 유형을 포함하는 새로운 서비스업로 확대 발전되고 있으므로, 서비스의 운용 구조도 유형과 무형의 상호작용으로 도식화된다. 금융, 정보통신, 의료보건, 문화관광레저 등과 같은 거의 모든 산업에서 유형 요소를 보강하며 서비스를 개선하고 있고, 서비스 개선 요구가 유형요소 개선으로 이어지고 있다. 각종 기기들의 개발과 지능화로 금융업이 지식서비스업이 되었고, 정보통신도 단순 통신서비스에서 기술과 제품 혁신으로 지능서비스가 되고 있듯이, 현대 경제에서 서비스업의 운용 발전 과정은 유형과 무형 요소의 변증법적 발전 과정이라고 할 수 있다. 이러한 신경제의 운용 특성과 서비스 본질을 반영한 서비스의 운용 과정은 아래 [그림 2-9]와 같다. 기본적으로 제품과 서비스라는 유형적요소와 무형적 요소를 활용하여 가치가 창출되는 것이 서비스이므로, 두 요소의 상호작용이 서비스 운용의 중심이며, 이 두 요소는 시간 축에 의해 발전적으로 진화된다.

'만물은 유전한다'라고 한 헤라클레이토스(B.C. 540-480)의 표현과 같이 '같은 강물에 두 번 발을 담글 수는 없기' 때문에 시간 경과에 따라 제품은 제품 1, 제품 2, 제품 3,.... 식으로 계속 변화하며, 서비스도 서비스 1, 서비스 2, 서비스 3과 같은 식으로 계속 변화한다. 이는 불교 사상의 핵심인 '제행무상'과도 동일한 개념이다. 또한 노자 『도덕경』에서 '되돌아가는 것이 도의 움직임 (反者 道之動: 반자 도지동)'이라고 하였고[12], 헤겔이 변증법을 역사철학에 적용하여 정반합 변증법 이론을 제시하였듯이, '모든 것은 자체 내에 모순을 포함하고 있어 그 모순의 해결을 위해 반대로 되돌아가는 속성이 있으므로' 제품과 서비스도 각각 자체적 모순을 해결하기 위해 진화해 간다. 따라서 제품은 제품 1의 모순을 해결하기 위해 그 반대인 서비스 속성을 반영하여 제품 2로 진화되고, 제품 3, 제품 4도 같은 방식으로 진화한다. 서비스의 경우에도 서비스 1의 모순을 해결하기 위해 제품적 요소를 가미하여 서비스 2로 진화하고, 서비스 3, 서비스 4 등도 같은 방식으로 발전한다.

따라서 서비스의 운용은 시간 축을 중심으로 나선형으로 발전되는 모델이 된다. 즉 제품과 서비스가 나선형 운행 궤적을 그리면서 진화 발전하는 아래 [그림 2-9]와 같은 모델이 된다. 이 그림에서 4개 분면 각각의 서비스 운용 방식은 아래와 같다. 우선 유형제품 중심 서비스의 경우, 1사분면에서는 유형적 요소(제품) 중심의 서비스가 무형적 요소를 부가하여(즉, 서비스화 하여) 무형적 요소가 강화된 서비스가 된다. 유형적 요소를 중심으로 운영되던 서비스가 그 자체 내에서 무형적 요소의 필요성을 인식하고, 스스로 개선을 추진하여 서비스화 되어가는 과정이 1사분면에서 진행된다. 이를 제품 중심의 서비스강화, 즉 서비스화

---

12) Lao-Tzu(1982), 도덕경 제40장

(Servitization: S)라 명명한다. 2사분면에서는 무형적 요소가 강화된 서비스가 그 자체 모순과 문제점을 해결하기 위해 유형적 요소(제품)를 구축하는 과정이다. 이 과정을 기반구축(Establishing: E)으로 명명한다. 3사분면에서는 유형적 요소가 강화된 서비스가 고객의 발전된 욕구를 충족하기 위해 추가로 무형적 요소를 강화하는 과정이다. 이 과정을 강화(Reinforcement: R)로 명명한다. 4사분면에서는 무형적 요소가 강화된 서비스가 다시 향상된 고객의 욕구를 충족하기 위해 유형적 요소를 강화하는 과정이다. 이를 기반강화(Infrastructuring: I)로 명명한다. 이러한 S-E-R-I 사이클을 나선형으로 확대해가는 것이 서비스의 운용 모델이라 할 수 있다. 한편 무형요소가 중심인 서비스의 경우에는 2사분면부터 시작하여 E-R-I-S 사이클로 진행된다. 즉 유형요소와 무형요소의 상호 push/pull 작용에 의해 나선형으로 산업이 발전한다. 과학기술의 발전에 의해 유형요소는 지속적으로 양적인 면과 질적인 면에서 성장을 거듭하고 있다. 이렇게 발전되는 유형요소가 서비스의 무형요소 성장을 도와준다. 예를 들어 의료서비스의 경우, 과거에 의사 개인이 수행하는 순수 의료서비스였을 경우 산업의 규모가 작았지만, 과학기술 발전으로 고가의 진단장비와 치료장비들이 개발되어 활용되면서 거대한 서비스산업으로 발전하였다. 최근에 급속히 발전하고 있는 엔터테인먼트서비스업의 경우도 과거 가수나 배우들이 현장에서 노래나 연기로 서비스하던 경우에 비해, 지금은 녹화기술, 인터넷기술, 영상기술 등의 발달로 대형 서비스업

으로 변모하고 있다. 마찬가지로 유형요소의 발전에 힘입어서 무형요소도 함께 발전하고 있다. 예를 들어 의료서비스의 경우 진단장비의 개발로 건강진단서비스가 큰 산업이 되었으며, 순수 수작업 서비스이던 수술서비스가 로봇의 도입으로 수술역량이 향상되고 있다. 이렇게 성장한 무형서비스는 더욱 고도의 유형요소 성장을 촉진한다. 건강진단서비스가 큰 산업이 되면서 진단용 의료장비 수요가 증가하고, 엔터테인먼트서비스가 큰 산업이 되면서 영상장비 수요가 증가하는 등 무형서비스의 성장은 유형요소의 성장을 촉진한다. 또한 한 차원 성장된 유형요소는 다시 무형요소의 발전을 촉진하며, 발전된 무형요소는 추가적으로 유형요소의 성장을 견인한다. 이와 같은 서비스 및 전체 산업 발전사이클을 도시하면 아래 그림과 같다. 즉 발전된 유형요소가 서비스기기나 서비스플랫폼이 되면서 무형서비스의 성장을 촉진하고, 성장된 무형서비스는 더욱 향상된 서비스를 위해 유형요소의 발전을 필요로 한다. 발전된 유형요소는 한차원 더 무형서비스를 강화하고, 강화된 무형서비스는 유형요소 산업의 발전을 견인한다. 예를 들어, 휴대폰의 경우 전화기였던 휴대폰이 컴퓨터 운영체제를 내장하여 스마트폰이라는 서비스기기가 되면서 많은 애플리케이션이 개발되고 탑재되어 무형서비스가 크게 성장하였다. 곧 이어서 스마트폰 사용자가 크게 증가하면서 유형적 요소의 성능이 크게 향상되었다. 메모리가 크게 증가하고 카메라의 성능도 좋아지고 통신 속도도 빨라지고 인공지능 기술도 추가되었다. 성능이 크게 향상되면서 더 많은 애플리케이션이 개발되고, 더 많은 무형서비스가 스마트 폰에서 제공되고 있고, 이어서 더욱 성능이 향상된 스마트폰이 출시되고 있다. 이렇게 유형요소와 무형요소는 서로가 서로의 성장을 견인해 주며 아래 그림과 같이 나선형으로 발전하고 있다.

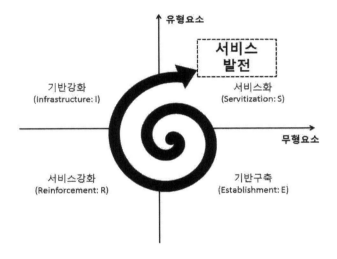

[그림 2-9] 서비스 발전 과정 모델[13]

이러한 서비스 운용 모델은 개별 기업 경영은 물론이고 사회 경영의 기반 모델도 될 수 있다. 역사적으로 자본주의 -> 공산주의 -> 수정자본주의 -> 사회주의 -> 신자유주의 -> 신사회주의 식으로 사회경영 철학이 변화되었듯이 S-E-R-I 모델을 활용하면

---

13) Kim, Hyunsoo(2019d), 한국대표사상의 서비스철학성 고찰, p.6

변화 방향 예측 및 효과적 전환이 가능하다.

인류사회가 정(正)과 반(反) 및 반과 합(合) 사이의 긴 전환 사이클과 막대한 전환 비용으로 인해 큰 혼란과 희생을 겪어 왔고 지금도 겪고 있는 것이 현실이므로, 사회 경영에도 서비스 운용 모델을 적극 도입할 필요가 있다. 그래서 전환으로 인한 혼란과 희생을 최소화할 필요가 있다. 서비스 운용 모델을 기반 철학으로 채택하면 자체 내 모순이, 과거에 공산주의 광풍 등과 같이 밖으로 표출되어 투쟁과 전쟁으로 큰 희생을 치룬 후에 해소되는 것이 아니고, 눈에 안보이는 방식으로 자체 내에서 해결되기 때문에 전환 비용이 매우 낮아지는 것이다.

기업 경영의 경우 고객욕구의 변화를 실시간으로 추적하며 지속적으로 서비스와 제품이 개선되고 발전될 수 있도록 그 운용방법을 제시하는 모델이 되는 것이다. 거시적 차원에서는 서비스 운용 철학을 활용하여 최적의 경제사회 발전 모델을 구현할 수 있다. 서비스 기본 구조와 운용 모델은 현대 서비스경제사회를 이끌어가는 사상적 기반이 된다. 서비스의 본질을 반영한 서비스 구조는 유무상생(有無相生), 즉 제품과 서비스의 상생구조이고, 서비스의 발전과 운용원리는 정반합의 변증법적 운용구조를 기본으로 가지되 그 운용사이클이 신속하고 발전적인 것이다.

이러한 서비스운용 모델을 미시적 차원에서 제시하면 아래 [그림 2-10]과 같다. 즉 서비스공급자와 서비스수요자는 상호작용을 통해 서로의 만족도를 증대시켜간다. 새로운 자극은 도파민을 분

비하게 하여 만족도를 증진시키므로,14) 서비스공급자는 서비스수
요자에게 새로운 자극인 서비스 경험을 제공하여 수요자의 도파민
을 분비하게 하고 만족도를 증진시킨다. 서비스수요자는 경험에
대해 반응하며 공급자의 도파민 분비를 촉진한다. 이와 함께 불만
이나 추가 요구 등을 하며 공급자를 긴장하게 하여 코르티솔을
분비하게 한다. 다시 공급자는 수요자에게 추가된 새 경험을 제공
하여 도파민 분비를 촉진하여 만족도를 증대시킨다. 또한 수요자
는 반응을 통해 공급자에게 도파민을 분비하게 하고, 추가 요구나
불만 등을 통해 스트레스 호르몬인 코르티솔을 분비하게 한다. 이
러한 과정을 통해 수요자와 공급자는 모두 만족도를 증가시키며
총 행복량은 지속적으로 증가한다.

앞서 서비스구조에서 제시된 바와 같이, 공급자가 제공하는 경
험들이 수요자에게 만족스럽지 못할 경우, 또는 수요자의 반응이
공급자에게 만족스럽지 못할 경우, 행복량은 지속적으로 감소하면
서 서비스는 소멸과정으로 진행된다. 이와 같이 서비스는 시간축
과 공간축을 따라 확대 발전과 축소 소멸 과정을 진행하게 되므
로, 서비스 운용 모델은 수요자와 공급자, 또는 유형적 요소와 무
형적 요소라는 두 종류의 두 개의 축에 추가하여 시간축과 공간
축이라는 두 개의 축을 추가한 4차원 모델로 구조화될 수 있다.
시간과 공간을 편의상 하나의 축으로 표시하여 발전된 서비스운용
모델을 도시하면 아래 [그림 2-11]과 같다.

---

14) Berns, G.(2006), Satisfaction(만족)

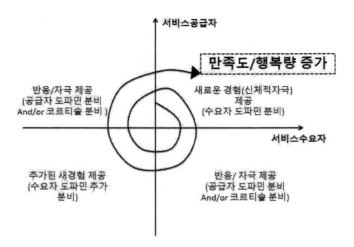

[그림 2-10] 서비스 운용의 미시적 구조[15]

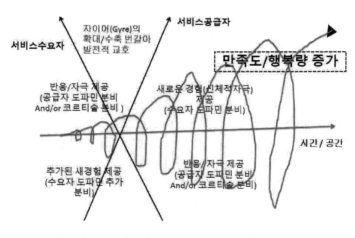

[그림 2-11] 서비스 운용의 실제적 구조

---

15) [그림 2-10] [그림 2-11] 모두 Kim, Hyunsoo(2019c), 동양주류사상의 서비
스철학성 고찰, p.4

위 그림과 같이 서비스는 시공간 축을 따라 끊임없는 상호작용을 통해 확대 발전과 축소 소멸을 진행하는데, 이는 인류 역사 발전 과정과 동일하다. 따라서 모든 경영과 경제운용의 중심 모델로서 서비스운용모델은 그 자격을 가진다고 할 수 있다. 서비스 운용 명제는 아래와 같이 정립할 수 있다.

명제 1: 서비스는 시간 축과 공간 축을 따라 나선형으로 발전한다. 서비스 공급자와 서비스 수요자, 그리고 유형적 요소와 무형적 요소가 상호적으로 자체 모순을 해결하면서 서비스는 시간 축을 따라 나선형으로 전개된다. 서비스는 확대 발전 및 축소 소멸을 변증법적으로 반복하는 과정이다.

명제 2: 확대 발전이 한계에 이르면, 축소 소멸이 진행되고, 또한 이 과정이 한계에 이르면 다음 단계의 확대 발전이 진행된다. 태극 구조에 의해 자체 내 문제와 모순을 최소화하는 방향으로 진행된다.

명제 3: 서비스 공급자와 서비스 수요자 간의 상호작용, 무형적 요소와 유형적 요소의 상호작용은, 확대 발전과 축소 소멸의 경계가 되는 임계점 부근의 비율로 진행될 때 가장 이상적으로 서비스가 발전한다.

한편 재화 차원에서의 서비스 가치는 서비스 공급자와 서비스 수요자 간의 상호작용에 의해 나선형으로 증대된다. 서비스 공급자가 수요자에게 서비스를 제공하면 서비스 수요자는 그에 대한 반응을 하며 서비스 공급자를 자극하게 되고, 서비스 공급자는 이 자극에 대해 추가적인 반응을 하며 서비스 강화 활동을 수행한다. 강화된 서비스를 제공받은 수요자는 공급자에게 추가적인 반응을 제공하며 서비스 가치를 향상시키는 사이클에 적극적으로 참여한다. 의사와 환자의 경우, 강사와 수강생의 경우 등 서비스 공급자와 서비스 수요자는 서비스 제공과 서비스 반응 활동을 상호 실시간으로 수행하며 서비스의 가치 증대에 함께 참여한다. 이러한 상호작용이 없으면 서비스 재화는 가치를 창출하기 어렵다.

이러한 서비스산업의 발전과 서비스 재화의 가치 증대 과정은 시간 축 및 공간 축 위에서 진행되는데, 시공간이 어떤 힘에 의해 산업 및 재화의 발전에 영향을 주게 된다. 시공간에서 인류사회에 작용하는 어떤 힘에 대해 많은 철학자들이 연구하였다. 크게 두 가지로 연구 결과가 요약되는데, 우주원리를 따르는 이성적인 힘이 지속적으로 작용한다는 철학자들과 비이성적인 힘이 무작위로 불규칙적으로 작용한다는 철학자들로 대별할 수 있다. 전자는 도덕 법칙, 질서, 이성이 뚜렷이 존재하며 일시적으로 반대 방향으로 진행되기는 하지만, 큰 구도에서 보면 우주법칙을 벗어나지 않는 역사의 진행을 보인다는 입장이다. 후자는 도덕법칙이나 이성은 인간이 자기 보존을 위하여 인위적으로 만들어낸 조건일 뿐이며 본질적으로는 아무것도 없는 무(無:nihil)이며 무작위로 비이성적으로 작용한다는 것이다. 전자의 대표적인 철학자가 헤겔이고, 후

자는 니체가 대표 철학자이다.16)

두 방향의 힘에 대한 해석은 시대에 따라 많은 차이를 보여 왔지만, 역사의 전 시대를 관통하는 중심 사상을 통해 보면, 노자 『도덕경』에서 제시된 바와 같이 우주와 인간사의 원리는 어떤 방향으로의 힘이든 그 한계에 다다르면 그 반대로 힘이 작용한다고 보는 것이 보편적이므로, 절대정신을 중심으로 유지 지속하려는 힘이 한동안 계속된 후에는, 파괴하려는 힘이 또 한동안 계속된다고 볼 수 있다. 또한 파괴하려는 힘이 한동안 작용하면 그 반대로 유지하려는 힘이 시작되는 것이라고 볼 수 있다. 역사 발전에 있어서 뿐 아니라, 변화에 영향을 주는 힘의 방향에 있어서도 변증법적 작용은 유효하다고 할 수 있다. 이것은 헤라클레이토스가 최초로 간파하였던 대립쌍의 항시작용원리이며17), 팽창과 수축의 임계비율에 가깝게 운행되는 우주의 원리와도 부합하기 때문이다. 이러한 경제 및 역사발전 힘의 변증법을 도시하면 아래 [그림 2-12]와 같다.

이와 같은 저변의 영향력 위에서 서비스산업이 발전하고 서비스재화의 가치를 증대시키게 되는데, 시공간의 변화와 함께 인간의 의지가 발전에 개입하게 된다. 각종 의사결정을 하는 정치가, 경영자 등이 시공간 속에서 의지를 가지고 발전과 쇠퇴에 영향을 주게 되는데, 이들은 도구와 방법론을 가지고 의사결정하는 경우

---

16) Held(2007); Lamprecht(1992)
17) Held(2007); Lamprecht(1992)

가 많다. 예를 들어 경영자는 경영이론과 경영기법, 경영도구, 경영지식을 가지고 자신의 경영자로서의 역량을 발휘하여 발전과 쇠퇴에 영향을 미친다. 근본적 힘의 저변을 바탕으로 시공간의 변화 위에서 활약하는 경영자(정치가나 사회리더를 포함하는 광의의 경영자)의 의지가 개입되어 사회나 산업이나 재화는 발전 또는 쇠퇴의 사이클을 진행한다.

[그림 2-12] 서비스 발전 동력 모델

인간의 의지, 경영자의 의지가 발전적으로 작용하도록 경영이론과 경영자론의 개발이 중요하다. 인간의 의지를 중시하는 경우, 발전적인 경영 이론의 개발과 역량 있는 경영자에 대한 연구가 중요해진다. 기업경영자나 정치가, 사회지도자 등 인간의 역할을 강조하는 경우, 서비스 발전모델은 아래 그림들과 같이 제시될 수 있다. [그림 2-13]은 서비스산업발전모델로, [그림 2-14]는 서비스재화발전모델로 제시할 수 있다.

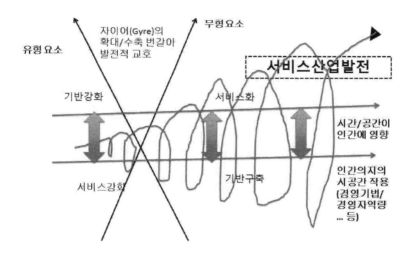

[그림 2-13] 서비스산업 발전 모델

위 [그림 2-13]은 나선형 서비스산업발전모델이 시공간 축을 따라 인간의 의지가 작용하면서 진화되는 모델이다. 정치가들과 사회지도자 및 기업경영자들의 의지가 시공간 축을 따라 개입되면서 서비스산업 발전 방향에 변화가 오게 된다. 시공간이 인간에게 영향을 주고, 인간이 시공간에 영향을 주는 상호작용도 개입된다. 무형요소와 유형요소의 발전에 각종 제도와 기술개발 방향, 경영자와 정치가들의 의지가 개입되는 것이다.

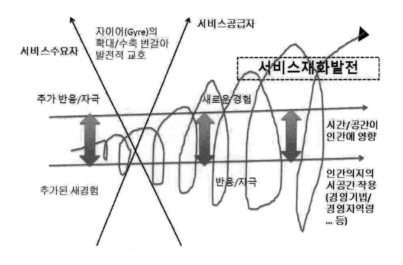

[그림 2-14] 서비스 재화 발전 모델

[그림 2-14]는 시공간 축을 따라 인간의 의지가 작용하면서 진화되는 나선형 서비스 재화 발전 모델이다. 경영자들이 활용하는 경영기법과 도구들, 경영 지식들이 경영자의 역량에 따라 다양하게 서비스 재화의 발전과 쇠퇴에 영향을 주게 된다. 따라서 서비스시대의 전개는 아래와 같이 진행된다.

명제 1: 서비스는 거시적인 역사발전의 흐름위에서 나선형으로 발전한다. 규범적인(Normative) 힘과 기술적인(Descriptive) 힘의 교호작용 기반 위에서 서비스는 나선형으로 발전한다. 이 힘은 장기적으로 작용하고 저변의 큰 흐름으로서 인식된다.

명제 2: 서비스산업의 발전과 서비스재화의 발전은 시공간 축을 따라 나선형으로 진행되며, 인간의 의지가 발전과 쇠퇴에 큰 힘으로 작용한다. 인간의 의지는 시공간의 전개와 긴밀하게 상호작용한다.

명제 3: 변증법적 전개가 다양하게 상호 교류한다. 역사 발전 저변의 힘도 변증법적으로 작용하며, 유형요소와 무형요소 간의 변증법적 작용, 서비스공급자와 서비스수요자 간의 변증법적 작용, 시공간 축과 인간 의지 간의 변증법적 작용이 동시에 또는 순차적으로 상호 영향을 주며 교류한다.

02 '서비스' 본질과 특징

서비스는 물의 속성

인류 최초의 철학자 탈레스(Thales, 기원전 624-545년)는 물이 만물을 구성하고 배양하고 키워내므로 물은 만물의 원리라고 주장했다. 서비스는 '물'의 속성을 지니고 있다. 고대 그리스의 올림피아 경기 우승자에게 바치는 송가 제1가 제1행도 '가장 좋은 것은 물이다'로 시작하고 있다(핀다로스, '올림피아 경기 우승자들에게 바치는 송가' 제1가 제1행, 아리스토텔레스는 그의 책 『수사학』 제1권 제7장에서 핀다로스의 이 시가를 언급하며 '자주 쓰이는 것은 드물게 쓰이는 것을 능가하므로'라는 이유로 물을 최고로 언급하였다). 고대 동양철학서인 노자의 『도덕경』 제8장에서는 상선약수(上善若水: 가장 좋은 것은 물과 같다)라고 하며, 진리는 물과 같은 성질이라고 하였다. '물은 낮은곳으로 임하고(居善地). 연못처럼 깊은 마음을 가지고(心善淵). 사람들에게 은혜를 베풀고(與善仁). 말은 신뢰를 잃지 않고(言善信). 세상을 바르게 하고(正善治). 일을 능력대로 하고(事善能). 때를 알기(動善時)' 때문이라고 그 이유를 설명하고 있다. 물은 만물에게 좋은 것을 베풀고 이롭게 해주면서 자신의 이익을 위해 다투지 않고, 언제나 낮은 곳에 처해 있으니 진리라는 것이다. 세상에 존재하는 무수히 많은 물질 가운데 물을 중심으로 철학관을 정립한 이유는 물이 가지는 광범위한 관계성, 물이 관계하는 무수한 활동성에 주목했기 때문이다. 현대 경제사회에서 서비스는 그런 성격이다.

그래서 서비스에 대한 오해가 많다. 서비스는 물과 같이 흔하기 때문에 서비스가 물과 같이 낮은 대우를 받는 경우가 많다. 물이 없으면 생명이 생존을 못함에도 불구하고 물은 가치를 인정받지 못하는 경우가 많다. 서비스도 그렇다. 모든 인간의 삶이 서비스로 시작하여 서비스로 끝나는데도 불구하고, 서비스는 인생 내내 가치를 인정받지 못하는 경우가 많다. 그래서 서비스는 '물'의 속성을 가지고 있다. 재화의 형식에 있어서도 서비스는 '물''의 속성을 가지고 있다. 가장 크고 화려한 것도 서비스이고, 가장 작고 초라한 것도 서비스다. 다이아몬드나 명품 옷이나 가방 등의 제품이 비싸고 화려하기는 하지만, 화려한 서비스에 비할 바는 못된다. 사람이 감동을 받는 것은 제품이 아니고 제품들을 기반으로 전달되는 서비스다. VVIP(Very Very Important Person)들을 초대하여 개최하는 패션쇼나 유명 연예인들의 큰 공연들을 화려하게 만드는 것은 그들이 입거나 들거나 착용하는 장신구들을 기반으로 VVIP 들이나 유명 연예인들이 발산하는 무형의 아우라(aura)가 서비스로 전해지기 때문이다. 공공서비스에서도 대통령 주재 행사나, 국가 원수들 간의 외교 행사에서 품격을 만들기 위해 행사 프로세스를 디자인하는데 관련자들이 많은 노력을 기울이는 것도 무형의 서비스가 전달하는 감동 효과를 알고 있기 때문이다. 최고급 호텔 스위트룸에서의 숙박서비스나, 최고 병원에서의 의료서비스도 서비스를 주도하는 사람들이 유능한 인적자본을 행사하기 때문이고, 또 서비스 프로세스가 품격이 있기 때문에 감동을 받는 것이다. 서비스 프로세스는 인간의 마음을 그 심연에서부터 움직이기 때문이다. 미국 플로리다주 올랜도의 디즈니월드는 정문까지 진입하는 프로세스부터 마음이 움직이도록 디자인되어 있다. 자동차를 타고 정문으로 진입할 때, 디즈니월드 정문에서 많이 멀 때는 미키마우스의 얼굴이 머리 부분만 조금 보이도록 안내판을 보여주고, 점점 정문에 가까이 다가올수록 눈, 코, 입, 몸 부분을 차례로 보여주며 고객의 디즈니월드 방문에 대한 기대를 고조시키는 방식으로 디자인되어 있다. 인간의 삶과 행복을 위해 고대부터 지금 현대까지 인간사회는 무형의 서비스를 발전시키며 진화해 왔다. 인간이 하루에 세 끼 이상 식사를 하는 경우는 드물고, 집이나 자동차를 한 사람이 사용하는 수요는 유한하기 때문에, 제품에 대한 인간의 수요는 어느 정도 한계가 있지만, 서비스에 대한 인간의 수요는 그 한계가 없기 때문에, 인류사회는 더욱 서비스 중심적으로 발전하고 있는 것이다.

그런데, 우리 삶의 전부인 이러한 서비스에 대해 인류사회는 그 가치를 제대로 인정하지 않고 있다. 서비스는 부가가치가 낮은 재화나 부수적인 활동으로 인식되고 있다. 가장 가치 있는 노동인 필수 노동의 가치가 낮은 이유도 필수 노동의 대다수가 서비스이기 때문이다. 서비스는 질 낮은 노동이라는 인식도 있다. 서비스는 공짜라는 인식까지 있다. 그래서 서비스는 '물'의 속성을 지니고 있는 것이다. 그것이 없이는 존재할 수 없는 데도, 그 가치를 제대로 인정받지 못하고 있는 것이다. 탈레스가 '물이 만물의 원리'라고 간파했듯이, 서비스는 가장 귀중한 무형재화이고, 가장 귀중한 인간의 인적자본 행사과정이다. 인류사회가 지속가능하려면 인류가 서비스의 본질을 이해해야 한다. 서비스가 그 절대적 중요성만큼 그 가치를 제대로 인정받도록 해야 한다.

서비스의 본질[18]

서비스는 무형 재화이면서, 역량 재화이기 때문에 본질적으로 기존 재화와 다르다. 눈에 보이지 않기 때문에 서비스가 무엇인지 제대로 알지 못하는 경우가 많다. 서비스의 본질은 관계성, 쌍방향성, 수평성, 조화성이다.

관계성

"소유에서 공유로, 유형에서 무형가치 중심으로"

서비스는 관계를 통해 가치가 발생한다. 당연한 얘기지만, 관계가 성립하지 않는 곳에서는 서비스가 성립하지 않는다. 관계 속에서 무형 재화인 서비스가 탄생하고, 인간에게 가치가 구현된다. 이

---

18) 이 단원은 Kim, Hyunsoo(2008), 경영의 신경영, pp.58-74 요약 인용

때 유형 재화는 서비스를 수행하는 도구나 플랫폼으로 활용된다. 따라서 서비스는 관계 중심 세계관에서 특히 중심 주제가 된다. 관계의 유형이 다양해지면서 서비스의 양태도 아래 [표 2-1]과 같이 여러 유형으로 나타나고 있다.

[표 2-1] 서비스 공급자와 수요자 변화

	서비스 공급자	서비스 수요자
과거	인간(노예나 하인 등)	인간
현재	인간	인간
	사물(기계)	인간
	인간+사물(기계)	인간
미래	인간	인간
	사물(기계)	인간
	인간+사물(기계)	인간
	사물(기계)	사물(기계)
	인간+사물(기계)	인간+사물(기계)

로봇, 인공지능, 사물인터넷 등 과학기술의 발달로 새로운 사물이 증가하고, 사물의 유형이 다양해지는 추세다. 사물이 지능을 가지게 되고, 그 지능의 수준이 점점 높아지고 있다. 지능이 높아진 사물과 사람 간의 관계가 크게 증가하고 있다. ChatGPT를 비롯한 생성형 인공지능(Generative AI) 애플리케이션들이 개발되면서 인간 활동의 많은 영역에서 사물과의 관계가 많아지고 깊어지고 있다. 심지어 인간이 혼자 외롭게 수행하던 소설 쓰기, 음악 작곡,

그림 그리기 등 창작 활동도 사물과의 대화와 관계를 통해 수행하는 시대가 되고 있다. ChatGPT를 시작으로 한 초거대 생성형 AI의 출현은 관계성의 수준에 큰 변화를 예고하고 있다. 또한 인구 증가와 도시로의 계속되는 인구 유입에 따라 관계 맺는 사람의 수와 관계 활동 유형도 무수히 늘어나고 있다. 인간과 인간, 인간과 사물, 사물과 사물 간의 관계량 증대와 관계 수준의 심화는 서비스의 발전을 견인하고 있다.

모든 사물과 모든 인간이 관계 속에서 의미를 가진다. 예를 들어, 의사 혼자서는 환자에게 진단이나 치료 서비스를 할 수 없다. 환자가 있어야만, 그와의 관계에 기초해 진단이든 치료든 가능해진다. 물건과 인간의 관계도 마찬가지다. 시가 1억 원짜리 다이아몬드가 무인도에서 먹을 것조차 구하기 힘든 사람과의 관계에서 지니는 가치와, 고급 호텔에서 유명 인사들과 파티를 벌이는 사람과의 관계에서 지니는 가치는 하늘과 땅 차이다. 무인도에서는 다이아몬드와 인간 사이에 의미 있는 관계가 형성되기 어렵다. 하지만 고급 호텔에서 다이아몬드는 인간에게 고급 서비스를 제공하는 의미 있는 물건이 된다. 언어도 관계 속에서 의미를 가진다. 예를 들어, 그다지 아름답지 않은 대상일지라도 그와의 관계 때문에 '아름답다'고 말할 수 있다.

고대 그리스의 철학자인 헤라클레이토스(Herakleitos, 기원전 540~480년)는 '만물은 유전한다'고 했고, 동양철학서 『주역』은 음과 양이 순환하는 가운데 시간축이 더해져 끊임없는 변화 속에

세계가 운행된다고 했다. 항구적인 실체가 있는 것은 아무것도 없고, 모든 것은 변화의 흐름 속에 있다는 것이다. 음과 양의 관계 속에 서비스가 존재하고, 그 관계가 시간축에 따라 변화하면서 새로운 관계를 만들어가는 곳이 세상이다. 변화한다는 사실만이 변하지 않는다. 따라서 프로세스 자체가 세상을 구성하는 중심 요소이고, 프로세스를 일으키는 관계가 세상의 중심이다.

고대에 탄생한 종교에서도 관계론적 세계관이 절대 우위에 있다. 불교의 기본 원리인 제법무아, 제행무상은 모두 관계를 중심에 둔다. 제법무아(諸法無我)는 이 세상 모든 것은 모두 원인과 조건, 즉 인연(因緣)에 의해 생겨나고 변화하고 사라지기 때문에 영속적인 실체성은 없다는 말이다. 제행무상(諸行無常)은 모든 것이 유한하며 영속하는 것은 없다는 뜻이다. 이에 따르면, 인간은 끊임없는 변화의 과정을 겪고 있으므로 현재의 관계 변화가 중요하다. 우주와 인간에게 항구적이거나 영원한 것은 하나도 없으므로 항구성이나 항상성에 집착하는 대신 서로 의지하고 있는 현재의 관계, 곧 변할 관계에 주목한다. 자신과 남이 서로 다른 사람이 아니라는 자타불이(自他不二) 사상, 즉 서비스적 세계관의 가장 큰 특징 중 하나인 비분리성이 불교의 중심 철학이다. 스스로는 아무것도 가지지 않는 무소유 개념 역시 관계성에 기반을 둔다. 자신이라는 실체가 아니라 다른 대상과의 관계를 중심에 두기 때문이다.

기독교의 기본 원리인 사랑은 관계의 제1 원리이다. 관계의 기반은 사랑이다. 요한복음 13장에서 예수는 제자들의 발을 씻어주면서 사랑의 관계를 몸으로 실천했다. 고린도전서 제13장 사도 바울의 서한 가운데 "사랑은 오래 참고, 사랑은 친절하고, 사랑은 시기하지 아니하고, 허세 부리지 않고, 교만하지 않고, 사랑은 무례하지 않으며, 자기 것을 찾지 않고, 사랑은 화내지 않고, 원한을 품지 않고, 불의를 기뻐하지 않고, 진리를 기뻐한다."는 구절은 관계의 이상적인 정점을 보여준다.

관계론적 세계관의 대척점이 실체론적 세계관이다. 실체론적 세계관은 이 세상에 뚜렷한 실체가 있으며 그것이 중심이라는 입장이다. 다시 말해 인간과 자연, 사물 등 모두가 고유한 각각의 실체와 본성이 있다는 말이다. 유형적 세계관이다. 문명과 과학기술이 발전하면서 실체론적 세계관에 상당한 힘이 실렸었다. 특히 근대에는 산업혁명 등 인간이 이룩한 과학기술의 혁신에 힘입어 실체론적 세계관이 중심으로 부상했다.

현대에 접어들어 고도 문명사회가 되면서 관계의 중요성이 다시 부각되었다. 도시화, 생활의 다양화, 글로벌화의 진전 등으로 관계가 복잡해지고 신경 써야 할 관계가 매우 많아졌기 때문이다. 관계론적 세계관을 대표하는 동양의 철학서인 『도덕경』이나 『주역』 등을 서양에서도 많이 읽고 연구하면서 동서양에서 동시에 관계론적 사상을 수용해가고 있다. 아래 [표 2-2]에서 요약된 바와 같이, 관계론적 세계관의 주요 특징은 무형성, 수평성, 변화성 등이다. 개체 사이의 관계가 강조되므로 항구적인 실체가 아닌 항상 변화하는 무형적인 관계에 서로가 초점을 두는 세계관이다.

[표 2-2] 실체론과 관계론 대비

실 체 론		관 계 론
실체론적 세계관	⇒	관계론적 세계관
유형적 세계관	⇒	무형적 세계관
수직적	⇒	수평적
개체 주체성 강조	⇒	개체 사이의 관계 강조
뉴톤 역학	⇒	양자역학
형체 있음	⇒	형체 없음
안정적 변화	⇒	다양한 변화
주체성	⇒	변화성
형식가치	⇒	무형가치

쌍방향성

"실명성, 주체성, 신뢰성, 공정성의 사회적 자본 기반 위에서 서비스가 발전"

"상대에 대한 믿음이 없으면 서비스가 성립되지 않아"

"물적 자본 시대에서 인적 자본 시대로 이전함에 따라 쌍방향성이 매우 중요"

두 번째로 중요한 서비스의 본질은 쌍방향성이다. 관계는 일방 향에서는 성립하지 않는다. 쌍방향이라야 한다. 서비스하는 무엇과 서비스 받는 무엇 간의 쌍방향성은 서비스의 본질이기도 하지만, 인간 세계와 자연 세계의 본질이기도 하다.

우선 자연계의 쌍방향성은 작용 반작용의 법칙으로 불리는 물리학 제3 법칙을 따른다. A가 B에 힘을 가하면 같은 크기의 힘이 반대로 A에도 작용하는 법칙이다. 이를 서비스에 적용해 보자. 서비스하는 사람의 행위만큼, 서비스 받는 사람으로부터 반대 방향의 힘이 작용하는 쌍방향성이 성립한다. 교육서비스를 하는 경우, 강사가 수강생에게 열심히 강의를 하면 수강생은 그만큼 적극적으로 반응하게 되고, 수강생이 적극적으로 반응하면 강사는 그만큼 더 열심히 강의하게 된다. 의료서비스의 경우에도 의사가 진심을 다해 진단하고 치료하면 환자는 그만큼 더 열심히 회복을 위해 노력하게 되고, 환자의 회복 노력이 의사에게 전해지면 의사는 더 열심히 치료하게 된다.

인간 세계, 문명 세계의 사례로는, 아놀드 토인비(Arnold J. Toynbee, 1889~1975)가 『역사의 연구』(A Study of History, 1934~1961)에서 제시한 '도전과 응전' 이론을 들 수 있다. 영국 런던에서 태어난 역사학자 토인비는 1914년 보편적 문명사에 대해 깨달음을 얻고, 1934년부터 장장 28년에 걸쳐 열두 권에 달하는 『역사의 연구』를 저술했다. 도전과 응전 이론은, 사회에 도전 (challenge)이 들어올 때 그 사회의 주체가 도전에 대해 응전

(response)함으로써 문명이 발전한다고 설명한다. 예를 들어 나일 강 유역은 강이 자주 범람하는 특성상 인간이 살기 불리함에도 불구하고 고대 이집트 문명이 발전하였다. 강의 범람이라는 도전에 대해 사람들이 천문학을 이용해 범람 주기를 읽고, 범람 이후의 토지 구획을 위해 측량술을 개발하는 식으로 응전했기 때문이다. 중국의 황하 문명도 마찬가지이다. 중국에서 사람이 살기 좋은 쪽은 양쯔강 유역이었다. 황하는 홍수와 범람으로 인해 농경하기가 어려웠다. 그럼에도 사람들은 응전을 통해 그 지역에 문명을 탄생시켰다.[19]

현대 경제에서 서비스의 쌍방향성은 제조 프로세스와 서비스 프로세스의 차이 도식에서도 뚜렷이 확인할 수 있다. 제조 프로세스에는 일반적으로 고객의 피드백(반작용 또는 고객으로부터의 힘)이 작용하지 않는데, 서비스 프로세스에서는 고객의 피드백이 반드시 작용하는 특징이 있다.

서비스를 활성화하고 경영을 잘하기 위해서는 쌍방향성을 적극적으로 활용해야 한다. 그 첫걸음은 서비스 공급자와 고객 간의 신뢰 구축이다. 환자가 의사를 신뢰해야 의사에게 적극적으로 자신의 증세를 이야기하고 진찰을 받게 된다. 의사를 신뢰하지 않는

---

19) 사마천도 『사기』에서 중국 남쪽 지방(양쯔강 유역) 사람들은 북쪽 지방(황하 유역) 사람들에 비해 자연 환경의 도전이 약해서 큰 부자가 나오지 않는다고 하였다. 즉 땅이 북쪽 지방에 비해 비옥하고 넓어 생활이 어려운 사람은 거의 없지만 큰 부자도 없다는 것이다. 자신의 답사 경험을 통해 오래전에 도전과 응전 이론을 제시한 것이다.

환자는 적극적인 노력을 하지 않을 것이다. 마찬가지로 의사가 환자를 신뢰하지 않는 경우에도 진료를 적극적으로 하지 않을 것이다. 환자가 의사를 믿고 의사의 처방대로 열심히 치료에 임하리라는 믿음이 있으면 의사는 적극적인 진료 행위를 하게 된다. 상대에 대한 믿음이 있어야 서비스가 성립하기 때문에 서비스가 발전하려면 사회적 신뢰 자본의 기반이 튼튼해야 한다. 기업도 경영을 잘하려면 고객과 기업, 경영자와 종업원, 종업원 각자 간에 신뢰 자본이 튼튼하게 구축되어 있어야 한다.

고객과 서비스 공급자가 책임감을 가지고 각자의 역할을 주체적으로 수행한다는 믿음이 강할 때 서로에게 신뢰가 생긴다. 그리고 이러한 믿음은 실명성에서 나온다. 각자가 자신의 이름을 걸고 역할을 수행해야 책임감이 뒤따른다. 실명인 경우 문제가 발생했을 때 책임 소재가 명확하기 때문이다. 실명이 아닌 경우에는 책임 소재가 불확실하여 신뢰 형성이 어려워진다. 따라서 실명성 → 책임성 → 신뢰성으로 연결되는 사회적 자본의 구축 과정이 서비스사회 선진화의 주요 과제다.

수평성

"서비스 가치를 기준으로 소비를 결정하기 위한 조건"

서비스 공급자와 서비스 수요자는 대등한 지위에 있어야 한다. 그래야만 서비스 가치에 따라 소비 여부를 결정할 수 있다. 양쪽의 힘이 다르면 합당한 가격으로 서비스가 공급 또는 소비될 수 없다. 수평성은 이상적인 서비스의 본질이지만, 근대에 들어서야 빛을 보기 시작했다. 본질을 회복하는 데 참으로 오랜 시간이 걸렸다. 고대의 서비스는 노예-주인의 피지배-지배 관계가 중심이었다. 서비스 소비자(주인)가 서비스 공급자(노예)를 사고 팔 수 있었다. 일부 예외는 있었지만, 이상적인 서비스의 본질과는 거리가 먼 방식이었다. 중세 봉건사회에서는 서비스 소비자와 공급자의 관계가 계약 관계로 전환되었다. 서비스 소비자(영주)가 공급자(농노)를 물건같이 사고팔 수는 없었다. 농노는 영주의 명령에 따라 서비스할 의무를 지고, 영주는 농노를 보호할 의무를 지니는 것으로 발전하였다.

근대에 들어서, 주인이라는 개념이 없어지고 고객(Client)이라는 개념이 탄생했다. 이를 통해 서비스 수요자(고객)와 서비스 공급자의 관계가 대등해졌다. '고객이 왕'이라는 잘못된 인식이 일부 있다. 이러한 생각은 서비스의 본질에 대한 오해에서 비롯되었다. 전문서비스업 종사자들이 고객의 이익을 위해 최선을 다하겠다고 서비스 목표를 설정하고 스스로 약속한 것을, 고객 입장에서 잘못 해석하여 '나를 위해 그렇게 최선을 다하겠다고 하니, 고객은 왕이나 마찬가지구나.'라고 오해한 결과이다.

현대에는 갑을문화를 타파하고, 감정 노동에 시달리는 서비스업 종사자들을 존중하자는 움직임이 일면서 수평성이 사회 전반으로 확산되고 있다. 수평성이 보장되어야 서비스 공급자가 가치를 창출하고, 창출된 가치를 유지할 수 있다. 수평성이 흔들리면 가치를 창출하지 못하거나, 창출하더라도 장기간 지속할 수가 없다. 노자의 『도덕경』에서도 기자불립(企者不立)이라고 했다. 발뒤꿈치를 들고는 오래 서 있을 수 없다는 뜻이다. 수평성이 유지되지 않는 상황은 까치발을 하고 서 있는 모습과 같다. 수평성이 무너지면 결국 서비스가 무너진다. 예를 들어 의사가 환자를 무시하면서 환자의 말을 제대로 듣지 않는다면, 환자에게 적합한 처방을 내리기 어렵다. 이 경우, 의료 서비스가 가치를 잃고 만다. 환자가 의사의 말을 귓등으로 흘리고 처방을 따르지 않아도 마찬가지이다. 서로가 서로를 대등한 존재로 존중할 때, 비로소 서비스가 바람직한 가치를 가질 수 있다.

개인뿐 아니라 국가나 문명 단위에서도 수평성이 가치 창출의 결정적 요인이다. 앞서 언급한 바와 같이 로마가 인류 역사에서 가장 오랜 기간 강대국으로 가치를 창출하는 데도 수평성이라는 건국 철학이 결정적인 기여를 했다.

조화성

서비스의 네 번째 본질은 조화성이다. 서비스는 하나의 시스템이므로 전체적인 조화가 중요하다. 서비스 시스템은 고객과 공급자, 서비스 플랫폼을 구성하는 제품과 기술, 외부 시스템과 내부 시스템을 연결하는 중심 가치, 시스템에 공유되는 정보 등으로 구성된다. 이 모든 요소가 전체적으로 조화되어야 서비스 시스템이 성과를 발휘한다. 가정이나 사회가 유지되려면 구성원 각자가 자신에게 주어진 역할을 충실하게 수행해야 한다. 마찬가지로 서비스가 성립하려면 서비스 공급자와 소비자 집단이 모두 자신의 역할을 조화롭게 수행해야 한다. 서비스 공급자와 소비자가 연결되어 있고, 서비스 공급자 집단이 서로 연결되어 있고, 서비스 공급자는 서비스 조직과 연결되어 있고, 서비스 소비자 집단도 서로 연결되어 있다. 따라서 어느 한 부분이 역할을 제대로 하지 못하면, 다른 서비스 시스템에 영향을 주어 전체적으로 서비스 파국 상황이 발생할 수 있다.

예를 들어, 의사가 환자에게 적합한 처방을 한다 해도 환자가 대인관계에서 심한 스트레스 상태에 있으면 치료 서비스가 무용지물일 수 있다. 교사가 학생에게 좋은 강의를 한다 해도, 학생의 몸과 마음이 강의를 수용할 만한 상태가 아니라면 교육 서비스는 효과가 없을 것이다. 모든 서비스는 서로 연결되어 있으므로 다른 서비스들이 정상적으로 수행되어야 내 서비스의 목적 효과가 나타난다. 조화롭게 돌아가는 우주의 원리와도 같다. 우주를 COSMOS라고 하는데, 이는 혼란스럽지(Chaos) 않고 질서와 조화를 유지한다는 의미이다. 지구는 1초당 평균 460m의 속도로 자전하고, 30km의 속도로 태양의 주위를 공전한다. 이렇게 빠른 속도로 움직이는데도 우리는 느끼지 못하고 편안하게 생활한다. 그 이유는 전체 시스템이 조화 속에서 운행되기 때문이다.

조화성은 자연계의 주요 원리이다. 꽃을 피우는 현화식물과 곤충은 서로 서비스를 주고받으며 번성했다. 식물은 암술의 머리에 수술의 꽃가루가 수정되어야 씨를 맺는다. 벌과 나비가 꽃에 앉아 꿀 등을 먹을 때 몸과 다리에 묻은 꽃가루가, 다른 꽃으로 옮겨갔을 때 그 꽃의 암수술에 묻어 수정된다. 한곳에 뿌리를 내리고 사는 식물은 이처럼 곤충으로부터 꽃가루받이 서비스를 받는다. 곤충은 그 대가로 꿀을 얻는다. 원원(Win-Win)하는 상호 서비스 덕분에 식물도 번성하고 곤충도 번성한다. 서비스를 통해 생명들이 살아가는 것이다. 경제와 사회를 유지하는 각종 서비스가 조화롭게 수행될 때, 경제와 사회는 가치를 창출하며 발전한다. 모든 관계와 모든 서비스가 연결되어 있으므로 서비스시스템의 전체적인 조화성이 중요하다.

서비스의 특징

현대 경제사회를 이해하기 위해서는 중심 재화인 서비스의 특징을 이해해야 한다. 서비스 재화와 서비스산업은 무형성, 비분리성, 비일관성, 무재고성이라는 네 가지 주요 특징을 지닌다. 이러한 특징으로 인해 서비스 재화와 서비스산업을 경영하는 것은 제품과 제조업을 경영하는 것보다 어려워진다.

무형성(비가시성)

　제품은 눈에 보이고 만질 수 있으며, 생산 과정이 명확하게 확인되는 유형성이 특징이다. 반면 서비스 결과물은 눈에 보이지도 않고 만질 수도 없다. 서비스가 수행되는 과정도 명확하게 단계를 구분하기 어렵다. 그래서 서비스는 무형성, 즉 비가시성(非可視性)이 첫 번째 특징이다.

비일관성

　제품은 제조공정이 정형화되어 있고, 상당 부분이 자동화·기계화되어 산출물의 품질이나 규격이 일정하게 일관성이 있다. 제품 백만 개 가운데 불량품 개수를 서너 개 이하로 관리한다는 식스 시그마 기법이 확산되어 있어서 제품은 일관성이 매우 높은 편이다. 그러나 서비스는 주로 사람이 수행하기 때문에 어제와 오늘 제공되는 서비스의 품질이 다르며, 그 밖에도 서비스 환경이나 서비스 소비자의 상태에 따라 서비스 내용 및 결과가 달라진다. 따라서 비일관성은 서비스의 기본 특징 중 하나이다. 서비스산업에서는 비일관성을 개선하려고 과학기술을 도입하는 경우가 증가하고 있다. 교육서비스, 의료서비스, 금융서비스를 비롯한 대다수의 서비스산업에서 자동화와 정보기술 등을 통해 비일관성을 개선하고 있다.

비분리성

서비스의 세 번째 특징은 비분리성이다. 서비스 공급자와 서비스 소비자를 명확하게 구분하기가 어렵다. 둘이 함께 서비스 품질을 만들어가기 때문이다. 강의 서비스를 예로 들어보자. 강사가 아무리 강의를 잘해도 수강생들이 적극적으로 받아들이지 않으면 좋은 결과를 얻기 어렵다. 반대로 강사가 적당히 강의를 해도 수강생들이 적극적인 반응을 보여 쌍방향으로 활발하게 메시지가 오가면 좋은 강의서비스가 된다. 비분리성은 자연계의 특성과 많이 닮았다. 양자역학의 불확정성 원리에서와 같이 관련 대상들을 분리하여 명확히 구분하기 어려운 것이 자연의 진리이고, 인간사회의 본질일 수 있다.

무재고성

제품은 팔리지 않으면 재고로 보관하다가 나중에 고객 수요가 발생하면 그때 팔면 된다. 자동차나 전자제품 등은 장기간 재고를 둘 수 있으며, 재고를 쌓아두기 어려운 신선 식품조차도 며칠 정도는 보관하다가 나중에 팔 수 있다. 그러나 서비스는 오늘, 지금 당장 팔지 않으면 가치를 잃는다. 숙박서비스의 경우 호텔 방은 유형적 실체이지만, 숙박서비스는 오늘 방을 팔지 않으면 안 된다. 오늘 팔지 못한 방들에 대해서는 하루치 숙박 수익이 상실된다.

제품을 가지고 제공하는 서비스라도 지금 기회에 팔지 못하면 그 수익이 사라지므로, 서비스는 재고를 보관하지 못하고 당장에 팔 아야 하는 특징이 있다.

이 때문에 서비스는 측정이나 관리가 쉽지 않고, 과학적인 경영 을 하기 어렵다. 서비스 산업의 비중 증가에 비해 서비스 경영 관 련 이론이나 연구의 발전이 매우 더딘 이유도 여기에서 찾을 수 있다. 그러나 이러한 서비스의 특성을 활용하거나 그 한계를 극복 하는 것이 경영의 주요 활동이므로, 현대의 서비스 경영은 과거 경영보다 더 집중적으로 연구할 필요가 있다. 예를 들어 숙박서비 스의 경우 비수기 할인 정책 등을 통해 무재고성 문제를 해결하 고 있는데, 다양한 다른 대안들과의 비교 연구나 다양한 대체재들 의 경쟁전략을 반영하는 무재고성 대응연구가 필요하다.

현대 경영에서는 기업의 서비스적 특성을 경영하는 것이 중심 이 된다. 무형재화를 다루는 서비스기업은 물론이고, 유형의 제품 을 생산하여 판매하는 제조업의 경우에도 제품의 서비스적 특성을 부각시켜 제품의 부가가치를 높이고, 기업의 수익성을 제고하는 활동이 현대 경영의 중심이다.

산업 간의 경계나 구분이 의미가 없어지면서 기업이 어떤 제품 이나 서비스를 제공하는지가 중요한 것이 아니고, 그 제품이나 서 비스를 통해 고객에게 어떤 가치를 제공하느냐가 중요해졌다. 따 라서, 서비스의 특징을 반영하는 경영 지식과 기술개발이 더욱 중 요해지고 있다.

[그림 2-15] 오늘 팔지 못한 호텔 방은 즉시 수익 소멸

(포시즌스호텔 룸 사진)

서비스 중심 논리

20세기 중반까지만 해도 세계 경제는 제품 중심 논리로 움직였다. 그러다 20세기 후반 들어 유형 경제의 한계가 명백해지면서 서비스 중심 논리가 자리 잡았다. 서비스 중심 논리는 제품 중심 논리와 확연히 다르다. 서비스는 비분리성 특성 등을 지닌 하나의 시스템이다. 서비스 공급자와 수요자가 함께 시스템을 만들고 제공한다. 제품 중심 논리에서는 공급자와 수요자의 접점이 없지만

서비스 중심 논리에서는 공급자가 수요자와 함께 서비스시스템을 디자인하고, 함께 서비스를 발전시킨다. 아래 표와 같이 동태적 방식으로 서비스는 수행된다.

[표 2-3] 제품중심 논리와 서비스중심 논리

제품 중심 논리	서비스 중심 논리
정태적 자원(Operand Resources)	동태적 자원(Operant Resources)
자원 획득	자원화(창조, 통합 및 저항 제거)
제품과 서비스	서비스와 경험
가격	가치 제안
촉진	대화
공급사슬	가치 창출 네트워크
행동 극대화	교환을 통한 학습
시장·고객에 대한 마케팅	시장·고객과 함께 마케팅

자료: Toward a conceptual foundation for service science: Contribution from service-dominant logic, by R.F. Lusch, S.L. Vargo, G. Wessels, 2008.1, IBM Systems Journal, Vol.47, No.1, pp.5-14

서비스 중심 논리에서는 자원화를 통해 자원을 만들어낸다. 자원화(Resourcing)란 잠재적인 자원을 가치 있는 자원으로 전환하는 활동이다. 이러한 활동에는 세 가지 본질적인 측면, 즉 자원 생성(창조), 자원 통합, 장애 제거 등이 있다. 무형 자원을 유형 자원으로 창조하고, 서로 관련성이 낮은 자원을 통합하여 하나의 유의미한 자원으로 생성해내고, 자원 활용에 장애가 되는 이슈를 제거하는 활동 등을 자원화라고 한다. 서비스 시스템에서는 고객의 경험을 이해하는 데 초점을 맞추어야 한다. 서비스 제공의 효율성이 아니라 고객의 필요에 부응하여, 그 필요를 충족시킬 수 있도록 효과성에 집중해야 한다. 서비스 중심 논리에서 고객은 공동으로 가치를 창출하는 협력 파트너이다. 기업의 가치를 일방적으로 주입받는 객체가 아니다. 고객은 가치를 창출하기 위해 서비스 조직에 자원(Input)을 제공하는 주체이며, 통합자이다. 기업은 필요한 역할을 발견하고 그 역할을 수행하는 조직이다. 가치 창출의 중심에 고객이 있다. 서비스 시스템 자체가 바로 대화의 장으로 작용한다.

서비스 시스템은 공동의 가치 창출을 목표로 연결된 네트워크다. 서비스 조직은 이 가운데 일부 역할만 직접 수행하고, 나머지 서비스는 다른 조직에 아웃소싱할 수 있다. 그럼으로써 특정 역량에 집중하고 서비스 품질과 생산성을 높일 수 있다. 서비스 네트워크는 360도 전방위로 확산되어 거의 무한한 방식으로 가치를 창출할 수 있다. 스스로 학습 기능을 강화하여 자체 혁신도 가능하다.

03 '서비스' 철학

서비스 철학의 구조

서비스의 운용 원리는 우주의 원리와 같으므로, 서비스철학도 우주 원리와 같다고 할 수 있다. 또한 서비스철학은 인류 공통사상과도 같다. 인류 공통사상은 대체로 아래와 같이 요약할 수 있다. 궁극의 진리는 말로 표현할 수 없다고는 하지만(노자의 첫 문장이 도가도비상도(道可道非常道)로 시작하고, 기독교의 여호와 하느님은 자신을 'I am Who I am' 이라고 표현하듯이, 진리는 말로 표현하기 어렵기는 하지만), 근사 진리는 추론이 가능하다. 동서양 사상을 근본원리 차원에서 요약하면 우파니샤드의 브라흐만 설명개념인 neti, neti론(이것도 아니고 저것도 아니고), 도덕경의 비유비무(非有非無)사상, 주역과 원자물리학의 태극상보론, 주역의 음양대대원리, 상반상성론, 동서양 공통철학인 변증법사상 등 2원 및 3원 사상으로 요약할 수 있다. 즉 2나 3으로 표현될 수 있는 구조로 사상을 전개하고 있는 것이다. '가장 간결한 것이 진리에 가장 가깝다'는 오컴식의 논리를 반영하면, 진리는 '2와 3으로 표현해야 진리에 가까울 수 있다'고 얘기할 수 있을 것이다. 그래서 창조의 수 2가 3번 겹쳐서 형성되는 8이 동서양에서 공통적으로 주요 진리의 표현방식으로 나타나고 있는 것은 우연한 일이 아닐 것이다. 중국사상의 중심인 『주역』은 8괘를 기본으로 하고 있고, 인도사상의 중심인 불교는 8

정도를 기본으로 하고 있고, 서양사상의 주요 축인 기독교 사상은 8복을 중심으로 하고 있다. 민주주의는 대대(對待)원리, 상보성(相補性) 원리로 운영되어야 지속가능하고, 자본주의도 상반상성(相反相成) 원리로 운영되어야 지속가능함을 현시대에 확인하고 있기에, 고대로부터 발전된 공통진리는 인류세의 진리에 가깝다고 할 수 있다.

사상적으로는 흘러감과 변해감이 중심사상이라 할 수 있다. '모든 것이 변해간다'는 불교의 제행무상(諸行無常)론, '같은 강물에 두 번 발을 담글 수는 없다'는 헤라클레이토스의 흘러감론, '헛되고 헛되도다'라는 솔로몬의 헛됨론, 셰익스피어의 멕베스의 대사를 통해 표현되는 '삶은 걸어 다니는 그림자'라는 그림자론 등이 인류의 삶에 대한 공통 사상이다. 즉 끝없는 우주 만물의 변화 속에 찰나와 같은 우리 인생의 시간이 서로 가로질러 흘러가고 있으니 그 그림자조차도 무상할 수 밖에 없다는 것이다.

창조의 수 2로 표현되는 대대원리, 상반상성, 상보성, 비유비무 원리가 진리에 가깝다고 할 수 있으며, 이는 태극 구조로 표현될 수 있다. 즉 진리는 태극 기반으로 표현할 수 있으며, 태극을 여러 개 중첩시켜 전체 진리의 모습을 나타낼 수 있을 것이다.

요약하면 공통 진리는 비유비무와 상보성이며, 표현은 2와 3을 기본구조로 하고 있다. 이러한 공통 진리는 서비스구조와 일치한다. 따라서 서비스철학은 아래 [그림 2-16]과 같은 구조로 표현할 수 있다. 즉 대립존재 및 대립개념 간의 치열한 상호작용과 동태적 균형이 궁극의 도(道), 즉 철학적 구조가 된다. 대립 존재 및 대립 개념 간의 이해관계 현장이 세상의 모습이고 인류 삶의 냉엄한 현실이다. 경제와 사회의 모든 개념들, 예를 들어 권력, 돈, 명예, 지식, 의무, 명분, 이런 것들의 치열한 대립의 장(부귀와 빈천, 선과 악, 미와 추, 자유와 평등, 권리와 의무, 수직과 수평 등등)이 세상이고, 이들 각각의 대립 개념들 간의 동태적 균형이 세상을 움직이는 근본 원리에 가깝다고 할 수 있다. 이들 간의 치열한 상호작용이 지속성 및 생명의 원리이고, 이것이 없으면 사회나 경제, 그리고 생명은 죽음을 향해간다고 할 수 있다. 인간 몸의 세포가 매일 새로 생겨나고 또 그만큼 죽기를 균형 있게 유지하는 것이 생명을 지속시키는 원리이듯이, 세상의 대립 존재와 대립 개념도 철저하게 상호 균형을 유지하려는 힘이 항상 작용하고 있을 때 지속가능하다고 할 수 있다.

이는 아래 그림과 같이 태극 구조로 표현할 수 있다. 두 개의 상반되는 개념 또는 대립자를 정의하고, 각각이 뚜렷한 주체성을 가지되, 그 반대 주체가 없이는 지속가능하지 않으며, 그 반대 측과의 치열한 상호작용을 통해 정체성을 유지하며 지속적으로 발전하는 상황을 표현하는 것이 태극 모델이다. 대립자 각각이 가치를 가지지만, 그것만이 진리는 아니고, 반대자와의 균형을 유지하기 위한 치열한 활동을 통해서 자신의 가치를 인정받고, 함께 발전해 나가는 모델인 것이다. 또한 공통진리의 주요 부분은 나선형 변증법적 발전 과정이다. 흘러가고 변해가는 모양이 직선형이 아니고 나선형이다. 즉 대립자 간에 치열한 상호작용을 통해 상대측의 문제와 모순을 발견하고 그걸 자신의 강점으로 해결하면서 주도적이 되고, 또 시간이 경과하면서 자신의 문제로 인해 상대에게 주도권을 넘겨주면서 나선형으로 발전하는 것이 세상의 진리다.

[그림 2-16] 서비스철학의 구조

(비고: 이 그림은 앞서 [그림 2-3]에서 제시한 서비스의 구조와 외형은
유사하지만, 대립 존재 및 대립 개념 간의 치열한 상호작용과 동태적 균형을
강조하는 서비스의 철학적 구조를 나타내는 그림임)

이와 같은 서비스철학의 구조는 수천년간 중심이 되어온 기존 철학의 중심성 구조와 달리, 비중심성이 기본구조가 된다. 최종 결과가 아닌, 흘러가고 변해가는 과정이 중심이 된다. 또한 유형이 중심이 되어 무형을 감싸는 구조가 아닌, 무형이 중심이 되어 유형을 감싸는 구조가 된다. 이를 주역의 궤로 표현하면 리괘(離卦)에서 감괘(坎卦)형으로 인류의 철학이 전환된다고 할 수 있다. 아래 [그림 2-17] 대한민국 태극기의 왼쪽 아래 리괘(바깥의 두 양효(━)가 안쪽의 한 음효(╍)를 감싸고 있는 괘)가 오른쪽 위의 감괘(바깥의 두 음효(╍)가 안쪽의 양효(━)를 감싸고 있는 괘)로 중심 이동한 것이 서비스철학이 되는 것이다. 즉 소프트 파워가 하드 파워를 감싸고 있는 모양이 서비스철학이라고 할 수 있다.

[그림 2-17] 대한민국 태극기

(비고: 태극기(太極旗)의 네 모서리는 건곤감리(乾坤坎離) 4괘(四卦)를 표현. 양효
(━)만 3개인 건괘(乾卦)는 하늘을, 음효(╍)만 3개인 곤괘(坤卦)는 땅을 상징)

이러한 구조를 가지는 서비스철학의 인간관, 역사관, 사회관, 경제관, 경영관을 제시한다.[20] 동서양 주요 사상의 공통 기반은 '인간은 우주를 닮고 있다'는 것이다. 신경제사회에서의 인간도 우주의 본질 원리를 닮고 있으며 우주의 운행원리에 따라 삶을 영위하고 사회를 운영한다고 볼 수 있다. 그러한 방식이 바람직한 삶의 방식이고 사회 운영 방식이라고 할 수 있다. 우주는 안정적으로 지속가능한 팽창을 하고 있으므로, 우주의 원리대로 살면 인간의 삶도 발전하고 사회도 안정적으로 발전된다고 볼 수 있다. 인간의 삶과 인간이 이루고 있는 사회도 우주의 원리를 따라 두 개의 힘, 두 가지 요소가 일종의 임계점 부근에서 철저히 균형을 이루고 있을 때 안정적으로 발전한다고 볼 수 있다. 인류의 사상가들이 공통적으로 발견한 우주와 인간의 합일 원리에 의해 인간관, 역사관, 사회관, 경제관, 경영관을 정립할 수 있다. 즉 각 분야에서 가장 중심이 되는 두 개의 힘이 임계점 부근에서 균형과 조화를 유지하고 있을 때 역사와 사회, 경제와 경영은 안정적으로 발전하게 되는 것이다. 중요한 두 개의 힘은 각 시대별로 달리 정의될 수 있으나, 인류의 사상 역사를 전체적으로 분석한 결과 아래와 같이 가장 중심이 되는 두 개의 힘들로 제시될 수 있다. 각 힘들을 설명하고, 이들의 나선형 변증법적 상호작용으로서의 서비스철학적 세계관을 주요 관점을 중심으로 제시한다.

---

20) Kim, Hyunsoo(2019a), 신경제사회 중심사상으로서의 서비스철학 연구 인용

서비스철학의 인간관

　인간에 대한 관점은 동양과 서양이 다르고, 서양에서도 시대별로 상당한 차이를 보이고 있다. 이 차이를 거시적으로 보면 인간의 이 세계 내에서의 지위에 대한 논의로 요약할 수 있다. 신이나 자연이 세계의 중심인 사상과 인간이 세계의 중심이 되는 사상으로 대별할 수 있다. 동양의 고대 사상이나 서양의 중세 사상은 신이나 자연이 중심이 되고 있다고 볼 수 있으며, 근대 이후의 서양 사상이나, 중세 이후의 동양사상은 인간 중심성이 강화되었다고 볼 수 있다. 최근에 들어서는 두 주류 사상이 혼재하고 있다고 볼 수 있는데, 이는 우주 내의 한 개체로서 인간은 우주의 본성을 닮고 있기 때문으로 볼 수 있다.

　아래와 같이 현재 및 미래 사회에서의 인간관은 신 중심과 인간 중심의 균형 및 변증법적 교류 모델로 구축될 수 있다. 인간에게 작용하는 두 힘 중 순종과 온유의 힘은 신 중심 세계관을 가진 각종 종교에서 강조하는 힘이다. 인간은 절대자의 섭리에 의해 이 세상에 태어나서 살아가는 존재이며, 이 세상에서의 길흉화복과 생로병사는 절대자의 섭리에 의해서임을 이해하고 이를 수용하며 순종하는 자세가 절대자의 뜻이고 인간의 행복이라는 사상을 수용하는 힘인 것이다. 다른 하나의 힘은, 인간은 이 세상의 주인으로서 자신의 의지에 의해 역동적으로 삶을 살아가는 주체적 존재라는 사상의 힘이다. 즉 인간은 우주의 생동력을 자신 안에 내재하고 있으며, 용맹하고 힘이 있고 자유로운 존재라는 사상을 믿는 힘이다. 이 두 개의 힘이 자신의 내부에서 조화를 이루고 있는 인간이 서비스 사회의 인간이며, 두 힘이 시간과 공간 축에서 균형과 조화를 이루고 있는 인간들의 집합이 인류라는 사상이 서비스철학적 인간관이다. 현실에서는 어떤 한 인간이 항상 절대적으로 초인적일 수도 없고 또 항상 절대적으로 순종적일 수도 없다. 두 힘이 상황에 따라 번갈아 나타나는 것이 보통의 인간인데, 서비스철학에서는 이 두 힘이 치열하게 균형을 이루고 있는 것이다.

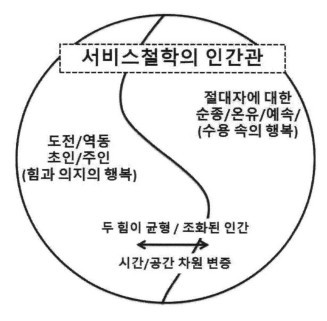

[그림 2-18] 서비스철학의 인간관

서비스철학의 역사관

　인류의 역사 발전에 대한 관점도 시대별로 상당한 차이를 보이고 있다. 역사 발전에 대한 체계적인 이론이 제시된 것은 헤겔 시대라고 할 수 있고, 그 이전에는 부분적인 논의만 있었다고 볼 수 있다. 헤겔은 변증법을 역사철학에 적용하여 절대정신의 발전과정이 변증법적으로 진행된다는 역사관을 정립하였다. 한편 니체는 이 세상은 신이나 절대정신이 없는 무(nihil)의 세계이기 때문에, 역사는 어떤 중심을 가지고 질서있게 발전하는 것이 아니고 무작위적으로 진행된다는 것이다. 헤겔식의 질서정연한 규범적인(Normative) 변증법에 의한 역사발전과 니체식의 무작위적 기술적인(Descriptive) 변증법에 의한 역사발전 중 어떤 힘이 더 강한지에 대해서는 분석된 연구가 없다. 그러나, 역사를 발전시키는 것은 인간이기 때문에, 인간관에 근거한 역사관이 타당한 역사관일 수 있다. 인간은 수용하고 순종하는 힘과 도전하고 창조하는 힘이 임계점에서 균형을 이루고 있고, 시간과 공간 축에 의해 두 힘이 전체적인 조화를 이루고 있으므로, 이들이 발전시키는 역사도 이와 같을 것으로 추정할 수 있다. 즉 역사는 절대정신을 중심 축으로 하여 이 축을 벗어났다가 다시 발전된 모습으로 절대정신으로 복귀하는 규범적인(Normative) 변증법적 발전의 힘과, 무(nihil)의 속성에 따라 무작위로 진행되는 기술적인(Descriptive) 변증법적 진행의 힘이 임계점 부근에서 대립하며 전진하고 있다고 볼 수 있다. 이 역사 모델이 서비스철학의 역사관이 된다. 이 두 힘이 역사의 주체들에게 동시에 임계비율로 또는 시간과 공간축에서 전체적인 임계비율로 함께 작용하면서 역사를 발전시키는 것이다. 과거에는 어느 시기, 어느 지역에서는 중심을 유지하면서 역사가 발전하였고, 다른 시기 다른 지역에서는 무작위로 진행되었지만, 현대 경제사회에서는 과학기술의 발전과 글로벌화로 시간 축이 짧아지고, 공간 차이가 줄어들어 실시간으로 두 개의 힘이 동시에 작용하며 변증법적 과정이 진행된다고 할 수 있다. 예를 들어, 20세기의 공산주의 역사가 불과 100년도 안되어 종식되고 다음 패러다임으로 전개되고 있는 것은 과학기술 발전과 글로벌화로 인한 단축 효과라고 볼 수 있다. 자유의 가치에 대한 인식이 공산주의 세계로 널리 확산되는 시간이 단축된 것은 과학기술의 급속한 발전과 그로 인한 경제발전 때문이며, 평등이라는 가치를 구현하는 공산주의 방법론의 타당성 여부에 대한 진실이 드러나는 시간이 단축된 것도 글로벌화된 경제시스템에 힘입은 바가 크기 때문이다. 개방된 시장과 과학기술이 대립자들의 실시간 경쟁을 촉진하고 있는 것이다.

따라서, 현대 인류사회는 이 두 개의 힘이 사실상 동시에 작용하며, 실시간으로 변증법적 과정이 진행된다고 볼 수 있다. 이 모델이 서비스철학의 역사관이며, 두 힘이 시간과 공간 축에서 균형과 조화를 이루고 있는 곳이 역사 현장이라고 할 수 있다.

[그림 2-19] 서비스철학의 역사관

서비스철학의 사회관

사회관 구축을 위해서도 사회를 보는 중심이 되는 두 힘의 발견이 필요하다. 지역사회든 국가사회든 인간이 형성하여 함께 삶을 영위하는 사회는 질서를 유지하려는 힘이 강하게 작용한다. 사회정의를 구현하려는 힘, 사회에 대한 의무를 강조하는 힘이 보편적으로 질서를 유지하기 위해 작용하는 힘이다. 공동체로서의 사회를 유지하기 위한 힘인 것이다. 전체 사회 관점의 선good과 악

evil이 정의되고 선을 유지하고 악을 단죄하는 힘이 중심이 된다. 한편 개인 차원에서는 개인의 행복한 삶을 위해 좋은good것과 나쁜bad것이 있다. 좋은 것을 많이 하고, 나쁜 것을 적게 하려는 힘이 있는 것이다. 개인들의 자유로운 행복추구의 힘과 전체사회 안정유지의 힘이 임계점 부근에서 균형을 이루어 조화되는 사회가 서비스적 사회다. 서비스철학의 사회관은 두 힘이 균형을 이루는 조화사회 모델이며, 인터넷 등 과학기술 발전과 글로벌화의 진전으로 시간 공간 축에서 변증법적 사이클이 매우 짧고 빨라져서 사회 변동 혼란이 최소화되는 모델이다. 역사적으로 볼 때 이 두 힘 중 하나의 힘이 과도해지며 모순이 발생하여 다른 힘으로 중심이 이전될 때 큰 혼란이 발생하고 많은 희생이 있었으며, 안정 상태에 도달하기까지 시간도 많이 소요되었다. 예를 들어, 공동체를 중시하는 사회가 오래 지속되면서 개인의 행복이 과도하게 희생되는 사회에서는, 개인들의 힘이 매우 약해져 있기 때문에 균형 상태를 회복하기 매우 힘들다. 그래서 중세의 전제 군주 국가에서, 개인들의 힘이 회복되는 근대 시민사회로 전환되는 과정에서 많은 희생이 있었고 긴 시간이 소요되었던 것이다. 서비스철학의 사회관이 정착되면 어느 한 쪽이 과도한 힘을 가지기 전에 반대 방향으로의 힘이 생성되어 반작용이 진행되므로, 임계점을 벗어나서 사회 혼란이 발생할 가능성이 매우 낮고, 만약 임계점을 조금 벗어난 상황이 발견되면 작은 힘으로 짧은 시간 내에 안정상태로 회복할 수 있게 되는 것이다.

[그림 2-20] 서비스철학의 사회관

서비스철학의 경제관

경제발전 모델의 중심이 되는 두 개의 힘은 자본주의와 사회주의로 설정할 수 있다. 자본주의는 자본의 힘과 자유 경쟁시스템으로 인류 경제의 고속 성장을 이끌어 왔다. 하지만, 이에 부수된 경제적 불평등 등에 반발하여 생산수단의 공동소유와 관리, 계획적인 생산과 평등한 분배를 주장하며 사회주의가 탄생하였다. 사회주의는 여러 사회적 모순과 병폐의 원인을 개인주의로 보고, 사적 이윤추구를 목적으로 하는 사적 소유 및 자유경쟁을 반대하는 사상이다. 즉 자본주의의 최대 강점인 자유경쟁과 사적 소유를 반대하는 사상이다. 한편, 공산주의는 생산의 사회화 뿐만 아니라 분배에 있어서도 공평을 요구하는 '공동생산, 공동분배'를 원칙으로 하는 사상이다. 자본주의와 사회주의 모두 그동안 많은 변화를 겪어왔다. 자본주의의 문제점인 과도한 이윤추구와 경제적 불평등 심화 문제를 해소하기 위해 정부의 역할을 강조한 수정자본주의가 보편적으로 받아들여지고 있고, 기업의 자유로운 경제활동을 최대한 보장하려는 신자유주의도 많이 확산되어 있다. 전체적으로 자본주의의 지향 가치는 개인과 기업의 경제 활동 자유 존중 사상이다. 개인과 기업의 창의성이 최대한 발현되는 경제라야 지속적인 성장을 구가할 수 있고, 따라서 사회 전체 구성원들이 성장을 통해 행복해질 수 있다는 사상이다. 사회주의는 치열한 자본주의 경쟁시스템에서 출생 운 등 여러 가지 이유로 인해 낙오되거나 뒤처져서 불평등을 겪는 다수의 개인들을 사회가 포용하기 위한 시스템이므로 자본주의의 힘과는 반대되는 방향으로 작용하는 힘이다. 이 두 힘이 임계점 부근에서 균형을 이루어 조화되는 경제시스템이 바람직한 시스템이다. 서비스철학의 경제관은 두 힘이 균형을 이루는 조화경제 모델이며, 체제내에서 변증법적 사이클이 매우 짧고 빠르게 진행되는 모델이다. 어느 한 국가 또는 어느 한 시대에 하나의 힘이 매우 강하게 작용할 수 있다. 균형상태에 도달하기까지 긴 시간과 많은 노력이 필요할 수 있다. 그러나, 서비스철학의 경제관을 저변에 구축해 둔 사회와 시대는 임계점 부근의 안정상태로 빠르게 회복된다. 철학적 기반이 경제주체들에게 공유되어 있으므로, 전환이 쉬운 것이다. 성장과 분배, 자유와 평등 등이 각각 독립적으로는 절대 선이 아님을 경제주체들이 잘 알고 있기 때문이다. 이와 같은 서비스철학의 경제관이 견지된다면 임계점을 크게 이탈하여 혼란이 발생할 가능성이 매우 낮고, 안정상태를 유지할 수 있는 힘은 계속 증대될 것이다.

[그림 2-21] 서비스철학의 경제관

서비스철학의 경영관

경영자와 기업조직에 작용하는 주된 힘은 이윤 창출과 지속성장의 힘이다. 20세기 후반부터 기업의 사회적 책임(corporate social responsibility) 논의가 활발해졌고 21세기에 들어서는 기업의 공유가치 창출(creating shared value)논의로 확대되었다. 기업이 경제적 이윤과 함께 사회적 가치를 동시에 창출해야 한다는 것이다. 또한 21세기 경제가 고용 창출이 없는 성장을 하고 있고 기계가 지식노동을 대체해 가고 있으므로 새로운 경영 패러다임 도입이 필요하기도 하다. 정부와 비정부조직(NGO: Non Government Organization)이 사회적 가치 창출을 위한 각종 활동을 하고는 있으나, 여전히 환경 교육 건강 노인 여성 문제 등은 심각하고 경제적 불평등이 심화되고 있어, 기업의 적극적인 역할이 필요한 시대가 되었다. 기업의 활동으로 사회적 가치를 창출하려면, 사회적 문제를 해결하는데 기업이 투자하는 비용보다, 그 문제 해결로 기업에 돌아오는 이익이 더 커야 한다. 시간축과 공간축 차원에서 적정한 이익이 회수되어야 한다. 정부나 NGO가 하지 못하는 수준의 혁신적인 솔루션이 있어야 사회적가치와 경제적 가치를 동시에 창출할 수 있다. 따라서 현대 경영은 경영 패러다임 변화가 필요하고, 새로운 패러다임을 구현하기 위해서는 혁신이 제1 화두가 되어야 한다. 철학적, 사회적, 과학기술적, 공학적, 경영학적 혁신이 필요한 시대다.

현대 기업의 경영에 작용하는 두 개의 큰 힘은 사회적 기관으로서의 기업 활동을 요구하는 힘과 경제적 이윤창출을 요구하는 힘이다. 경제적 이윤창출을 위한 힘이 중심이 될 경우, 기본 재화가 자유로이 거래되는 시장경제(market economy)를 넘어 전체 서비스가 자유로이 거래되는 시장사회(market society)가 되어 사회의 공공성이 훼손되고 불평등이 심화될 우려가 있다. 건강, 교육, 환경, 정치, 권리, 시민적 의무 등이 모두 돈으로 거래 가능한 대상이 될 수 있고, 경제적 불평등이 사회적 불평등을 더욱 심화시킬 수 있다. 한편 사회적 가치 창출을 요구하는 힘이 중심이 될 경우, 대다수의 기업은 혁신 역량의 부족으로 경제적 이윤 창출을 병행하지 못하여 도산할 가능성이 있고, 많은 사람들이 일자리를 잃고 사회 환경은 더욱 악화될 수 있다. 따라서, 현대 경영 환경을 반영하고, 서비스철학의 경제관을 반영한 경영관은 두 힘이 임계점 부근에서 적절한 균형을 이루며 시간축과 공간축을 따라 치열하게 경쟁하면서도 전체적으로는 조화롭게 발전되는 구조를 가진다. 기업이 사회적 기관으로서 일자리 창출 등 사회적가치 창출과 함께 경제적 가치 창출을 안정적으로 추구하며, 경제사회 상황에 따라 적절하게 균형을 유지하는 경영활동을 하는 경영관이다. 기업 간의 치열한 경쟁이 일상화된 현실 경영 세계에서 이러한 경영관의 경영 활동을 하기는 쉽지 않다. 수익을 창출하지 못하면 도산을 막기 위해 구조조정도 해야 하고 임직원들의 복지 혜택도 축소해야 하는 상황을 수시로 맞이하기 때문이다. 개별 기업 차원에서는 불가피한 일이다. 수익을 계속 내지 못하면서 임직원 고용을 계속 유지하고 복지 혜택들 확대할 수는 없기 때문이다. 하지만 이 서비스철학의 경영관을 견지하면, 기술혁신과 경영혁신을 통해 수익성 목표와 일자리 목표를 동시에 달성하려는 노력을 지속적으로 강화하게 되고, 결국에는 두 힘이 조화되는 경영을 할수 있게 될 것이다.

[그림 2-22] 서비스철학의 경영관

제 3 장

서비스학 개요

01 서비스학 구조

02 기반서비스학

03 내부서비스학

04 외부서비스학

01 '서비스학' 구조

서비스학의 기본 구조

　'서비스학(Service Science)'은 서비스(Service)에 대한 모든 학문을 의미한다. 자연과학(Natural Science: 물리학, 화학, 생물학, 천문학, 지학 등)이 자연(Nature)에 대한 모든 학문을 의미하고, 사회과학(Social Science: 정치학, 행정학, 사회학, 경제학 등)이 사회(Society)에 대한 모든 학문을 의미하듯, 서비스학은 서비스(Service)와 관련된 모든 학문을 의미한다. 서비스학은 지난 200여 년간 인류의 고도 성장기를 이끌어 왔던 산업학문의 대안으로 탄생하였다. 유형재화 중심의 유형경제가 한계를 보임에 따라, 다시 인류의 장기 지속 성장을 위한 새로운 학문의 필요성이 대두되었고, 21세기 초반에 인류사회의 장기 성장을 견인하기 위한 신학문으로 탄생되었다. 아래 [그림 3-1]에서와 같이 21세기 초반을 기점으로 A path 의 장기 저성장으로 갈 가능성이 많은 인류경제를, B path로의 장기 고성장으로 견인하기 위해 탄생된 신학문이다. 2006년에 대한민국에서 서비스학 연구를 위한 학자들의 모임이 결성되었으며, 이 해가 서비스혁명의 원년이 된다. 왜냐하면, 20세기 후반부터 서비스산업이 발전하면서 서비스연구가 시작되고 있었으나, 기존 학문의 한 분과로서 서비스를 연구하였으므로, 독립적인 학문체계를 갖추지 못하였다. 또한 2004년 미국에서 서비스사이언스(Service Science) 연구를 시작하자고 선언하였으나, 독립적인 학문체계에 대한 논의는 없이 다만 기존 학문들의 융합학문이라는 성격만 규정하는데 그쳤기 때문이다. 대한민국의 학자들이 새로운 시대를 이끌어갈 수 있는 새로운 학문으로서 서비스학의 필요성과 그 중요성을 인지하고, 학자들의 모임을 결성하여 본격적인 서비스학 연구를 시작한 해가 2006년이므로 이 해를 서비스학이라는 신학문의 원년으로 기산하여 아래 그림과 같이 도시하였다.

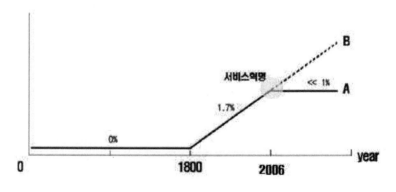

[그림 3-1] 인류의 경제성장 추이와 서비스학의 탄생

새로운 학문인 서비스학은 기반서비스학. 내부서비스학, 외부서비스학으로 구성된다. 기반서비스학은 서비스철학, 서비스본질, 서

비스이론 관련 학문들이다. 내부서비스학은 '서비스' 단어가 앞에 들어가 있는 부문 학문들이다. 예를 들어, 서비스디자인, 서비스경영, 서비스운영, 서비스마케팅, 서비스공학 등과 같은 무형 재화 관련 학문들이다. 서비스학에서 가장 먼저 연구가 시작된 분야들이다. 외부서비스학은 서비스가 뒤에 들어가 있는 부문 학문들이다. 디자인서비스, 경영서비스, 관광서비스, 의료서비스, IT서비스, 사회서비스, 교육서비스, 정치서비스 같은 도메인 서비스 학문들이다. 최근 정보통신서비스, 금융서비스, 물류유통서비스, 교육서비스, 헬스케어서비스, 문화엔터테인먼트서비스, 공공서비스등 정보와 지식이 결합된 서비스 부문이 성장하고 있다. 외부서비스학은 각자의 도메인에서 독립학문의 위상을 구축하며 성장하였다. 하지만, 학문간 경계가 해체되는 새로운 국면이 전개되면서 모두 서비스학의 한 부문으로 진화 발전이 진행되고 있다. 서비스라는 초점을 강조해야 새로운 경제사회에서 인류사회에 유용한 학문으로 발전할 수 있기 때문이다.

내부서비스학과 외부서비스학은 동전의 앞 뒷면과 같은 관계다. 서로 다르면서도 서로가 보완하는 관계에 있다. 예를 들어 서비스디자인과 디자인서비스는 서로 다르다. 서비스라는 재화나 활동에 대한 디자인을 연구하는 서비스디자인과 디자인이라는 서비스 부문을 연구하는 디자인서비스는 서로 다르다. 하지만 디자인이라는 코어 연구를 통해 서비스디자인 연구도 활성화되고, 디자인서비스 연구도 활성화될 수 있다. 또한 서비스경영과 경영서비스도 서로 다르다. 서비스 활동이나 서비스 산업 경영을 연구하는 서비스경영은 서비스품질이나 고객만족 등의 세부 분야를 연구하는 학문분야인데 비해, 경영서비스는 인류 보편 활동인 경영 활동을 인류를 위한 서비스 차원에서 연구하는 학문 분야다. 하지만, 경영이라는 키워드를 핵심으로 공유하고 있으므로, 두 분야는 상호 보완적이다. 연구자들은 자신의 기존 학문 배경에 따라 각자의 분야에서 서비스학 연구를 진행할 수 있다. 하지만, 기반서비스학을 함께 연구하거나, 그 결과를 공유하는 노력은 반드시 필요하다. 기반서비스학을 이해해야 기존 학문의 틀을 넘어서서 제대로 된 서비스학연구를 할 수 있기 때문이다. 기반서비스학에서는 서비스이론, 서비스철학, 서비스연구방법론 등 서비스학의 기초를 제공한다. 인문학과 자연과학에서 발견한 진리를 결합하고 분석하여 인류경제사회의 운행원리를 발견해내는 연구들을 수행하므로 기반서비스학연구 결과를 활용하여 새로운 서비스학 연구를 개척할 수 있다. 이와 같은 서비스학의 전체적인 구조를 그림으로 도시하면 아래[그림 3-2]와 같다. 즉 아래 그림과 같이, 서비스학의 3대 분야는 각기 독자적인 연구 분야들이 있지만, 서로 중첩된 분야들도 있다. 기반서비스학과 내부서비스학, 기반서비스학과 외부서비스학이 함께 연구하는 연구분야들도 있고, 내부서비스학과 외부서비스학이 함께 연구하는 분야들도 있다. 또한 3개 부문의 공통 연구 분야 및 주제들도 있다. 기반서비스학 연구는 기존 학문의 모든 전공분야 연구자들이 할 수 있으나, 인문학이나 자연과학 등 기초 학문 분야의 연구자들이 수행하면 더욱 효과적이다. 왜냐하면 서비스 이론 연구를 위해서는 철학이나 수학 등의 뿌리 학문 지식이 많이 필요하기 때문이다. 또한 여러 전공 분야의 지식을 가진 연구자들이 수행하면 효과적이다. 여러 전공들의 개별 지식 수준이 아닌, 한 차원 높은 상위 수준의 지식과 지혜를 연구하는 과업이므로 지식 연계가 필요하기 때문이다. 내부서비스학이나 외부서비스학 연구는 열린 생각을 가진 연구자들이 큰 성과를 낼 수 있다.

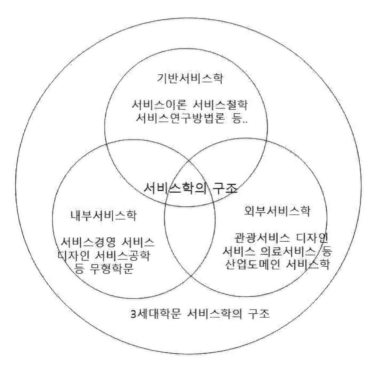

[그림 3-2] 3세대 학문 서비스학의 구조

서비스학은 3세대 학문

  서비스학은 3세대 학문이라고 할 수 있다. 기존 융복합 학문들
과는 차원이 다르기 때문이다. 서비스학은 인간이 학문을 창조한
근본 목적에 충실한 학문이다. 즉 '참 삶을 위한 진리 추구
(philosophy, science)'를 하는 학문이 서비스학이다. 인류의 평화
와 복지에 직접적으로 공헌하는 학문이다. 아래 [그림 3-3]과 같
이 학문은 크게 3세대에 걸쳐 발전하고 있다. 최초의 학문은 그리
스에서 시작했다고 볼 수 있다. 플라톤의 아카데미아나 아리스토
텔레스의 리케이온에서 학문을 가르칠 때는 하나의 학문이었다.
즉 수학 물리학 논리학 철학 등이 통합된 하나의 학문이었다. 이
시기는 뿌리 학문시대라고 할 수 있다. 이후의 모든 학문들의 뿌
리가 탄생한 시기이기 때문이다. 최초의 대학이라고 불리는 11세
기 이탈리아의 볼로냐대학이나 프랑스의 파리대학을 시작으로 대
학교 시스템이 출현하고 발전하면서 학과를 단위로 하는 학문의
분화가 시작되었다고 볼 수 있다. 근대에 들어 과학문명이 발전하
며서 세부 학문들의 분화가 가속화되었고, 현대와 같이 무수한 세
부 학문들이 각기 하나의 학과를 형성하는 사일로(silo) 학문체계
가 구축되었다. 사일로 학문체계는 각 학문들이 각자 심오한 학문
체계를 구축할 수 있는 장점이 있지만, 모든 지식이 연결되어 있
는 현실세계를 설명하거나 현실 문제를 해결하기는 어려운 단점이
있다. 그래서 여러 학문들을 연결하여 연구하는 융복합 학문분야

들이 탄생하였다. 예를 들어 생태학이나 전산학(Computer Science) 등의 학문은 기존의 여러 학문들의 지식을 토대로 구축된 신학문들이다. 이 시기까지의 학문을 2세대 학문시대라고 할 수 있다. 뿌리 학문의 자양분을 받아서 수 많은 줄기 및 가지 학문들이 탄생하고 발전한 시기다. 기존 학문은 물론이고 새롭게 탄생한 융복합 학문들로서도 해결하지 못하는 많은 문제들을 연구하기 위해 서비스학은 탄생하였다. 인류사회의 문제, 인간의 문제는 매우 복잡하고 모든 학문영역에서 함께 탐구되어야 할 연구 분야다. 따라서 학문 전체의 궁극적 목표가 자신의 학문 목표가 되는 학문이 필요하다. 그래서 서비스학이 탄생하였다. 모든 학문 분야를 포괄적으로 연결하여 연구하는 신학문이 서비스학이다. 인간의 변화, 인간 삶의 변화, 세상의 변화, 인간 세상의 구조 변화(수직적 구조에서 수평적 네트워크 구조로의 변화 등) 등 현대의 변화를 반영하는 학문이 서비스학이다. 현대는 변화 속도가 빨라 대다수의 기존 학문은 자신의 도메인 변화마저 놓칠 위험이 증대되고 있다. 예를 들어 경제학 이론이나 경영학 이론은 새로운 경제현상이나 새로운 경영현상을 반영하지 못하는 어려움을 겪고 있다. 왜냐하면 현상이 있은 후에 연구가 되고, 이론이 구축되는데, 새로운 이론을 구축한 시점에는 이미 세상은 다음 변화로 향해가기 때문이다. 힘겹게 따라가서 개선된 학문체계를 구축한다 해도, 변화는 저 멀리 앞서가서 또 시대에 뒤떨어지는 학문체계가 되는 것이 기존 학문들의 현재 상황이라고 볼 수 있다. 따라서 사일로 학문

체계로는 인류사회에 기여하는 학문연구를 하기 쉽지 않다.

또한 서비스네트워크 상에서 인접 및 관계 학문들의 이론 변화 및 새로운 진리 발견에 따라 자신의 학문도 영향을 받아 이론의 개정이나 변화가 필요할 수 밖에 없는데, 사일로 학문체계로는 실시간으로 이론 개정이 어렵다. 관계 학문들의 이론이 상당한 시간이 경과한 후 인접 학문에도 알려진 후에야 자신의 학문에 반영하여 이론 개정 작업이 시작되기 때문이다. 이렇게 한참의 시간이 경과한 후 인접학문의 변화된 이론을 반영하여 자신의 학문에서 이론 개정연구를 한 후, 드디어 이론이 개정되면, 그 상황에서 이미 인접 학문은 또 다시 변화하여 새로운 이론이 나타나는 경우가 많다. 이 경우 힘겹게 노력하여 자신의 학문 이론을 개정한 것이 무용지물이 된다. 모든 학문에서 이런 상황이 수시로 발생한다면, 현재와 같은 2세대 학문체계로는 인간과 자연세계의 진리를 발견하거나 인류사회를 이끌어갈 진리를 찾아내기 더욱 어려워진다. 따라서 3세대 학문인 서비스학이 필요하다. 서비스네트워크 세상에서는 모든 학문을 연결하여 하나의 학문서비스로 제공하는 학문인 서비스학이 필요한 것이다. 기존 2세대 사일로 학문 연구 체계와는 다른 새로운 구조의 새로운 학문으로서 서비스학 연구는 매우 중요해진다.

또한 서비스학은 변화를 수용하는 관점에서 3세대 학문이다. 현재 진리라고 하는 것도 시간이 가면서 또 상황이 바뀌면서 변할 수 있다. 인간사회의 진리도 인간이 변하면서 바뀔 수 있고, 우주의 진리도 우주 시간의 경과에 따라 변할 수 있다. 과거에 뉴톤역학이 절대 진리라고 모두가 인정했지만, 양자역학의 발견으로 미시세계의 원리는 뉴톤역학이 맞지 않음을 인정할 수 밖에 없게 되었다. 이와 같이 시공간의 변화에 따라 인간 세계와 자연 세계의 진리가 변할 수 있다. 그래서 언제라도 진리가 변할 수 있다는 것을 염두에 두는 학문 체계가 필요하다. 3세대 학문 서비스학이 필요한 것이다. 시간의 경과와 공간의 변화에 따라 새로운 양상이 전개되며 현재의 상황이 바뀔 수 있다는 기본 전제를 가진 학문이 서비스학이다. 변화는 서비스의 본질적 구조 때문에 필연적이다. 서비스하는 자와 서비스받는 자, 여기에 서비스 조직 등의 다른 요소가 개입되며, 나도 변하고 대립자들도 변한다. 항상 그 다음 상황이 있는 것이다. 그 다음, 또 그 다음의 다음은 계속 달라지는 변화된 상황이 되는 것이다. 이러한 변화를 기본 전제로 하여 서비스학은 연구된다. 이런 변화를 연구하는 학문이기도 하다. 그래서 서비스학에서는 과정이 중요하다. 결과는 시공간의 변화에 따라 계속 변화해 가므로 과정이 결과보다 더 중요할 수 있는 것이다. 과정은 무형적이므로 무형성이 서비스학에서는 주요한 특징이 되는 것이다. 3세대 학문으로서의 서비스학은 모든 학문이 네트워크 구조를 이루어 하나의 학문으로 연구되는 새로운 학문으로서, 항상 그 다음의 변화를 생각하는 학문이며 또한 과정을 중시하는 학문이다. 즉 기존의 수직적 사일로 학문체계는 현재의 진리를 발견하려는데 주 목적을 둔 학문이고, 결과를 중시하는 학문인데 비해, 서비스학은 이와 체계를 달리하는 3세대 신학문이다.

순수 학문일지라도 인류사회에 큰 기여를 하기 위해서는 세상의 변화를 반영하는 연구를 해야 하고, 세상에 도움되는 이론을 구축해야 한다. 학문을 위한 학문, 연구를 위한 연구를 할 수도 있으나, 이는 인류의 인류를 위한 학문이라는 학문의 서비스적 차원에서는 바람직하지 않다. 무수한 관계들과 과정 및 변화를 수용하는 학문들의 탄생과 발전이 필요하다. 이 시기를 3세대 학문의 시기로 정의한다. 서비스학은 이 3세대 학문의 효시로서 시작된 최초의 3세대 학문이다. 아래 [그림 3-3]과 같이 사일로 학과 체제를 근간으로 하는 대학 시대의 학문을 탈피하여, 모든 학문들이 인류서비스라는 하나의 목적으로 연결되어 연구되는 학문이 서비스학이다. 대학 이후 시대의 학문이며, 다시 아리스토텔레스 시절로 돌아가서 학문의 근본 목적에 소구하는 신학문이다. 아래 그림에서 보듯이, 학문의 탄생 시기에는 '참 삶을 위한 진리 추구'라는 근본 목적에 충실하기 쉬웠다. 지식의 양이 적어서 연구자들의 어려움이 적었을 것이고, 또한 문명이 덜 발전하여 학문의 본질 목적을 방해하는 요소도 적었을 것이다. 하지만, 근대 과학기술 문명이 급속도로 발전하고, 지식의 양이 폭발적으로 늘어나면서, 전체 분야 지식을 습득하여 학문의 본질에 충실한 연구를 하기가 매우 어려워졌다. 또한 기업 등 산업계와 정부의 연구 관련 요구도 크게 증가하여 학문의 본질에 부응하는 연구보다 경제사회의 수요와 연구비를 주는 고객의 요구에 부응하는 연구들이 많아지게 되었다. 더구나 최근에는 대학이 학생들의 취업을 위한 지식을 제공하는 기능까지 수행하게 되면서, 세부 분야의 지식에 대한 연구들을 더 많이 하게 되었다. 근대 이후 대학이 학과 중심 체제로 운영되면서, 연구자들은 자신의 분야를 중심으로 연구할 수 밖에 없었고, 실용적 연구를 많이 할 수 밖에 없었다. 이에 따라 학문은 본래 목적과 방향을 잃고 방황하는 상황이 되었다. 대학에서 이러한 문제를 해결하기 위해 그동안 전공 간 장벽을 허물려는 노력도 많이 있었고, 융복합 전공 개설 노력도 상당히 있었다. 하지만, 대다수의 노력은 성과를 내지 못하고 다시 사일로 학과 체제로 회귀하는 경우가 많았다. 학문 전체의 근본적 체계 변화가 없었기 때문이다. 서비스학은 이런 전통적인 사일로 학문들의 대학 시대를 마감하는 신학문으로 탄생되었다.

서비스학은 각 요소 학문들이 연구 목적 달성에 용이한 수평적 구조로 연결된 서비스네트워크구조의 학문이다. 대다수 기존 학문은 개별 지식을 쉬운 것에서부터 시작하여 어려운 것을 배워가는 수직적 하향식 구조인데 비해, 서비스학은 수평적 네트워크 구조다. 개별 지식들이 수평으로 연결되어 학습과 연구에 활용된다. 인간의 욕구와 서비스가 초점이 되어 각종 관련 지식들이 수평적으로 연결된다. 모든 것이 연결된 네트워크 세상에서 대립자의 존재를 인정하고 연구에 활용한다. 대립자들 간의 상호작용과 균형성 및 대칭성 등을 강조한다. 무형성과 불확실성을 수용하는 연구 방법론을 사용한다.

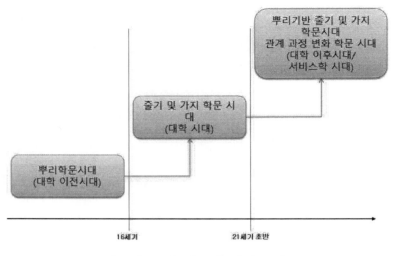

[그림 3-3] 학문의 시대 구분

　　모든 기존 학문이 서비스학이 될 수 있고 또 되어야 한다. 예를 들어, 경영학은 경영서비스학으로 연구하면 크게 확장된 서비스학문으로 발전한다. 대립 개념 및 대립 존재를 인정하고 경영이론 개발에 반영하는 것이다. 예를 들어, 경영자에 대한 연구를 할 때, 경영자 리더십에 대한 연구 등과 같이, 현재는 경영 주체로서의 경영자 관점에서 주로 연구하고 있는데, 경영자의 인간으로서의 한계와 비이성성이 반영되는 경영 객체로서의 경영자 관점에서도 연구되어야 좋은 경영자 이론이 나올 수 있다. 또한 왜 경영하는가, 무엇을 경영하는가 등의 근본적인 질문에 대한 연구를 수행하면 확장된 경영서비스학이 될 수 있다. 법학은 법을 제정하고 집행하는 존재들의 불완전성과 비이성성 등을 반영하여 대립자들의 존재와 역할, 상호작용 등을 수용하는 서비스학으로 발전할 수 있다. 경제학은 효율적 합리적 인간 가설 등을 넘어서서, 운용하는 주체들의 비이성성과 불완전성을 반영하는 서비스학으로 발전될 수 있다. 현재 전세계 수만개 이상의 수준급 대학에 개설된 모든 학문이 서비스학으로 진화될 수 있다. 현재 전세계 수백만명 이상의 수준급 기존 연구자들의 발전 지향성도 동일 방향이라고 볼 수 있다. 예를 들어, 물, 돈, 대기 관련 연구도 서비스학이 되면 연결된 상품의 대립 가치를 계산할 수 있다. 의료서비스와 인류생존을 위한 정밀한 연구가 가능할 것이다. 아래 [그림 3-4]와 같이 3세대 학문으로서의 서비스학은 부분 학문들의 통합인 기존 융복합 학문들과 달리, 모든 학문을 통합하여 연구하는 새로운 학문이다. 또한 관계와 과정과 변화를 중심으로 하는 학문이다. 인간을 위한 학문이라는 근본 목적에 충실한 학문이다. 서비스학은 기존의 모든 학문들이 3세대 학문이 될 수 있도록 견인하는 새로운 학문이다. 아래 [그림 3-4]와 같이 2세대 학문도 경제학, 심리학 등의 줄기 학문 시대와 예술학 생태학 환경학 전산학 등의 융복합 학문 시대로 세분할 수 있다. 인류를 위한 학문의 필요성이 증대되었기 때문에 나타난 새로운 학문들이 융복합 학문 들이다. 3세대 학문은 이러한 인류의 필요성을 반영하여 근본적으로 학문의 체계를 혁신하는 학문이다. 서비스학은 3세대 학문의 효시이며 그 중심에 있다.

학문시대	1세대 학문 뿌리 학문	2세대 학문 줄기 및 가지 학문 세분화된 개별학문		3세대 학문 뿌리/줄기 기반 학문 관계/과정/변화 학문
학문 발전 시대	수학 물리학 문학 역사 철학 지구과학 의학 법학 등 ... 르네상스이후 화학 생물학	정치학 경제학 사회학 심리학 공학 경영학 .. (분과학문 발달)	예술학 생태학 환경학 컴퓨터학 등 .. (융합 복합 학문 발달)	서비스학 (학문대통합.. 무형학 발달 중.. 모든 학문은 서비스학으로..)
연대	.. BC 600년	18세기	20세기 전반	21세기 전반

[그림 3-4] 3세대 학문 서비스학의 탄생

학문의 새로운 구조

서비스학의 탄생으로 학문의 세계는 새로운 학문 구조가 구축된다. 현재의 학문 체계는 인간과 자연을 탐구하는 인문학 및 자연과학부문이 중심에 있고, 양 날개로 인간이 삶을 영위하는 경제사회를 탐구하는 공학, 사회학, 경제학, 경영학, 행정학 등의 응용과학 부문과, 예술학, 체육학 등의 확장 신학문 체계로 구성되어 있다. 대다수 대학들이 인문대학, 자연대학, 공과대학, 사회과학대학, 경영경제대학, 예술대학 등의 단과대학 명칭을 가지고 있듯이 아래 [그림 3-5]와 같은 구조가 현재 학문의 구조라고 할 수 있다. 예를 들어, 대한민국의 가장 큰 종합대학인 서울대학교의 경우

단과대학 명칭이 인문대학, 사회과학대학, 자연과학대학, 간호대학, 경영대학, 공과대학, 농업생명과학대학, 미술대학, 사범대학, 생활과학대학, 수의과대학, 약학대학, 음악대학, 의과대학, 자유전공학부로 소개가 되고 있다. 이 중 인문대학, 자연과학대학, 의과대학 등은 인간과 자연을 탐구하는 전통 학문 분야들이고, 사회과학대학, 경영대학, 공과대학 등은 사회와 경제를 탐구하는 학문 들로서 근대 이후 크게 발전한 분야들이다. 음악대학, 디자인 분야가 포함된 미술대학 등은 확장 학문 분야들이다. 아래 그림에서와 같이 두 부문 학문 들의 분야가 겹쳐있는 부분들에 속하는 단과대학들도 많이 있음을 알 수 있고, 자유전공학부를 비롯하여 세 부문이 겹치는 학문의 전공들도 개설하고 있음을 확인할 수 있다. 이렇게 각 부문별 지식을 탐구하는 목적을 가지고, 각 대학들이 학문 연구의 중심인 대학 시대의 학과 시스템을 운영하고 있다.

이러한 현재의 학문 구조는 개별 지식을 탐구하기에는 유리한 구조일 수는 있으나, 인간과 인류를 위한 학문이라는 본래 목적을 잃고 방황하는 학문이 될 가능성이 있다. 예를 들어 경영학 분야에서 생산성 향상이나 수익성 제고를 위한 경영이론을 개발하는 연구를 할 경우, 인간에 대한 깊은 이해와 경제 현상에 대한 이해, 그리고 그 변화에 대한 이해에 기반을 둔 경영이론이 개발되어야 하는데, 심리학이나 경제학 및 사회학과 철학 이론의 연계가 어렵기 때문에 연구가 피상적인 수준에 그칠 수 있다. 마찬가지로 사회에 대한 연구를 할 경우에도 경제나 경영 이론에 대한 이해가 부족하면 깊이 있는 사회 연구를 하기 어렵다. 모두 연결되어 서로 영향을 주고 받기 때문이다. 수직적 학문체계에서는 학문의 근본 목적에 충실한 연구를 하기 쉽지 않다.

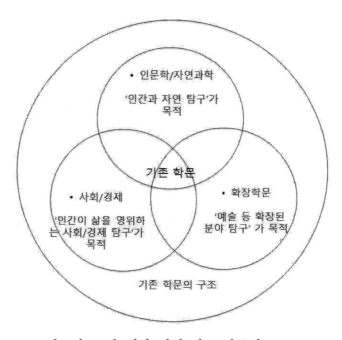

[그림 3-5] 대학 시대 기존 학문의 구조

서비스학이 탄생하면서 새롭게 구축되는 학문체계는 아래 [그림 3-6]과 같다. 각 분야의 진리를 탐구하는 기존 학문들은 여전히 중요한 하나의 축을 형성한다. 앞서 제시한 모든 분야 학문들이 집합적으로 하나의 부문으로 구성된다. 서비스학이 탄생하면서 새

로이 추가되는 두 가지 큰 부문은 서비스학과 관계/과정/변화학
이다. 서비스학은 인류 서비스라는 학문의 본래 목적을 추구하는
새로운 학문으로서 가장 중요한 축을 형성한다. 그리고 기존 학문
들과 새로운 서비스학을 연결하는 분야이면서, 또한 모든 학문들
의 지식을 토대로 우주와 인간과 자연과의 관계/과정/변화를 연
구하는 학문들이 또 하나의 중요한 축을 형성한다.

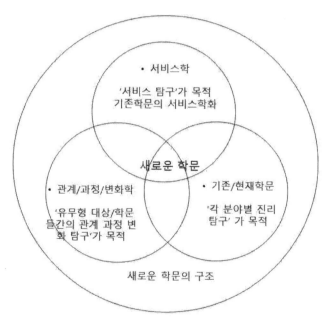

[그림 3-6] 새로운 학문의 구조

02 기반서비스학

기반서비스학의 주요 분야

기반서비스학은 서비스 이론을 비롯한 거시적인 서비스 관련 주제를 연구하는 분야다. 아래 [그림 3-7]과 같이, 기반서비스학은 서비스 본질 연구, 서비스 철학 연구, 서비스 시스템 연구, 서비스 인류사회 연구 등을 포함한다.

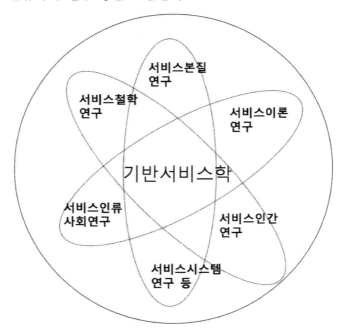

[그림 3-7] 기반서비스학의 대표 연구 부문 예시

즉, 기반서비스학에서는 서비스의 본질, 서비스 이론, 서비스 철학 등의 기반 연구가 중심이 된다. 서비스란 무엇인가에 대한 철학적 고찰을 하고, 인간사회에서 서비스의 의미를 분석하는 연구들을 수행한다. 따라서 서비스 인간에 대한 연구, 서비스 인류사회에 대한 연구, 서비스 시스템 연구 등이 기반서비스학 분야에 포함된다. 물론 기반서비스학에서는 '학문의 진화' 등 차원이 높은 서비스 이론에 관련되는 연구도 수행된다. 학문의 근본 목적에 충실하기 위해서, 끊임없이 인간과 세계의 본질을 탐구하는 것이 기반서비스학의 목적이기 때문이다. 기반서비스학은 계속 진화한다. 자체 연구가 심화되면서 진화하기도 하고, 또 다른 학문들의 새로운 진리 발견에 의해 전체 학문의 대통합 차원에서 기반서비스학 분야가 확장되기도 하기 때문이다.

여기서는 지금까지 수행되어 온 기반서비스학의 내용과 발전 과정을 서비스학 태동기의 연구, 서비스학 체계 정립 연구를 중심으로 요약한다. 우선 서비스학 이전의 선행 연구들이 누적되면서, 서비스학의 주요 이슈들이 점차 구체화되었다. 21세기 들어 서비스연구의 활성화를 적극 추진한 IBM에서 2008년 "Service Science Discipline Classification System" 자료로 제시한 분야는 의미 있는 서비스연구 주제 제시라고 할 수 있으며, 이런 서비스학 연구 분야 제시 작업이 초기 기반서비스학 연구의 한 부분이었다. IBM에서는 서비스연구를 서비스업 공통 연구와 개별서비스업 연구로 나누고, 가로축으로는 기초연구, 응용연구, 개별서비스

연구로 나누어 주요 연구주제의 예시를 제시하였다.21) 공통연구는
주로 기초 연구에 해당하는데, 서비스이론에 대한 연구, 인간 및
사회에 대한 연구가 중심이다. 서비스이론연구는 서비스철학, 서비
스경제, 서비스혁신이론연구 등을 포함하며, 인간 및 사회에 대한
연구는 서비스시스템 진화, 서비스의 행태론적 모델, 서비스에서의
조직변화연구, 고객심리학, 서비스의 인지적 측면연구, 서비스에서
의 의사결정 등을 포함한다. 공통연구 중 응용연구로 예시된 주제
로는 서비스디자인방법론연구, 서비스경영효율화방법론연구, 제품
서비스방법론연구 등을 예시하고 있다. 개별서비스업의 응용 연구
로는 서비스디자인, 서비스프로세스엔지니어링, 서비스경영, 서비
스와 제품의 결합 등의 구분으로 연구주제를 예시하고 있다. 응용
연구 수준에서 여러 주제들이 예시되는데, 서비스디자인 연구로는
서비스디자인이론연구, 서비스표현연구, 서비스미학연구, 서비스공
학연구 등이며, 서비스프로세스엔지니어링연구로는 서비스엔지니
어링이론연구, 서비스운영, 서비스최적화, 서비스시스템엔지니어링,
서비스공급사슬, 서비스엔지니어링관리 등을 예시하고 있다. 서비
스경영 부문에서는 서비스마케팅, 서비스관리, 서비스혁신관리, 고
객관계관리, 서비스조달, 서비스표준, 서비스품질 등의 주제를 예
시로 들고 있다. 개별서비스업의 개발 연구는 모든 개별서비스산
업 각각에 대한 연구와 서비스산업에 대한 연구를 포함하고 있다.
　서비스 연구 분야를 제시한 연구 중 다학제적으로 접근한

---

21) Kim, Hyunsoo(2022a), 서비스학의 현재와 미래

Ivanovic & Fuxman(2012)의 서비스사이언스 연구주제 모델은
아래 [표 3-1]과 같이 전략, 개발, 구현의 세 부문으로 제시된 바
있다.

[표 3-1] 서비스사이언스의 연구 분야

Services Strategy 부문	Service Development 부문	Service Implementation 부문
Service Infusion and Growth	Service Innovation	Branding and Selling Services
Well-Being through Transformative Service	Service Design	Service Experience through Co-Creation
Service Culture	Service Networks and Value Chains	Measurement and Optimization of the Service Value

위 표에서 제시된 바와 같이, 서비스전략 부문에서는 서비스화
관련 연구(Service Infusion and Growth), 서비스를 통한 고객 및
사회 복지 향상 연구(Well-Being through Transformative
Service), 서비스 문화 관련 연구(Creating and Maintaining a
Service Culture) 등을 주요 주제로 제시하였다. 서비스화 관련
연구로 가장 비중이 큰 연구가 제조업의 서비스화 연구인데, 제조

기업이 서비스를 도입하여 사업을 확장하고 성장시키는 새로운 비즈니스 모델에 대한 연구나 제품과 서비스를 융합하거나 조합하여 성공적인 사업 포트폴리오를 만드는 연구 등이 주요 주제가 된다. 제조 기업에서 서비스 도입과 관련한 주요 주제는 서비스-제품 오퍼링의 가치 제안 개발, 가치제안을 실행할 사람과 방법 이슈, 일관된 서비스를 제공하기 위한 표준 서비스 모듈 개발, 서비스 가격 결정, 고객 지향적 접점 직원 훈련 등이 제시되었다. 이러한 서비스연구의 분야 제시에 대한 연구는 여전히 기반서비스학 연구의 주요 부문이다. 하나의 새로운 학문은 장기간에 걸쳐 진화되면서 체계를 잡아가기 때문에 그 내용과 범위에 대한 심화 연구는 지속적으로 필요하다.

서비스철학 연구도 기반서비스학 연구의 주요 부문이다. 서비스는 인간 삶의 전부이기 때문에, 서비스철학은 사실상 철학의 전부를 포함한다. 그래서 인류 사회 전체의 철학 사상에 대한 분석부터 현대 서비스사회의 철학에 대한 분석까지 모두를 포괄적으로 연구하는 분야다. 서비스의 본질에 대한 연구부터 인류 공통사상에 대한 연구까지 광범위한 영역에서 서비스철학이 연구된다. 예를 들어, 서비스의 본질에 대한 연구가 칼 마르크스 『자본론』의 상품론 연구처럼 원점에서 시작하여 체계화되고 있다. 서비스철학은 서비스본질을 반영하고, 현대의 정신을 바탕으로 구축된다. 아래 [그림 3-8]과 같이 철학은 이미 19세기 후반에 현대 정신을 드러내었으며, 물리학 등 순수학문과 문학, 예술 등은 철학의 현대화를 기반으로 하여 20세기 전반에 현대 정신을 반영하여 발전하기 시작하였다. 20세기 전반에 근대사회의 집합적 '인간' 중심에서 '나' 개인 중심 사상으로의 변화, 수평적 서비스네트워크 사회로의 변화가 촉진되었다. 경영학, 법학 등 응용학문은 21세기 들어 현대 정신을 반영하기 시작하고 있다. 서비스학은 무형 재화 중심인 현대의 기반 학문이므로, 서비스철학은 현대를 완성하기 위한 사상적 구조로서 구축되고 있다. 19세기 후반부터 발전해 온 현대 사상을 완성하는 철학으로서 서비스철학이 구축되고 있는 것이다.

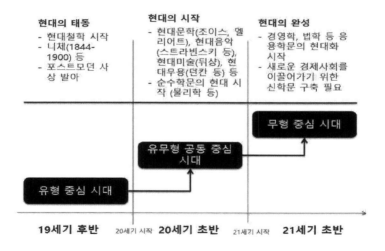

[그림 3-8] 철학과 학문의 현대로의 이행[22]

---

22) Kim, Hyunsoo(2020c), 신경영으로서의 현대 서비스경영 모델

서비스는 유형적 요소와 무형적 요소를 모두 가지고 있으며, 인간을 통하여 이들 두 요소 간의 상호작용이 활발해지는 구조다. 따라서 서비스 연구는 인간, 유형적 요소, 무형적 요소 등 3대 분야에 대한 연구라고 할 수 있고, 서비스철학의 3대 분야는 아래 [그림 3-9]와 같이 유형론, 무형론, 인간론으로 구성된다. 이는 고대 그리스 플라톤 시대 이후 근대까지 수천년간 중심 학문이었던 철학의 3대 분야와 동일하다.[23] 유형론은 우주론과 같은 분야이고, 무형론은 인식론과 같은 분야라고 할 수 있기 때문이다.

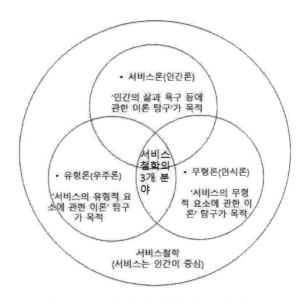

[그림 3-9] 서비스철학의 3대 분야

---

23) Lamprecht(1992)

서비스철학은 현대 학문의 기반이 되는 서비스학의 철학이므로 인류 공통원리에 뿌리를 내리고 있다. 그래서 고대부터 현대까지의 인류 공통사상에 대한 연구가 서비스철학의 주요 연구 분야 중의 하나다. 예를 들어, 인류의 고대 사상에 대한 현대적 관점에서의 연구는 서비스철학의 주요 연구 주제가 된다. '서비스'는 인류의 중심 활동이고, 서비스철학은 인류의 공통철학이기 때문에 이 분야 연구는 더욱 중요하다. 서비스철학은 고대 그리스의 중심 사상인 적도(適度: to metrion)사상과 맥락을 공유한다. 너와 내가 적도를 맞춰가는 과정이 서비스이기 때문이다. 서비스의 무형재화적 속성을 적도사상은 잘 표현하고 있다. 또한 고대 인도의 주요 사상인 중도(中道)사상과도 맥락이 일치한다. 서비스상황과 동일하게 대립자가 있는 상황에서의 나의 사상을 표현하기 때문이다. 카르마요가(Karma Yoga)를 강조하는 인도의 중심사상서인 『바가바드기타』도 사실상의 적도사상서 이므로, 인도사상은 서비스사상이라고 할 수 있다. 고대 중국의 중용(中庸)사상도 서비스철학과 맥락이 같다. 대립자를 함께 생각하는 사상이기 때문이다. 고대 중국에서 당시 유가(儒家)와 쌍벽을 이루었던 위대한 묵가(墨家)의 쇠퇴를 주목해야 한다. 묵가는 비공(非攻)과 겸애(兼愛) 등 인류사회의 이상을 직접 실천했던 뛰어난 학파였지만, 적도를 벗어나서 단명한 것으로 추정된다. 2,500여 년 전에 지리적으로 멀리 떨어져서 소통이 없었던 대표문명권에서 동시에 서비스 및 서비스철학을 인간 세상의 중심 진리로 발견한 것은 인류사회에 큰 시사점이 있다. 이에 대한 상세한 내용은 제5장 '모든 길은 서비스로' 단원의 제3절 '위대한 문명의 핵심 사상은 모두 서비스 사상' 단원에서 설명한다. 여기서는 기반서비스학 중 서비스철학의 주요 연구 분야로서 인류 공통 사상과 서비스 연구가 매우 중요함을 이야기하였다.

이와 같이 서비스철학 연구는 매우 중요한 많은 주제들을 포함하고 있다. 인류사회가 경제적으로 성장하고 사회적으로 발전하고 오래도록 지속가능하기 위해서는 서비스철학 연구가 활성화되어야 한다. 서비스철학 연구는 무한히 확장될 수 있다. 음악이나 미술 등의 예술서비스 영역으로도 서비스철학 연구는 확장되어야 한다. 서비스는 인류의 삶에 대한 학문이기 때문이다.

기반서비스학의 실용적 프레임워크

기반서비스학의 주요 연구 분야를 현재 시점에서 실용적인 프레임워크로 제시할 수도 있다. 실용적 측면에서 서비스연구는 서비스의 기본 요소를 반영하여 수행될 수 있다. 서비스는 공급자, 수요자, 그리고 양자 간의 관계라는 세 가지 기본 요소를 가진다. 실용적 차원에서는 이 세 기본 요소를 연구할 수 있는데, 관계 연구의 주요 분야는 서비스이론 연구, 서비스철학 연구, 서비스사회 연구 등이고, 공급자와 수요자에 대한 연구는 심리학과 경영학 등 기존 학문의 거의 모든 분야에 관계된다. 또한 실용적 차원에서는 기초 연구부터 응용 연구까지 5개의 블록으로 연구 분야를 제시할 수도 있다. 이 관점에서 제시된 서비스연구의 프레임워크 사례는 아래 [그림 3-10]과 같다. 이 블록들은 기반서비스학, 내부서비스학 연구의 주요 부문들이지만, 우선 기반서비스학에서 중심 연구가 많이 수행되어야 하므로, 여기에서 소개하고, 다음 단원에서는 그 세부 내용에 대해 언급한다.

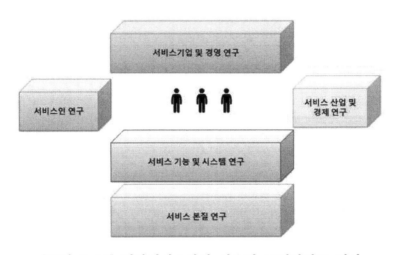

[그림 3-10] 기반서비스학의 실용적 프레임워크 예시

중장기 기초연구로서 서비스본질에 대한 연구가 기반 연구의 맨 아래를 차지한다. 그리고, 서비스 기능 및 서비스 시스템에 대한 연구가 그 위에서 수행된다. 이러한 기반 위에서 서비스기업

및 경영 연구가 수행된다. 이 연구들을 지원하는 주제로 서비스인 연구, 서비스산업 및 경제 연구가 있다. 서비스본질 연구에서는 인류문명의 본질적인 주제로서 서비스를 연구한다. 서비스철학 연구를 포함하여 관계성, 수평성, 쌍방향성, 조화성 등 서비스 본질을 연구한다. 창조와 융합은 서비스에서 시작되므로, 인간사회와 문명사회의 운행 원리 탐구 차원에서 서비스 연구를 접근한다. 다시 근원으로 돌아가는 세계에 대한 연구, 서비스 철학의 가치와 성공 원리에 대한 연구들이 서비스본질 연구에 포함된다. 위대한 사회나 국가들은 물론이고 사랑받는 기업, 존경받는 기업도 거의 모두가 서비스철학에 기반한 사회들이므로, 현대적 차원에서 서비스 본질 연구가 수행된다. 서비스 패러다임 변화에 대한 연구도 이범주에 포함된다. 서비스의 신 패러다임, 현대사회와 서비스철학의 관계 연구 등이 주요 주제다. 수직사회와 수평사회의 성과 연구, 유형 중심 사회와 무형 중심 사회의 특징 연구, 사회적자본과 서비스 성과 연구, 단절 경제와 융합 경제 연구 등도 이 범주에 포함된다. 서비스 기능은 산업의 특성과 무관하게 현대경제의 핵심이다. 제조업은 물론이고 농업 등 1차 산업에서도 서비스 기능이 매우 중요해졌다. 기능으로서의 서비스 특징으로 무형성, 비분리성, 비일관성, 무재고성을 들고 있다. 이들 4가지 특성으로 인한 서비스의 제반 이슈들을 연구하는 것이 기능으로서의 서비스에 대한 연구의 중심이 된다. 무형성을 활용하거나 무형성을 극복하는 연구, 비분리성을 활용하거나 극복하는 연구, 비일관성을 극복하는 연구, 무재고성을 극복하는 연구 등이 많이 수행되고 있다. 시스템으로서의 서비스연구도 중요하다. 예를 들어, 도시는 매우 매력적인 서비스시스템이다. 전 세계의 대다수 인구가 도시에 거주하게 되면서, 도시는 서비스시스템 연구의 주요 주제가 되었다. 도시는 교통, 물, 음식, 에너지, 정보, 유통, 은행, 의료, 보건, 교육, 행정과 같은 서비스시스템의 집합체이다. 이러한 서비스시스템의 효율성, 효과성, 지속가능성을 향상시키기 위한 연구가 서비스연구의 주요 주제가 된다. 서비스를 통한 사회 복지 향상 연구 분야도 서비스시스템 연구 주제에 포함된다. 사회도 하나의 서비스시스템이기 때문이다. 서비스를 통한 지속가능한 사회와 개인의 창의성에 대한 연구, 서비스 접근성과 서비스로부터 획득된 가치를 사회에 확산하는 역량 연구, 행복도나 질환율 등 웰빙과 사회의 지속가능서비스 수준 연구 등이 주요 주제가 된다. 서비스시스템의 각 요소에 대한 연구, 서비스시스템 전체에 대한 연구, 도시와 같은 물리적 서비스시스템에 대한 연구가 모두 이 부문의 주요 연구 주제가 된다. 서비스의 기본구조는 서비스제공자와 서비스소비자, 그리고 서비스경영자 등 3자 간의 관계구조라고 볼 수 있다. 이들 3자, 또는 세 조직 간의 관계로 서비스를 정의하고 설명할 수 있다. 이들 세 사람 또는 조직에 대한 연구가 서비스인에 대한 연구로 정의된다. 서비스업 종사자 연구, 서비스고객 연구 등 서비스인에 대한 연구는 그동안 서비스 연구의 중심 주제였다. 상대적으로 중요도에 비해 연구가 덜 된 부분은 서비스경영자에 대한 연구다.

현대 경제에서 경영의 중요성이 커짐에 따라 서비스경영자에 대한 연구는 매우 중요한 주제가 되었다. 서비스경영자는 기본적으로 서비스철학의 실천자로서의 경영자 역할이 있고, 서비스기능을 잘 활용하거나, 한계를 잘 극복하는 경영자로서의 역할이 있고, 조직의 목표를 달성하고 성과를 극대화해야 하는 경영자로서의 역할이 있고, 사회와의 조화를 통한 지속가능 조직의 리더로서의 역할이 있다. 이들 4가지 역할의 수행과 관련한 서비스경영자 연구가 매우 중요한 주제가 된다. 욕구 확장 경제하에서 서비스기업 경영자의 주된 역할은 신사업, 신비즈니스, 신가치창출 역할로 변화되고 있으므로, 서비스경영자 연구는 그 범위가 매우 넓고 중요하다고 할 수 있다. 정치인 등 국가사회 경영자에 대한 연구도 서비스경영자 연구의 주요 영역이다. 국가사회의 규모가 커지면서 정치서비스의 역할이 더욱 중요해지고 있기 때문이다. 앞서 서비스학의 구조를 설명할 때 언급한 바와 같이, 위의 연구 블록에는 내부서비스학과 함께 연구되는 부문들도 포함되어 있다. 기반서비스학과 내부서비스학 연구들의 다수가 서로 연결되어 있기 때문이다.

이와 같이 기반서비스학 연구에서는 서비스학 전체의 연구 주제를 안내하는 연구들을 포함하여, 서비스본질 및 서비스철학 연구 등 서비스학의 기반이 되는 연구들을 수행하고 있다.

03 내부서비스학

내부서비스학의 주요 분야

내부서비스학은 서비스라는 무형재화에 직접 관련되는 분야를 연구하는 학문이다. 즉 서비스의 경영을 연구하는 서비스경영, 서비스의 마케팅을 연구하는 서비스마케팅, 서비스의 디자인을 연구하는 서비스디자인, 서비스의 효율적 운영을 연구하는 서비스운영, 서비스의 엔지니어링을 연구하는 서비스공학, 서비스 중심 경제를 연구하는 서비스경제, 서비스가 중심인 사회를 연구하는 서비스사회, 서비스하는 기술을 연구하는 서비스기술, 서비스를 교육하는 서비스교육, 서비스 관련 법제도를 연구하는 서비스법제도 등을 포함하여 서비스라는 용어가 연구 부문 명칭의 앞에 들어있는 학문 분야들을 모두 포함한다.

아래 [그림 3-11]에 내부서비스학의 주요 분야들을 예시로 도시하였다. 서비스경영, 서비스법제도 연구를 비롯한 모든 내부 서비스학 연구들은 각자 독자적인 연구 영역들이 있어 독자적으로 연구되기는 하지만, 서로 연결되어 있기 때문에 원자핵 주위를 돌고 있는 전자들의 모형으로 각 세부 부문들을 표시하였다. 각 세부 분야들은 각기 발전하면서 스스로 분화하기도 하고, 또 새로운 분야들이 계속 생겨나므로 계속 확장되고 있다.

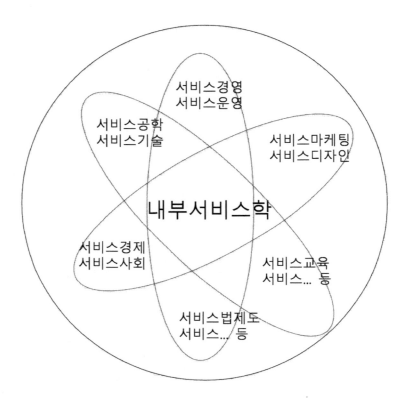

[그림 3-11] 내부서비스학의 세부 학문들

　서비스경제 분야는 신경제와 신산업의 거시적 및 미시적 측면
을 연구하는 학문 분야로서 무형 경제의 특징에 기반을 두고 연
구 활동이 수행되고 있다. 우선 서비스경제의 본질이나 발전 방향
에 대한 연구가 중요하다. 서비스산업 정책연구, 산업의 규제개선
또는 규제 본질 연구도 이 범주에 포함된다. 서비스산업의 구조혁
신 연구, 산업 경쟁력 연구도 주요 주제가 된다. 서비스산업의 생

산성에 대한 연구, 국제경쟁력에 대한 연구, 수출경쟁력에 대한 연구, 노동생산성 및 일자리 창출 관련 연구 등이 이 범주에 포함되는 주제이다. 서비스경제 전반에 대한 연구를 포함하여, 서비스산업 통계 관련 연구, 산업간 구조 변화 연구 등도 이 범주로 분류된다. 공유 경제화, 사회 변화, 기술 변화 등으로 서비스산업이 중심 산업이 되었고 중심 경제가 되었으므로, 향후의 거시적 경제시스템 변화 관련 연구도 이 범주에 포함된다. 서비스화 되고 있는 1차 산업 기업 및 2차 산업에 대한 연구도 이 범주에 포함된다. 농업 등 1차 산업에서도 제조와 서비스가 결합된 6차 산업화를 중요시하고 있으므로, 6차 산업화 연구 등도 이 범주에 포함된다.

서비스 정책이나 법제도 연구 분야는 신경제와 신산업의 혁신과 창조를 위한 새로운 제도적 정책적 패러다임을 연구하는 분야로서, 기존 법제도 체계에 대한 분석과 현재의 정책 분석부터 시작하여 미래 인류 경제사회의 바람직한 제도적 기반을 탐구하는 분야다. 서비스경영 분야는 내부서비스학의 핵심 분야로서 신경제, 서비스경제의 성숙과 함께 현대 학문의 중심이 되고 있어 많은 연구자들의 연구 활동이 이루어지고 있다. 서비스경영 연구는 서비스마케팅연구, 서비스회계연구, 서비스인적자원관리연구, 서비스전략연구, 서비스운영연구, 서비스프로세스연구, 서비스품질연구, 서비스수요공급관리연구 등 전통적인 서비스 연구의 핵심주제들이 이 범주에 포함된다. 서비스사회 연구 분야는 무형적 요소가 중심이 되는 새로운 사회 연구다. 서비스 재화를 중심으로 모든 것이 연결된 서비스네트워크사회가 되면서 기존 사회와는 확연히 다른 새로운 사회인 서비스 중심의 사회 연구가 강화될 필요가 있다.

서비스경영의 한 분야이기는 하지만, 가장 먼저 서비스연구가 활성화된 서비스마케팅 연구는 인간의 욕구가 무한히 확장되고 있는 확장경제시대에 더욱 크게 발전하고 있다. 인간의 욕구가 다양화, 세분화, 개인화됨에 따라 신경제 패러다임이 인간의 욕구 중심으로 재편되면서 고객 중심의 학문으로 자리를 잡아 가고 있다. 기존 사회에서는 인간의 욕구가 상당히 안정되어 있었다. 따라서 의식주와 같은 인간의 기본 욕구 충족에 초점을 두고 산업과 경제가 움직였다. 반면 현대는 공급과잉 경제 상황에서 SNS를 비롯한 여러 매체를 통해서 잠재 욕구가 무한히 확장되고 있다. 특히 마케팅이나 광고학과 같은 욕구 개발 학문의 발달, 인터넷의 보편화, 방송·통신·교통의 발달 등으로 지구 전체 수준에서 광범위한 인간의 욕구가 지속적으로 표면화되고 확대되고 있는 상황이다. 특별히 통제하지 않는 한, 인간의 욕구는 지속적으로 크게 확장될 것이다. 이렇게 확장되는 욕구의 거의 전부가 '서비스' 욕구다. 따라서 서비스마케팅은 앞으로도 계속 서비스연구의 주요 부문이 될 것이다. 지금까지 활성화된 서비스마케팅 연구의 주요 주제들은 고객만족연구, 서비스품질연구, 셀프서비스, 서비스점점, 서비스디자인, 관계마케팅, 내부마케팅 등 초기 주제들을 포함하여, 최근에는 서비스중심로직, 기술과 서비스, 변혁적 서비스연구 등으로 발전되고 있다.

서비스디자인은 새롭게 등장한 학문 분야다. 서비스라는 무형재화를 디자인한다는 개념은 최신 개념이다. 공공서비스를 비롯하여 인간에게 제공되는 많은 서비스들이 주먹구구식으로 기획되고 수행되어온 것이 과거의 방식이다. 서비스디자인은 이것을 체계적으로 연구하는 학문이다. 서비스의 효과성, 효율성, 고객만족 등을 고려하여 서비스 프로세스를 디자인하고 효율화하는 연구를 포함한다. 또한 새로운 서비스를 발굴하고 이를 수행하는 프로세스를 디자인하는 연구를 포함한다. 인간의 서비스에 대한 욕구는 무한히 확장되고 있으므로, 서비스디자인은 앞으로 더욱 활성화되는 연구분야가 될 것이다.

서비스 기술 분야는 서비스 경제사회를 이끌어가는 기술에 대한 연구인데, 제4차 산업혁명시대의 도래로 그 영역이 크게 확장되고 중요성이 커지고 있다. 특히 AI(Artificial Intelligence: 인공지능)로 인한 초지능시대, IoT(Internet of Things: 사물인터넷)가 보편화된 초연결시대가 되면서 기존 서비스기술 분야는 경제사회 전체에 관련되는 연구로 확장되고 있다. 최근 ChatGPT를 비롯한 생성형 인공지능 기술의 발전은 서비스 기술 부문에 혁신적인 변화를 예고하고 있다. 현재 인간이 수행중인 고급 서비스 영역들인 지식서비스나 창작서비스가 큰 변화를 맞고 있는 것이다. 기계와의 경쟁이나 기계와의 협동에 의해 인류사회의 서비스 지형이 크게 변화될 수 있다. 따라서 서비스기술 연구는 인류사회 전체에서 앞으로 큰 중심 주제가 될 것이다.

서비스 교육과 인적자원 연구 분야는 사람을 중심으로 하는 서비스학에서 매우 중요한 연구 분야다. 새로운 경제사회를 이끌어 갈 인재를 양성하고, 산업간 융합을 통한 신산업을 창출하는 창의력 있는 인재를 양성하는 교육에 대한 연구는 미래를 위한 가장 중요한 연구 분야다. 또한 그러한 인재에 대한 효과적인 인적자원 관리 연구는 기업의 발전과 사회의 발전을 위해 매우 중요한 과제다. 서비스를 통해 학습을 하는 서비스러닝(Service Learning) 연구를 포함하여 새로운 서비스교육 연구들이 계속 강화될 필요가 있다. 서비스가 뒤에 들어가 있기는 하지만 내부서비스학 분야인 제조서비스는 산업간 경계가 해체된 제4차 산업혁명시대에 서비스를 융합하여 제조 경쟁력을 강화하는 연구 분야다. 현대 경제의 두 축인 제조와 서비스를 하나로 융합하여 산업 경쟁력을 강화하고 인류 경제의 바람직한 성장을 추구하는 핵심 연구 분야다.

내부서비스학 사례

내부서비스학 연구의 구체적인 사례로서 21세기 현대 경영을 이끌어가는 서비스경영을 좀 더 자세히 소개한다. 서비스경영은 서비스학의 핵심 분야 중 하나로서 신경제인 서비스경제의 성숙과 함께 현대 학문의 중심이 되었다. 21세기 들어서 서비스산업이 전체 경제의 70% 이상이 되고, 제조업마저도 서비스화, 1차 산업도 제조와 서비스를 융합하여 6차 산업화되고 있으며, 초지능 사회, 초연결 사회가 되면서 '서비스'가 경영의 중심 주제가 되었다. 유형재화의 공급과잉 확대로 경영활동의 주된 대상이 기존의 유형재화에서 무형재화로 중심이동이 되고, 또 과학기술의 발전으로 관리활동 수행이 인간에게서 기계로 이전되면서 경영활동의 중심이 관리에서 창조활동 중심으로 변화되었다.

[표 3-2] 20세기와 21세기 경제와 기업 비교

	20세기 경제와 기업	21세기 경제와 기업
경제 성장	고용 창출 성장	고용 없는 성장
일자리	기계가 단순 지식노동 대체	기계가 고급 지식노동 대체
경영지식	중요	지식보편화
경영자	관리와 창조 병행	창조 활동 중심

기업 등의 조직이 생산하고 인류가 소비하는 재화는 크게 제품과 서비스로 나뉘는데, 과학기술 발전과 경영혁신으로 생산성이 크게 증대된 데 비해, 유형재화의 수요는 한계가 있기 때문에, 유형재화인 제품 중심 경제가 한계에 부딪치면서 서비스재화가 중심이 되고 있는 것이다. 서비스재화의 증대가 인류 경제를 다시 성장시키고, 일자리를 많이 창출할 수 있게 되면서 경영의 중심이 전통적인 제조업 중심 경영에서 서비스업 경영을 포함하는 새로운 경영인 서비스경영으로 변화되고 있는 것이다.

[표 3-3] 기존경영과 신경영(서비스경영) 비교

	기존 경영	신경영
대상	유형 재화	무형 재화
활동	관리 중심	창조 중심

서비스는 무형 재화이자 관계재화이며, 인적 자본의 행사 과정이다. 서비스는 무에서 유를 창조하는 활동이므로 유형 재화의 한계를 극복하며 무한히 창조될 수 있고 또 무한히 소비될 수 있다. 인간의 욕망은 한계가 없기 때문이다. 따라서 21세기 신경영자의 중심 활동은 서비스 창조 활동이어야 한다. 서비스 경영이 곧 21세기 신경영이 되는 것이다. 기존의 서비스 경영이 서비스 활동에 대한 경영으로 해석되었던 이유는, 서비스를 매우 좁은 의미로 정의하고, 서비스의 성격을 잘못 인식했기 때문이다. 서비스학의 발전으로 서비스경영이 21세기 신경영으로서 제대로 된 위상을 확보할 수 있게 되었다.

서비스경영은, 아래 그림과 같이 경영의 새로운 역사와 경영혁신의 새로운 시대를 열었다. 경영의 역사는 크게 3시기로 구분된다. 아트(Art) 경영 시대 => 유형재화/산업경영학 시대 => 무형재화/서비스경영학(신경영학)시대로 구분할 수 있다. 서비스경영은 현대적 사이언스(Science) 기반의 아트 경영이다. 아트에서 사이언스로의 혁신을 1차 경영혁신이라 할 수 있고, 생산자에서 소비자로 힘의 중심이 이동되면서 경영학이 경제의 전면으로 부상하는 2차 경영혁신 시기가 있었고, 그리고 지금이 서비스경영, 즉 신경영으로 이전하는 3차 경영혁신 시기가 된다. 서비스경영을 통해 3차 경영혁신이 완성되고 있다. 이를 도시하면 아래 그림과 같다. 서비스경영은 신경제시대의 새로운 경영이다.

경영시대	1세대 경영 아트(Art)경영	2세대 경영 사이언스(Science) 경영		3세대 경영 사이언스기반 아트 경영
경영혁신 시대		1차 경영혁신 (아트에서 사이언스로)	2차 경영혁신 (사이언스 경영 성숙)	3차 경영혁신 (신경영으로)
연대	BC3200년	19세기 중반	20세기 중반	21세기 초반

[그림 3-12] 경영 패러다임의 변화

서비스경영의 주요 분야는 기존 경영학의 전체 분야를 포괄하되, 무형재화인 서비스를 중심 주제로 다룬다. 즉 서비스전략, 서비스마케팅, 서비스운영관리, 서비스인적자원관리, 서비스고객관리, 서비스프로세스경영, 서비스기술경영, 서비스가치와 생산성관리 등을 포함한다. 각 분야의 연구 활성화는 서비스중심 논리의 확산을 통해 가속화되었다. 즉 제품 중심 논리에서 서비스 중심 논리로 경제와 기업이 변화하면서 새로운 경영에 대한 인식이 확산되었다. 서비스는 비분리성 특성을 지닌 하나의 시스템이다. 서비스 공급자와 수요자가 함께 시스템을 만들고 제공한다. 서비스 중심 논리로의 변화는 관계론적 세계관으로의 변화, 서비스경제의 성숙 등의 요인과 함께 신경영 패러다임을 체계화했다.

기존 전략경영과 달리 서비스전략은 산업간 경계가 해체된 산업 생태계에서, 무형재화 중심의 대기업과 벤처기업 간의 경쟁과 조화의 새로운 생태계가 구축되고 있는 현대경제에서의 산업과 기업 전략을 다룬다. 즉 정태적 환경이 아닌 동태적 환경에서, 유형재화 중심이 아닌 유형 및 무형 혼합 재화 중심의 기업 및 산업 전략을 연구한다.

서비스마케팅 연구는 가장 먼저 활성화된 연구 분야로서 앞서 주요 분야 부문에서 설명한 바와 같다.

서비스운영관리는 서비스접점관리, 서비스설비관리, 서비스수요공급관리, 서비스품질관리 등의 영역을 포함한다. 인공지능과 정보통신 등 과학기술 혁신에 따라 운영관리 분야의 연구는 최신 연구 분야로 발전되고 있다.

새로운 기업은 고객에게 새로운 가치를 전달하는 것을 가장 중요한 목표로 삼고 있으며 소비자가 생산 프로세스에 적극적으로 참여하고 있다. 이러한 신경영의 특성상 기업과 고객 간에는 많은 상호작용이 발생하며 이러한 상호작용은 고객관리와 기업의 인적자원관리에 큰 변화를 가져오고 있다. 새로운 프레임워크하의 인적자원관리와 고객관리가 서비스경영의 주요 분야이다.

서비스시스템에서 서비스 프로세스는 상품 그 자체이다. 따라서 프로세스관리가 서비스경영의 주요 분야가 된다. 무형성, 비분리성, 비일관성, 무재고성 등 서비스의 특징을 극복하거나 활용하는 제반 연구 주제들이 이 분야의 중심 연구가 된다.

서비스기술경영은 기술의 본질과 인간에 대한 연구를 포함하며 중요 분야로 부상하고 있다. 서비스혁신의 주된 수단인 기술을 인간 중심의 세상에 효과적으로 도입하고 효율성과 효과성을 높이는 연구들이 증가하고 있다.

창조 중심 경영활동으로 새로운 경영의 중심이 이동됨에 따라 신서비스 개발과 신산업 창조는 중요 연구 분야가 되었다. 고객에게 새로운 가치를 제공하는 신서비스개발과, 제품과 서비스를 융합한 신산업 개발을 위한 각종 방법론과 기법에 대한 연구들이 서비스경영 연구로 수행되고 있다.

무형재화인 서비스의 가치와 서비스의 생산성을 관리하는 과업은 중요한 주제이므로 서비스가치관리와 서비스생산성관리가 주요 연구 분야로 부각 되고 있다. 적정한 투자로 서비스 가치를 극대화하는 서비스 가치관리 및 생산성관리 기법과 이론에 대한 연구의 중요성이 증대되고 있다.

서비스학의 발전과 함께 서비스경영도 더욱 체계적인 학문으로 발전되어갈 것이다. 전세계적인 서비스경영 연구 활성화와 함께 인류사회에서 기업의 역할과 중요성이 한 차원 격상될 것이다.

04 외부서비스학

외부서비스학의 주요 분야

   외부 서비스학은 기존의 서비스 관련 개별 학문들이 서비스학의 체계 내로 들어오면서 구축되는 부문이다. 관광서비스, 의료서비스, 교육서비스, IT서비스, 문화예술서비스, 물류유통서비스 등은 기존의 관광학, 의학, 교육학, 전산학, 문화예술학, 물류유통학 등으로 불리던 학문들인데, 이제는 서비스학의 영역으로 들어와서 주요 부문이 되어 있다. 대다수가 자신의 산업 도메인을 가지고 있는 학문 분야다. 관광산업, 의료산업, 보건산업, 교육산업, IT산업, 문화산업, 예술산업, 물류산업, 유통산업 등을 개별적으로 연구하던 학문들이 발전하여 서비스학의 한 부문으로 편입된 것이다. 각 산업이 서비스라는 무형재화를 공급하는 산업임을 인식하고 서비스적 속성의 연구를 강화하면서 서비스학으로 편입된 것이다. 또한 서비스학이 발전하면서 서비스 이론과 철학을 이들 산업의 학문들에 공급할 수 있게 되면서, 기존 학문들의 체계에 큰 발전이 있게 되었고, 따라서 서비스학의 주요 부문으로 발전되었다. 하지만 아직도 상당수의 연구자들이 본인들의 연구 분야를 서비스 분야로 인식하지 못하고 전통적인 연구 방식과 연구 주제들에 머물러 있다. 변화하기 어려운 인간의 근본적 한계가 있기는 하지만, 시간이 경과하면서 모든 서비스산업 도메인 연구자들이 서비스학

연구자가 될 것이다. 아래 [그림 3-13]에 외부서비스학의 주요 부문을 예시로 도시하였다. 서비스산업에 속하는 각 부문 산업들에 대한 연구들이 외부서비스학의 부문들이다.

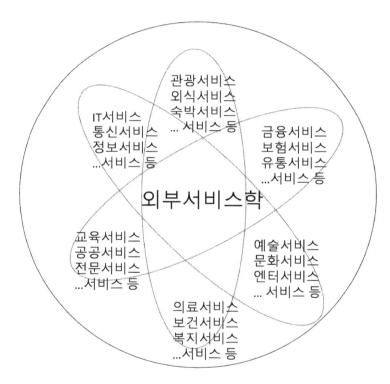

[그림 3-13] 외부서비스학의 부문 학문들

아래 표준산업 분류표의 'G. 도매 및 소매업' 이하는 이미 서비스산업으로 공식 분류되고 있으므로 외부서비스학의 영역이 되었

고, 건설업도 주택건설을 필두로 거의 모든 건설이 궁극적으로 서
비스 재화를 공급하는 활동임을 인식해가고 있다.

[표 3-4] 표준산업분류 대분류상의 서비스산업 부문

대분류
F 건설업
G 도매 및 소매업
H 운수 및 창고업
I 숙박 및 음식점업
J 정보통신업
K 금융 및 보험업
L 부동산업
M 전문, 과학 및 기술서비스업
N 사업시설 관리, 사업 지원 및 임대 서비스업
O 공공행정, 국방 및 사회보장 행정
P 교육서비스
Q 보건업 및 사회복지 서비스업
R 예술, 스포츠 및 여가관련 서비스업
S 협회 및 단체, 수리 및 기타 개인 서비스업
T 가구 내 고용활동, 자가소비 생산활동
U 국제 및 외국기관

이와 같이 외부서비스학은 거의 모든 산업 도메인 관련 학문이므로 모든 부문 연구를 상세히 소개할 필요는 없고, 기존 도메인 학문이 기반서비스학 및 내부서비스학의 토대를 강화하여 발전한 것이라고 설명하는 것으로 가름하면 될 것이다.

외부서비스학 사례

외부서비스학이 기반서비스학과 내부서비스학의 토대를 강화하는 방식에 대한 설명을 샘플 사례를 가지고 설명한다. 위 표준산업분류의 여러 대분류에 걸쳐있는 융합 산업 중의 하나인 관광서비스업을 사례로 소개한다. 우선 관광서비스학의 예전 명칭인 관광학을 나무위키에서 검색하면 아래와 같이 소개된다.

관광과 여행, 그리고 소위 '즐길거리'에 관해 배우는 학문이다.
미시적 관점에서 볼 경우 주로 여행산업에 집중하게 되지만, 기본적으로 '관광'이라는 단어에는 '즐기다'라는 의미가 숨어 있고, 정치외교적인 내용도 일부 담고 있기 때문에, 거시적으로 외식산업, 레저학, 미디어 공학 등과도 연계를 맺고 있기도 하다.
한편으로는 인간의 "행동"을 연구하는 사회과학의 한 분과이기도 하기 때문에 인간의 구매 행동과 이를 결정하는 프로세스에도 많은 관심을 갖고 있다. 한정된 자원을 토대로 효용을 최적화하려는 인간의 행동을 분석하기 위해 경제학과 관련을 맺고 있으며, 인간이 구체적인 상품구매 행동을 할 때 영향을 주는 각종 변수들을 분석하기 위하여 마케팅과도 매우 밀접한 연관을 맺고 있다. 또한 이를 수리적으로 모형화하기 위하여 통계학과도 밀접한 연관을 짓고 있다.

한편으로는 또한 '여행'을 하려면 시간이 중요한 변수로 고려되며, 시간을 최대한 단축하기 위하여 교통편을 고려해야 하기 때문에 교통공학과 지리학도 이들의 연구 대상에 포함된다.

위와 같이 관광학은 여러 분야의 타 학문들과 관련되어 있다. 유관 또는 인접 학문들의 지식을 활용하여 자신의 학문 연구를 하는 경우도 많고, 융합 연구를 수행하는 경우도 많다. 그런데, 기존의 관광학은 그 융합이 '서비스'라는 초점을 향해야 한다는 중심 지향성이 부족했다고 할 수 있다. '서비스'라는 연구 목적의 초점을 강화함으로써 비로소 서비스학의 영역으로 들어왔다. 또한 인접 학문의 이론 변화를 실시간으로 반영할 수 있는 수평적 네트워크 체제를 인식하고 활용하게 됨으로써 서비스학이 되었다. 내 학문과 인접 학문, 나와 너라는 서비스 구조가 학문의 바탕 구조가 되면서 서비스학으로 편입되었다. 그리고 서비스이론을 반영하여 관광서비스학으로 발전하였다. 서비스의 무형성, 비일관성, 비분리성, 무재고성 등의 재화적 특성을 반영하면서 서비스학이 되었다. 최근에는 관계성, 쌍방향성, 수평성, 조화성 등의 서비스 본질 요소를 반영하며 관광서비스학이 발전하고 있다. 기반서비스학에서 집중적으로 연구되고 있는 서비스의 철학적 기반을 강화하면 향후의 관광서비스학은 더욱 발전할 것으로 기대된다.

관광학이 관광서비스학으로 발전하는 과정과 동일하게 모든 도메인 학문들은 서비스학으로 발전되고 있다. 예를 들어, 의학도 의료서비스학으로 발전되고 있는 것이다. 의료가 기술이 아니라 서비스라는 인식이 강화되면서 서비스학으로 발전되고 있다. 의사 및 병원이라는 의료서비스 공급자와 환자라는 의료서비스 수요자 간의 치열한 상호작용이 의료 행위임을 인식한다면, 의학이 의료서비스학으로 전환되는 시점은 오히려 늦은 감이 있다. 의료서비스는 환자와 질병이라는 초점에 모든 분야의 의료 행위가 연결되어 서비스되는 것이니, 전형적인 서비스활동이기 때문이다. 공급자 중심으로 구축되어 있는 병원의 진료 과목 구분도 변화되어야 한다. 즉 수직적 사일로 체제의 진료과목 분류 및 운영시스템을 환자 중심 대통합 네트워크 시스템으로 전환하여, 환자를 중심으로 긴밀하게 연결하여 서비스하는 구조로 전환해야 할 것이다. 미국 Mayo 클리닉이 '의료에서 개인주의란 없다'라고 오래 전에 선언하며, 환자 중심 통합 의료 체계로 초일류 의료서비스를 오랜기간 지속하고 있듯이, 모든 의료서비스가 진정한 서비스시스템으로 전환될 필요가 있다. 의학도 서비스학이 되고 있는 것이다.

이와 같이 서비스산업과 관련되는 모든 기존 학문들은 외부서비스학이 되어가고 있다. 아직 외부서비스학이라는 인식이 약한 전통 서비스산업 도메인에 관련되는 학문들도 기반서비스학을 반영하면 외부서비스학으로 발전될 수 있다. 서비스철학적 기반을 공유하면서, 대립자와의 관계 연구를 강화하고, 과정 연구와 변화 연구를 강화하면 서비스학의 주요 분야로 발전될 수 있다.

제 4 장

서비스 경제사회

01 서비스 경제 및 금융

02 서비스 정치행정 및 법제도

03 서비스 사회 및 인간

서비스는 인간 삶의 전부다. 따라서 인간사회를 운영하는 진리가 있다면 그것은 아마 서비스철학과 서비스본질에 기반을 둔 그 무엇일 것이다. 인류가 삶을 영위하는 시스템은 크게 세 부문으로 구성된다. 잘 살기 위한 시스템인 경제와 금융, 산업과 기업시스템이 그 한 부분이다. 공동체를 이루어 함께 살아가기 위한 시스템인 정치 행정 법제도 시스템이 또 하나의 부문이다. 그리고 인간이 행복을 추구하는 각종 사회 및 교육 시스템이 세 번째 부문이다. 본 장에서는 인류가 오래도록 지속가능하기 위한 이 세 가지 시스템 디자인을 논의한다. 즉 서비스철학과 인류 공통 진리에 기반을 둔 시스템 디자인을 논의한다. 서비스 본질과 철학 기반의 본질적인 경제 및 사회시스템에 대한 논의가 된다. 인류의 바람직한 경제사회시스템에 대한 규범적인 탐구이기도 하다. 이러한 서비스 경제사회에 대한 연구는 서비스학의 주요 주제로서 크게 활성화될 필요가 있다. 본 장에서는 이러한 연구를 강화하기 위하여 그동안의 기초 연구 성과를 중심으로 인류의 바람직한 경제 및 사회시스템을 제시한다. 이 현실 세계에 대한 연구는 서비스학의 중심 분야 중의 하나이면서, 모든 부문 학문들이 함께 연구해야 할 분야다. 개인 삶의 구원이면서, 내가 사는 사회의 구원, 내 회사의 구원, 내가 사는 나라의 구원 모델을 연구하는 분야이기 때문이다. 경제사회 전체의 구원과 개인의 구원은 동전의 앞뒷면처럼 긴밀하게 연결되어 있기 때문이다.

01 서비스 경제 및 금융

먼저 인간이 행복하기 위한 첫 번째 조건은 아마 경제일 것이다. 잘 먹고 잘살기 위해서는 일자리가 있어야 하고, 그 일자리가 자신이 만족할 만한 일자리여야 한다. 근대 이후 인류사회는 이 경제 문제를 해결하려고 매우 많은 노력을 했고, 그 과정에서 매우 많은 희생도 있었다. 산업혁명을 통해 자본주의가 발전되고, 이로 인해 자본가의 문제 및 자본주의의 부작용이 심해지자, 사회주의와 공산주의가 대안으로 나타났고, 이로 인해 20세기 전반기에 인류사회는 큰 혼란의 시기를 지나왔다. 그리고 20세기 후반 신자유주의 경제사상을 거쳐 다시 인류사회는 새로운 경제사상을 갈구하고 있는 상황이다. 경제시스템의 본질, 금융시스템의 본 모습, 산업과 기업시스템의 바람직한 모델에 대한 기초 연구 결과, 서비스주의 경제시스템이 바람직한 대안임을 제시한다.

서비스주의 경제시스템[24]

인류경제는 불과 100여 년 전까지도 선진국을 포함하여 거의 모든 나라의 경제는 제조업이나 서비스업의 비중이 매우 작았고 농업 등 1차 산업이 중심이었다. 따라서 인류사회의 복잡한 현대

---

24) Kim, Hyunsoo(2021e), '서비스주의 경제시스템 구조와 운용 연구' 요약 인용

적 경제시스템에 대한 연구 역사는 매우 짧다. 애덤 스미스로부터의 자본주의시스템 연구나 칼 마르크스로 대표되는 공산주의 및 사회주의시스템 연구가 시작이라고 할 수 있다. 즉 자유시스템과 평등시스템에 대한 연구가 주된 주제라고 할 수 있다. 현대는 서비스라는 무형재화가 중심인 경제이므로 과거의 경제시스템과는 다른 시스템이 요구된다. 왜냐하면 과거의 주된 재화였던 유형재화 제품과 지금의 무형재화 서비스는 본질이 상이하기 때문이다.

새로운 경제시스템에 맞는 새로운 경제제도를 구축하여 운용해야함에도 불구하고, 인류사회는 제조업시대에 구축된 경제제도(예를 들어 재화의 가치 측정 방법, 노동조합의 성격 등)를 거의 그대로 운용하고 있다. 또한 서비스경제시대에는 사람이 가장 복잡하고 다양하고 중요한 자원임에도 불구하고 인적자원에 대한 분석이 부족하다. 따라서 현대 경제의 운용시스템은 서비스를 중심 원리로 반영해야 한다. 그래야 새로운 일자리를 많이 만들 수 있고, 좋은 일자리가 인류사회의 많은 문제를 해결하는데 기여할 수 있을 것이다. 현재 정당한 대우를 받지 못하고 있는 저임금 서비스 직무, 감정노동 직무들은 제도 개선을 통하여 정상적인 가치 중심 임금 체계로 혁신될 수 있다. 과학기술혁신 등으로 생산성이 높아지면서 자동화와 인공지능 등으로 감소되는 일자리들은 새로운 인간의 욕구를 충족할 수 있는 새로운 산업의 일자리들의 증가로 만회할 수 있도록 해야 한다. 서비스경제시대에 맞는 서비스 중심 원리로 경제시스템이 혁신될 때 가능한 일이다.

'서비스'를 현대 경제의 중심 원리로 인식할 수 있으면, 기존의 경제 관련 법 제도에 대한 대대적인 개혁작업에 착수할 수 있을 것이다. 제4차 산업혁명, 또는 제5차 산업혁명 등으로 지칭되는 현재의 변화도 핵심은 '서비스'를 이해하고 있느냐, 이해하지 못하고 진행하느냐에 그 성패가 달려있다고 할 수 있다. 즉 단순한 지능화나 과학기술의 발전만으로는 현대의 문제를 해결하지 못하고, 오히려 경제 사회적 문제를 더 심화시킬 수 있다. '서비스'의 본질, 서비스가 현대 경제의 중심 원리임을 이해하는 노력이 절실하게 필요한 상황이다.

먼저 가장 근본이 되는 경제시스템 구조 모델을 서비스시대에 맞게 전환하는 노력이 필요하다. 18세기 애덤 스미스의 사상은 매우 적절하였고, 또 이를 비판하는 칼 마크크스의 사상도 매우 의미가 있었다. 자본 중심으로 경제가 운용되면서 노동의 소외는 피하기 어려운 상황이었기 때문이다. 효율성과 생산성을 높여서 이윤을 극대화하기 위해서 분업 활성화는 자본이 취하게 되는 자연스런 행동이었다. 따라서 한 개인 노동자는 전체 완성품의 일부에만 자신의 노동이 기여하게 되었고, 성취감과 일에 대한 만족도는 낮아지게 되었다. 더구나 자본의 이윤극대화 속성으로 인해 노동자의 임금이 통제되면서 자본가와 노동자의 불평등과 양극화는 심해지게 되었고, 이것이 20세기 전반의 공산주의 세상을 가능하게 하였다. 하지만, 높은 이상과 달리 그 이상을 실현하는 방법론의 부족과 기술혁신에 대한 과소 평가, 그리고 인간의 자기중심성과 비이성성에 대한 간과 등으로 공산주의 실험은 조기에 종료되었다. 지금 인류경제는 신자유주의의 대안 사상을 모색하고 있는 상황이다. 서비스주의 경제시스템이 그 대안사상이 된다.

과거 자본주의 경제시스템을 구축하는데 큰 영향을 준 대표적인 사상가는 애덤 스미스, 칼 마르크스, 막스 베버, 에밀 뒤르깽 등 4인이라 할 수 있다.[25] 먼저 애덤 스미스는 도덕감정론에 이어 국부론으로 자본주의 시스템의 토대를 구축했다. 내가 중심이 되 타인에게 해를 끼치지 않는 범위 내에서 자유로운 경제행위를 할 수 있는 시스템을 제시하였으며, 개별 경제주체들이 자유로운 경제행위를 하면 보이지 않는 손에 의해 최적 경제시스템이 구현된다는 것이다. 칼 마르크스는 자본주의의 속성을 비판적으로 분석하였다. 자본주의는 자본이 중심이 되므로, 생산성 향상과 자본의 축적을 위해 최선을 다하게 되고, 따라서 이러한 과정에서 노동자 개인은 소외에 이르게 된다고 하였다. 자본의 축적을 위해 노동자의 임금이 통제되고 자본가의 이익은 늘어나서 노동자 계급과 자본가 계급으로 양분화되는 결과를 가져온다고 보았다. 또한 자본가들이 더 큰 이윤을 내기 위해 투기가 만연하게 되어 자본주의는 불안정한 시스템이 된다고 보았다.

막스 베버는 과학기술 발전 차원이 아닌 정신적 차원에서 자본주의의 토대를 제시하였다. 자본주의는 개신교가 성행한 북유럽에서 급속히 성장하였는데, 이는 프로테스탄트 윤리가 자본주의 정

---

25) The School of Life(2016), 위대한 사상가

신에 부합하기 때문이라는 것이다. 개신교에서의 하나님은 심판의 날까지 인간이 미덕을 입증하기를 원하고, 열심히 일하는 것을 좋아하고, 근검 절약을 좋아하고, 노동의 신성함을 중시하고, 가족만이 아니라 사회공동체를 중시하고, 성공은 성실한 노력에 의해서 온다는 개신교의 윤리가 자본주의의 정신적 자양분이 되었다는 것이다. 마르크스와 달리 베버는 '종교는 자본주의를 견디게 하는 대중의 아편'이 아니라, '종교의 결과로 자본주의가 성장'하게 되었다는 것이다.

에밀 뒤르깽은 대표 저서인 『자살론』을 통해 자본주의가 성숙하면 자살률이 높아진다고 하였는데, 그 원인을 다섯가지로 제시하였다. 우선 자본주의는 개인에게 부여된 자유에 대해 개인이 스스로 큰 책임을 지도록 요구한다는 것이다. 열심히 노력했지만, 운이 나빠서 사업에 실패했더라도 자본주의는 그 실패에 대해 스스로 책임지도록 요구한다는 것이다. 전통사회와 달리 자본주의 사회에서의 개인은 너무 무거운 짐을 지고 살아야 한다는 것이다. 또한 자본주의는 지나친 희망을 키운다는 것이다. 광고는 우리의 욕망을 한없이 부추기고, 누구나 노력하면 성공할 수 있다고 희망을 주고, 질투가 유행하게 된다는 것이다. 노력해도 성공하는 사람은 매우 소수라는 현실에 눈이 멀게 하여 어려운 현실 세계를 견디어내는 힘을 약화시킨다는 것이다. 또한 자본주의는 개인에게 넘치는 자유를 주어 의지할 곳을 없게 만든다는 것이다. 직업도 스스로 선택하는 등 거의 모든 것을 스스로 선택하게 하여 피곤

한 개인이 더욱 피곤하게 되고 의지할 곳이 없어진다는 것이다. 네 번째로 자본주의는 대안이 없이 종교를 폐기한다는 것이다. 뒤르깽은 현실세계의 불평등을 개선하기는 매우 어려운 일인데, 자본주의는 현실세계에 초점을 두고 개선한다고 하며 종교를 뒤로 밀어냈다는 것이다. 종교는 모든 것이 평등한 사회가 현실 너머에 있다고 하며 현실의 불만을 수용할 수 있도록 해왔었는데, 그 기능을 상실하면서 인간이 위로받을 곳이 없어졌다는 것이다.

이와 같이 자본주의는 많은 장점과 함께 단점들도 가지고 있다. 자본주의의 장점을 최대한 유지하면서 단점을 보완하는 새로운 경제시스템 디자인이 필요한 상황이다. 현재의 자본주의 시스템은 두 개의 상반되는 중요한 가치를 잘 지켜내지 못하고 하나의 가치 추구가 압도하는 기울어진 운동장 모습을 보여주고 있다. 이를 태극 그림으로 표현하면 아래 [그림 4-1] 및 [그림 4-2]와 같다.

기본적으로 자본주의는 자유의 추구와 인간 욕망의 추구를 중심으로 운영되는 시스템이다. 따라서 평등과 절제는 자본주의에서는 2차적인 이슈가 된다. 아래 [그림 4-1]과 같이 인류사회의 두 개의 중심 가치 중 자유와 욕망에 중심을 둔 기울어진 운동장이라고 할 수 있다. 기업가들의 자유로운 경제활동을 통해서 자본이 축적될 수 있고 축적된 자본력으로 경제를 계속 발전시킬 수 있기 때문이며, 기업가들의 이익 추구 욕망, 상승 추구 욕망을 인정해야 기업가들이 열심히 경제활동을 하기 때문이다.

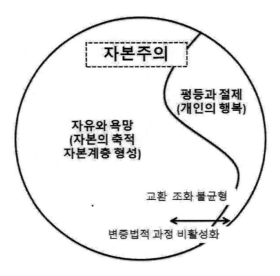

[그림 4-1] 현재의 자본주의시스템 프레임워크

또한 자본주의는 인간의 이기심(ego) 통제와 세상의 운 (fortune)에 대한 통제에 취약한 구조를 가지고 있다. 자유를 강조하는 속성으로 인해 경제시스템의 기본 구조상 개인이나 조직의 이기심을 통제할 수 있는 기제가 취약하며, 자본이 강조됨으로 인하여 운에 의한 성공과 실패를 보정해 줄 수 있는 장치가 취약하다. 이를 그림으로 표현하면 아래 [그림 4-2]와 같은 기울어진 운동장이 된다. 즉 이기심이 적절하게 통제되면서 이타심이 발휘될 수 있는 기제가 있어야 사회 균형이 유지되는데, 자본주의 구조는 자본의 힘이 크기 때문에 자본 축적을 위한 이기적인 힘의 작용이 더 큰 시스템이라고 할 수 있다. 종교가 중심 역할을 하던 시대에는 이타심이 종교의 주요 덕목이므로 균형을 잡을 수 있는 기제가 있었지만, 현대 경제사회는 종교의 영향력이 매우 약해져 있어 기울어진 운동장이 되고 있다. 또한 운의 작용에 대한 보상 기제도 취약하다. 행운이나 불운 등 운의 작용이 사업의 성공이나, 개인의 선택 결과에 영향을 크게 미치는 세상임에도 불구하고 자본주의에서는 자본 형성이라는 결과에 집중하게 만들고 있으므로 아래 [그림 4-2]와 같이 자본의 힘으로 기울어진 운동장 구조를 가지고 있다고 할 수 있다. 자본의 힘이 커지면서 돈에 의해 사회 계층이 형성 되어가는 부작용까지 우려되고 있다.

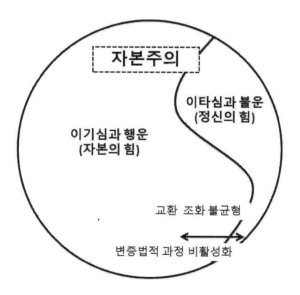

[그림 4-2] 자본주의시스템 운용 모델

따라서 자본주의 시스템은 시간이 흐르면서 점차 경제적 불평등을 심화시키고 사회내 계층이 뚜렷하게 형성되는 구조로 진행하게 된다. 즉 아래 [그림 4-3]과 같이 자유의 힘이 강한 시스템이므로, 절제의 힘이 약해지면서 나선형 사이클이 불평등과 계층화를 심화시키는 방향으로 작용한다. 자본주의가 성숙해진 지난 20세기 후반부터 현재 21세기 전반까지 부의 편중이 심화되고 불평등이 가속화되고 있는 상황의 원인과 구조를 아래 그림과 같이 나선형 불평등·계층화 과정 사이클로 도시할 수 있다.

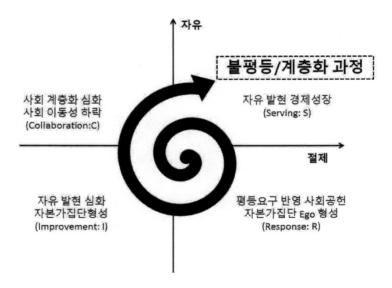

[그림 4-3] 자본주의시스템 진행 모델

한편 자본주의에 대비되는 대표적 시스템인 사회주의(socialism)는 '사회 전체의 이익을 중시하는 사상'이다. 19세기 사회사상가들은 자본주의 사회의 여러 모순과 병폐들, 즉 생산의 무계획성, 자본의 집중, 실업과 빈곤의 증대, 주기적 공황 등이 나타나는 것은 자본주의의 기본원리인 개인주의에 근본 원인이 있다고 생각하였다. 따라서 자본주의 사회를 개혁하기 위해서는 개인주의를 그 반대 원리로서 대체해야 한다고 생각했다. 사회주의란 말이 개인주의의 반대말로서 탄생하게 된 것이다. 즉 사회주의는 인간 개개인의 의사와 자유를 최대한 보장하기보다는 사회 전체의 이익을 중요하게 여기는 사상인데, 여기서는 개념적 차원에서 사회주의를 자본주의의 '자유와 개인' 개념에 대립되는 '평등과 공동체'라는 개념을 중시하는 사상으로 사용한다. 20세기 말 이후 사유재산을 인정하지 않는 공산주의와 사회주의가 전 지구적으로 거의 소멸되었기 때문에, 원래 의미의 사회주의를 논하는 것은 큰 의미가 없기 때문이다. 다만 '평등과 공동체' 중시 관점은 여전히 유효한 개념이며, 현재 각 국가에서 중요한 사상으로 사용하고 있다.

공산주의와 사회주의는 평등과 절제를 강화하는 장점도 있지만 소유제한제도는 개인의 자유 추구를 제한하고 있고 욕망 발현을 억제한다. 자유로운 경제활동이 제한되면서 경제 성장이 위축될 수 있다. 아래 [그림 4-4]와 같이 인류사회의 두 개의 중심 가치 중 평등과 절제에 기울어진 운동장이라고 할 수 있다.

[그림 4-4] 사회주의시스템 프레임워크

이와 같은 기존 경제시스템의 약점과 한계를 보완할 새로운 경제시스템은 불변의 공리(axiom)에 기반하여 구축될 필요가 있다. 인류공통원리 기반의 서비스철학에 의한 새로운 경제시스템을 구축하기 위한 공리는 아래와 같다.

[공리 1] 자연에 존재하는 모든 것은 시공간상에서 서로 연결되어 있다. 독립적으로 존재할 수 있는 것은 아무것도 없다.

[공리 2] 모든 것은 대립자가 있다. 경제시스템의 주체와 객체들

에도 제반 대립자가 있다.

[공리 3] 모든 것은 변한다. 경제시스템의 한 상태가 지속적으로 유지될 수는 없다.

[공리 4] 변화에는 물리학 법칙이 작용한다. 즉 한 상태에서 다른 상태로 변화하는 과정에서 관성의 법칙, 가속도의 법칙, 작용 반작용의 법칙이 작용한다.

[공리 5] 인간의 욕망은 무한하다. 인간은 외부에서 제약을 가하지 않는 한 욕망 추구를 멈추지 않는다.

[공리 6] 인간사회의 무질서도는 시간이 경과함에 따라 계속 증가한다. 외부의 힘이 가해져야 무질서도가 감소할 수 있다.

이와 같은 공리와 세상공통원리인 서비스주의에 의해 '서비스주의 경제시스템'이 아래와 같이 도출된다. 서비스주의는 세상공통원리인 서비스철학에 기반을 둔 시스템을 의미한다. 서비스주의 경제시스템은 서비스철학에 기반을 두고 디자인된 경제시스템이며, 그 구조는 두 대립자가 서로 경쟁하면서도 화합하는 화쟁(和諍) 태극구조가 되며, 운용모델은 변증법적 모델이 된다.

서비스주의 경제시스템 구조

서비스주의 경제시스템은 공리에 기반하여 그 구조가 구축된다. [공리 2]에 의해 경제시스템에 두 대립자가 존재하며, [공리 1]에 의해 이 두 대립자들은 서로 연결되어 있다. [공리 3]에 의해 두 대립자들의 상태는 계속 변화해간다. [공리 4]와 [공리 5]에 의해 변화는 균형점을 넘어가며 진행된다. [공리 6]에 의해 외부에서 힘을 가해야 방향을 선회하며 균형을 회복하는 방향으로 진행된다. 또한 서비스철학에 기반하여 두 대립자간의 철저한 대칭 균형성이 중심 사상이 되며, 두 대립자들이 서로 대립면을 공유하며 치열하게 경쟁하며 상호 윈윈(Win-Win)을 추구한다. 두 힘이 임계점 부근에서 균형을 이루며 조화되는데, 이 과정이 시공간상에서 변증법적 과정으로 진행된다. 50:50의 균형 상태에 계속 머물러 있기는 어려우므로 시소처럼 한쪽으로 기울면 다른쪽 힘이 강해져서 다시 반대로 기울고, 또 다시 반대쪽 힘이 강해져서 다른 반대쪽으로 균형을 잡아가는 동태적 균형 구조다. 대립자의 한 쪽이 자신의 입장을 주장하지만, 자신의 입장에 일부 문제가 있고 모순이 내포되어 있음을 알고 있고, 반대쪽 입장이 수용될 수 있는 공간을 확보해 두는 모델이다. 서비스주의는 화쟁 모델이다. 상반되는 두 대립자가 서로 다른 둘이 아니고 사실은 하나의 다른 측면임을 알고 상호 발전을 위한 과정에서 화(和)와 쟁(諍)을 번갈아 사용하는 모델이다.

새로운 서비스주의 경제시스템의 구조는 경제철학, 경제인간, 경제주체 등 세 가지 관점으로 제시할 수 있다. 서비스주의 경제철학은 대립되는 두 힘이 대립면을 공유하면서 시공간상에서 변증법적으로 균형을 이루고 있는 조화경제철학이다. 경제철학의 두 대립자는 자유와 평등, 성장과 분배 등 2개의 차원으로 제시된다. 자유와 성장이라는 자본주의 경제의 강점 철학과 평등과 분배라는 사회주의 경제의 강점 철학이 두 대립자다. 이 대립자들이 대립면을 공유하며 팽팽한 균형을 이루고 있는 모델이 서비스주의 경제철학이며, 아래 [그림 4-5]와 같이 두 대립자가 서로 치열하게 경쟁하면서 필요시 화합하는 화쟁태극모델로 표현할 수 있다.

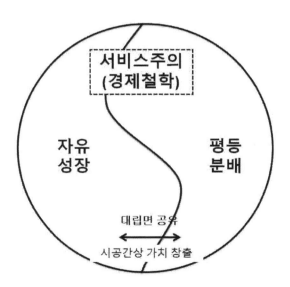

[그림 4-5] 서비스주의 경제철학

서비스주의 경제철학이 경제사회의 저변에 구축되어 있는 경제시스템은 균형점 부근의 안정상태로 빠르게 회복된다. 철학적 기반이 경제주체들에게 공유되어 있으므로, 전환이 쉬운 것이다. 경제시스템이 균형점을 벗어나서 혼란이 발생할 가능성이 매우 낮고, 안정상태를 유지할 수 있는 힘은 계속 증대되는 모델이다. 두 대립자가 대립면을 공유하며 서로 간에 자신의 문제점을 정확히 인지하고 문제를 개선하는 노력을 적극적으로 수행하는 화쟁태극 모델이기 때문이다. 이 시스템에서는, 자유로운 경제활동이 매우 중요하다고 생각하는 사람들도, 인간의 끝이 없는 이기심과 자기중심성으로 인한 부의 집중 위험을 인식하고 있기 때문에, 이기심 통제시스템을 구축하려고 한다. 한편 평등을 중시하는 사람들도, 과도한 평등 선호주의가 개인의 창의력 발휘를 제한하여 결국엔 모두가 가난해질 수 있음을 알고 있으므로, 개인의 창의와 자유가 제한되지 않도록 노력한다.

　　또한 서비스주의의 경제인간은 인간의 내면에 있는 대립되는 두 힘이 대립면을 공유하면서 시공간상에서 변증법적으로 균형을 이루고 있는 조화경제인간이다. 인간의 본성인 이기심을 발휘하면서 확장지향적으로 사고하고 행동하는 인간형과 또 하나의 내면의 본성인 이타심을 발휘하면서 타인을 포용하며 배려하는 인간형이 대립면을 공유하며 팽팽한 균형을 이루는 모델이다. 이와 같은 서비스주의의 경제인간은 아래 [그림 4-6]과 같은 화쟁태극모델로 표현할 수 있다.

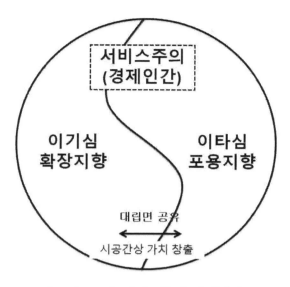

[그림 4-6] 서비스주의 경제인간

어느 한 인간 또는 어느 한 사회에서는 하나의 힘이 매우 강하게 작용할 수 있다. 그러나, 서비스주의 사상이 저변에 구축된 사회와 시대는 균형점 부근의 안정상태로 빠르게 회복될 수 있다. 철학적 기반이 경제인들에게 공유되고 있으므로 크게 일탈하지 않게 되고, 따라서 균형 회복이 쉬워지는 것이다.

또한 서비스주의의 경제주체는 경제를 운용하는 대립되는 두 주체가 대립면을 공유하면서 시공간상에서 변증법적으로 균형을 이루어간다. 경제주체의 두 대립자는 개인과 공동체다. 개인의 특징은 소유 중심이며, 공동체의 특징은 공유 중심이다. 개인과 공동

체가 상호 대립면을 공유하며 팽팽한 균형을 이루어가는 모델이
다. 이와 같은 서비스주의의 경제주체모델은 아래 [그림 4-7]과
같은 화쟁태극모델로 표현할 수 있다. 경제주체는 경제중심이 되
므로 아래 그림에서 경제중심으로 표현하였다.

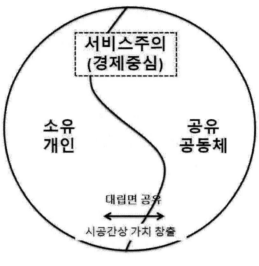

[그림 4-7] 서비스주의 경제중심

이 대립면에서 변증법적 사이클이 매우 짧고 빠르게 진행된다.
어느 한 시대 또는 어느 한 사회에서는 하나의 힘이 매우 강하게
작용할 수 있으나, 서비스주의 사상이 저변에 구축된 사회는 균형
점 부근의 안정상태로 빠르게 회복될 수 있다. 서로 자신의 입장
에 문제점과 모순이 있음을 인지하고 있기 때문에 반대편 시스템

을 포용할 수 있는 공간을 확보해 두고 있다. 따라서, 균형 상태로 쉽게 복귀할 수 있다. 대립자들이 서비스철학 기반을 함께 공유하고 있기 때문이다. 이런 균형 회복 과정을 반복하면서 스스로 내적 균형을 이룰 수 있는 힘이 계속 증대되는 모델이다. 이러한 서비스주의 경제시스템 구조와 앞서 제시한 공리들을 기반으로 한 경제시스템 운용모델을 아래에 제시한다.

서비스주의 경제시스템 운용모델

서비스주의 경제시스템은 두 대립자들의 상호 작용이 변증법적 과정으로 진행되는 모델이다. 서로의 단점과 장점을 잘 인지하고 있어, 자신의 장점을 발휘하는 시간과 공간에서도 자신에게 내재되어 있는 문제점을 해결할 수 있는 대립자의 장점을 수용할 수 있는 공간과 시간을 확보해 둔 모델이다. 앞서 경제시스템 구조에서 제시한 두 대립자들을 각각 하나의 축으로 도시하여 변증법적 운용모델을 표현할 수 있다. 즉 자유와 성장, 이기심과 확장지향성, 소유와 개인 등을 하나의 축으로 표현할 수 있다. 또 평등과 분배, 이타심과 포용지향성, 공유와 공동체 등을 다른 축으로 도시할 수 있다. 변증법적으로 경제시스템을 운용하는 과정은 아래 [그림 4-8]과 같이 나선형 정반합 사이클로 진행된다. 즉 자본주의 경제시스템으로 시작한 국가의 경우, 개인과 기업의 경제적 자유를 확대하는 성장주의 문화로 시작하여, 점차 공동체와 평등 및 분배를 강화해가는 1/4 분면 사이클에서 시작한다. [공리 5]와 [공리 6]에 의해 개인의 욕망 추구가 증대되고 경제시스템의 무질서도가 증가한다. [공리 3]의 변화 원리와 [공리 4]의 반작용 원리 및 [공리 6]에 의해 균형을 회복하려는 반대쪽의 힘이 작용한다. 그러나 [공리 4]에 의해 균형점을 상당히 벗어난 시점에서 균형 회복 노력의 결과가 나타난다. 시간이 경과하면서 공동체와 평등 및 분배가 중심이 된 경제시스템으로 이전되어 상당기간 진행하는 2/4분면 사이클로 이동한다. 2/4분면에서는 [공리 4] 관성의 법칙에 의해 공동체 중심성이 계속 강화되고 개인의 자유가 위축되면서 성장도 둔화된다. 다시 [공리 3]과 [공리 6]에 의해 균형을 회복하려는 반대쪽의 힘이 작용한다. 이전 사이클에서의 문제점을 인지한 상태에서, 다시 자유와 성장 중심 모델을 회복하는 3/4분면 사이클로 진행한다. 다시 [공리 5]와 [공리 6]에 의해 개인의 욕망 추구가 증대되고 경제시스템의 무질서도가 증가한다. [공리 3]의 변화와 [공리 4]의 반작용의 힘, 그리고 [공리 6]에 의해 균형을 회복하려는 반대쪽의 힘이 작용한다. 다시 [공리 4]에 의해 균형점을 벗어난 시점에서 균형 회복 노력의 결과가 나타난다. 공동체와 평등 및 분배가 중심이 된 4/4분면 사이클로 이동한다. 경제시스템은 서비스주의를 유지하며 한동안 진행된다. 그러나 시간이 경과하면서 [공리 3]과 [공리 6]에 의해 경제 상황이 변하면 다시 자유 중심 시스템을 강조해야 할 필요성이 증대된다. 다시 1/4 분면 사이클로 이동하여 다음 변증법적 사이클을 진행한다. 이러한 변증법적 서비스주의 경제시스템 운용모델을 그림으로 도시하면 아래 [그림 4-8]과 같다.

[그림 4-8] 서비스주의 경제시스템 운용모델

현대 경제시스템에서는 두 대립자인 자유와 평등의 어느 한 쪽이 절대적으로 우세한 경우는 거의 없다. 대한민국 태극기를 사용하여 상황을 표현하면 자유주의 시스템이 절대 우위인 건괘(왼쪽위에 있는 3개 효 모두가 양(━)효)인 경우는 거의 없고, 또한 평등주의 문화가 절대 우위인 곤괘(오른쪽 아래에 있는 3개 효 모두가 음(╌)효)인 경우도 거의 없다. 대다수의 경우가 리괘(왼쪽 아래에 있는 내부가 음효, 외부 2개가 양효)이거나, 감괘(오른쪽 위에 있는 내부가 양효, 외부 2개가 음효)인 경우다. 외형적으로는 자유주의 경제이지만 내면의 평등주의가 받쳐주고 있는 리괘형 시스템이거나, 외형적으로 평등주의 경제이지만 내면은 자유주의가 중심을 잡고 있는 감괘형 경제시스템이 대다수이다. 1/4 분면과 3/4 분면은 자유주의 중심 경제에서 평등주의 중심 경제로 전환되는 사이클이고, 2/4 분면과 4/4 분면은 그 반대 방향으로 전환되는 사이클이다.

이와 같은 2차원 운용모델에 추가하여 시간 공간 인간이라는 3개의 차원을 더하여 서비스주의 경제시스템 운용모델을 도식화하면 아래 [그림 4-9]와 같이 표현할 수 있다. 아래 그림에서와 같이 서비스주의 경제시스템은 시공간상에서 계속 균형을 유지해가는 모델인데, 인간의 의지가 개입되며 균형에서 일탈하거나 균형을 회복해간다. 인간의 이성적 힘이 강할 경우 균형을 회복하려는 의지가 강할 것이고, 비이성적 힘이 강할 경우 균형에서 일탈하려는 힘이 강할 것이다. 기존 시스템에서는 인간의 비이성적 힘이 강할 경우 균형에서 크게 일탈하여 사회를 파국으로 몰고 갔지만, 서비스주의 시스템에서는 서비스철학적 기반이 공유되어 있으므로 인간의 비이성성을 통제하는 기제가 작동한다. 따라서 파국을 맞기 전에 균형을 회복하려는 힘이 생성되어 강하게 작용한다. 경제시스템의 대립되는 두 힘에 추가하여 시간 공간 인간이라는 세 개의 힘이 작용하는 5차원이 서비스주의가 작동되는 환경이다.

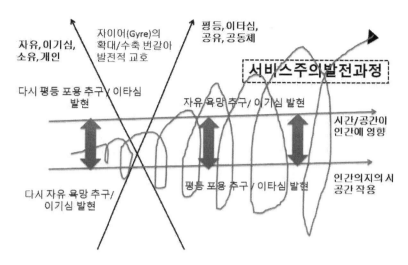

[그림 4-9] 시간 공간 인간 축 위에서의 서비스주의 발전과정

서비스주의 금융시스템[26)]

서비스주의 금융시스템도 공리에 기반하여 그 구조가 구축된다. 경제 발전의 주요 수단이면서, 경제 파국의 주요 원인도 될 수 있는 금융시스템은 정밀한 디자인이 요구된다. 서비스주의 금융시스템은 아래 [그림 4-10]과 같이 욕망 추구와 사회 조화라는 두 대립자의 화쟁태극모델로 표현할 수 있다.

26) Kim, Hyunsoo(2022g), '서비스주의 금융시스템 연구' 요약 인용

[그림 4-10] 서비스주의 금융시스템

　새로운 서비스주의 금융시스템의 기본 구조는 돈과 노력이 서
로 균형을 이루는 보상 구조다. 거시적인 금융시스템의 구조를 금
융철학, 보상구조, 화폐시스템, 금융인간 차원에서 제시한다. 우선
금융시스템의 저변에는 서비스주의 금융철학이 작동된다. 즉 아래
[그림 4-11]과 같이 금융을 통해 자유와 성장을 추구하려는 힘과
금융을 통해 평등과 사회 안정을 추구하려는 힘이 팽팽하게 균형
을 이루고 있는 금융철학이 금융시스템의 근간이다. 또한 서비스
주의 금융시스템은 획득 재화와 사회 기여가 균형을 이루는 보상
구조다. 사회 기여 정도에 따라 재화가 획득되고, 노력한 정도만큼
돈을 가질 수 있도록 하는 구조다. 불로소득이 최소화되는 구조인

것이고, 사회 기여가 있는 재화만을 사용할 수 있는 구조다. 노력이나 사회 기여가 없이 돈을 가질 수는 있지만, 그 돈을 사회에서 자유롭게 사용할 수는 없는 구조다. 그 돈을 자유롭게 사용하려면 추가적인 노력이나 사회 기여를 하거나, 또는 비(非) 필수 재화에 대해서만 제한적으로 사용할 수 있도록 하는 구조다. 이는 현재의 금융시스템과 매우 다른 구조로서 실제 구현에 상당한 어려움이 있을 수 있다. 하지만 금본위제를 포기한 화폐시스템의 문제로 인해 가상화폐가 등장하여 상당한 인정을 받고 있는 현재 상황을 볼 때 서비스주의 금융시스템은 근본적인 솔루션이 될 수 있다. 아래 [그림 4-12]와 같이 대칭균형모델로 표현할 수 있다.

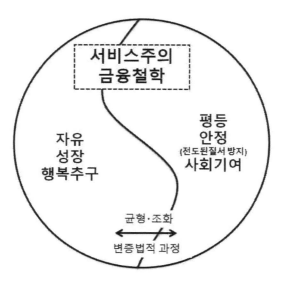

[그림 4-11] 서비스주의 금융철학

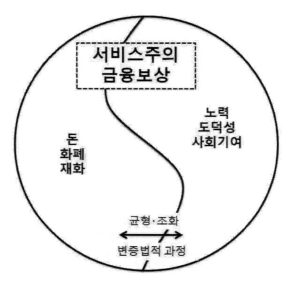

[그림 4-12] 서비스주의 금융보상

　서비스주의 금융시스템이 작동되는 사회는 노력과 사회기여가 중심 선(善)이 된다. 사회기여 노력은 노동과 창의적인 사업 등 다양한 방식으로 수행되며 도덕성 기반으로 평가되고 인정된다. 서비스철학에 의해 사회에 도덕성이 정립되어 있다. 예를 들어, 비록 범죄 행위는 아닐지라도 금융시스템의 맹점을 이용하여 과도한 초과이익을 얻는 행위는 도덕성 기준에 의해 화폐 획득으로 인정받지 못한다. 사회기여 노력에 상응하는 화폐 획득과 사용을 효과적으로 할 수 있는 시스템 운영을 위해 화폐 시스템 구조 변화도 필요하다. 즉 아래 [그림 4-13]과 같이 2차원 화폐시스템을 운용할 수 있다. 사회기여 활동에 의해 획득되는 1종 화폐, 기타 활동에 의해 획득되는 2종 화폐로 구분하여 운용할 수 있다. 자유롭게 사용가능한 화폐인 1종 화폐는 제약없이 모든 재화 구매에 사용할 수 있으며, 2종 화폐는 잉여화폐로서 필수 재화 구매 등에는 사용 제한이 있는 화폐다. 예를 들어 주택, 생필품 등의 필수 재화 구매에는 1종 재화만을 사용할 수 있다. 사회 기여 활동을 통해서 2종 화폐를 1종 화폐로 사회 기여량만큼 전환 가능하며, 2종 화폐는 애덤 스미스의 기대처럼 병원, 학교 등 공익 관련 투자에는 자유롭게 사용할 수 있다. 필수 재화의 범위는 각 사회의 상황에 따라 정의되며 경제사회 발전에 따라 주기적으로 조정된다.

[그림 4-13] 서비스주의 화폐시스템

또한 서비스주의의 금융인간은 서비스주의 금융철학을 구현할 수 있고 서비스주의 화폐시스템을 운용할 수 있는 인간이어야 한다. 서비스주의의 금융인간은 아래 [그림 4-14]와 같은 균형 대칭 모델로 표현할 수 있다. 금융 관련 업무에 종사하는 모든 인간은 그 권한과 지위에 상응하는 도덕성과 양심 수준을 가져야 한다. 중앙은행 의사결정자나 금융 관련 권력자는 매우 큰 권력이므로, 이러한 직무를 수행하는 사람은, 일반직 공무원에 비해 매우 높은 도덕성과 양심 기준을 통과해야 그 직무를 맡을 수 있다. 일반 시민도 금융에 관련되는 직무를 잠시 위임받아 수행하게 될 때는 평소보다 높은 도덕성과 양심 기준을 가지고 수행해야 한다.

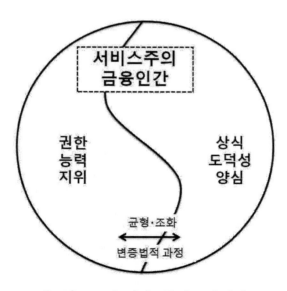

[그림 4-14] 서비스주의 금융인간

이러한 서비스주의 금융시스템 구조와 앞서 제시한 공리들을 기반으로 서비스주의 금융시스템의 운용모델을 아래에 제시한다.

서비스주의 금융시스템 운용모델

서비스주의 금융시스템은 두 대립자들의 상호 작용이 변증법적으로 전개되는 모델이다. 변증법적으로 금융시스템을 운영하는 과정은 나선형 정반합 사이클로 진행된다.

[그림 4-15] 서비스주의 금융시스템 운용모델

현대 경제사회에서는 두 대립자의 어느 한 쪽이 다른 한 쪽 보다 절대적으로 우세한 경우는 거의 없다. 외형적으로는 자유주의 금융이지만 내면의 평등주의가 받쳐주고 있는 리괘형 시스템이거나, 외형적으로 평등주의 금융이지만 내면은 자유주의가 중심을 잡고 있는 감괘형 금융시스템이 대다수이다. 1/4 분면과 3/4 분면은 자유주의 중심 금융에서 평등주의 중심 금융으로 전환되는 사이클이고, 2/4 분면과 4/4 분면은 그 반대 방향으로 이전되는 사이클이다. 실제로는 이와 같은 2차원 운용모델에 추가하여 시간 공간 인간이라는 3개의 차원을 더하여 5차원 서비스주의 금융시스템으로 운용된다. 서비스주의 금융시스템은 서비스철학이 구성원 전체에게 공유되고 있으므로 시공간상에서 계속 균형을 유지해가는 모델이다.

02 서비스 정치행정 및 법제도

대다수 현대 국가들은 대중 민주주의 시스템과 관료제 시스템을 정치행정의 기본시스템으로 채택하고 있다. 여기서 민주주의 시스템은 유권자 1인 1표 시스템을 의미하며, 주로 대의제 민주주의 시스템이다. 또한 자본주의 경제시스템의 기반 위에서 정치행정시스템이 운용된다. 민주주의와 자본주의가 결합되면 정치행정시스템의 문제가 더 복잡해질 수 있다. 물질 권력이 큰 힘을 가지는 기울어진 운동장이 되고, 대의 민주주의가 오래 진행될수록 대리인 집단이 권력 집단으로 형성될 가능성이 크다. 대리인(정치인과 관료) 집단에 의한 독재로 변형될 가능성이 있다. 대리인들의 정치적 지향이나 사상에 무관하게 대리인 집단 전체가 이익을 공유하며 유권자인 시민집단과 유리되고, 정치행정이 대리인 집단의 전유물이 되는 나선형 독재화 사이클로 진행될 가능성이 있다. 정치행정시스템이 본래 목적대로 시민을 위한 시스템으로 작동되도록 참여 비용을 줄여서 시민 참여를 늘리고, 시스템의 복잡도를 낮추고, 대리인들의 집단이기주의가 형성되지 않도록 시스템 개선이 필요하다. 최근 연구에서 현대 사회의 정치행정시스템을 분석한 후, 문제 해결 대안으로 두 대립자 간의 치열한 경쟁과 조화가 변증법적으로 전개되는 서비스주의 정치행정시스템을 제시하였다. 아래에서 그 결과를 결론을 중심으로 요약하여 제시한다.

서비스주의 정치행정시스템[27]

서비스주의 정치행정철학은 아래 [그림 4-16]과 같이 개인과 공동체라는 두 대립자 간의 화쟁태극모델로 표현할 수 있다. 두 대립자가 대립면을 공유하며 치열하게 경쟁하며 화합하고 있다.

[그림 4-16] 서비스주의 정치철학

또한 서비스주의의 정치행정인간 모델은 인간의 내면에 있는 대립되는 두 힘이 대립면을 공유하면서 시공간상에서 변증법적으로 균형을 이루고 있는 조화로운 정치행정인간이다. 인간의 본성

---

27) Kim, Hyunsoo (2021d), '서비스주의 정치행정시스템 구조와 운용 연구' 결과 요약 인용.

인 이기심을 발휘하면서 권력지향적으로 사고하고 행동하는 인간형과 또 하나의 내면의 본성인 이타심을 발휘하면서 타인을 포용하며 공동체의 이익을 위해 행동하는 인간형이 대립면을 공유하며 팽팽한 균형을 이루는 모델이다. 서비스철학에 의해 대립면에서 변증법적 사이클이 매우 짧고 빠르게 진행된다. 어느 한 인간 또는 어느 한 사회에서 하나의 힘이 보다 강하게 작용할 수 있다. 그러나, 서비스주의의 사상적 기반인 서비스철학에 의해 임계점 부근의 안정상태로 빠르게 회복된다. 시간이 경과하면서 사회적으로 내적 균형을 이룰 수 있는 힘이 점점 증대되는 모델이다. 이와 같은 서비스주의 정치행정인간형은 아래 [그림 4-17]과 같은 태극구조의 화쟁모델로 표현할 수 있다.

[그림 4-17] 서비스주의 정치행정인간

서비스주의의 정치행정방법은 직접참여비용 절감과 위임대리비용 절감의 힘이 대립면을 공유하면서 시공간상에서 변증법적으로 균형을 이루고 있는 조화모델이다. 직접 참여하면 많은 이슈에 개인의 의사가 개진되어 정치행정활동이 프락시스(prāxis: 실천)[28]가 되지만 생업에 종사하는 개인들에게는 큰 참여 비용이 발생한다. 한편 위임자에게 자신의 입장을 대리하게 하면 개인의 기회비용이 커진다. 대리인이 위임 받은 권한을 자신의 이기적인 목적에 활용할 가능성이 높기 때문이다. 서비스주의에 의해 두 힘이 대립면을 공유하며 팽팽한 균형을 이루어가며, 대립면에서 변증법적 사이클이 매우 짧고 빠르게 진행된다. 서비스주의의 철학적 기반에 의해 서로 자신의 입장에 문제가 있음을 인지하고 있어 반대편 대립자를 위한 포용 공간을 확보해 둔 시스템이므로, 균형상태로 빠르게 복귀할 수 있다. 이와 같은 서비스주의 정치행정 모델은 아래 [그림 4-18]과 같은 태극구조의 화쟁모델로 표현할 수 있다. 즉 위임대리비용이 커지면 직접참여를 늘려 위임대리비용을 줄이는 방향으로 시스템이 가동되고, 직접참여비용이 효과에 비하여 과도하게 커지면 위임대리시스템의 비중을 늘려 균형을 유지한다. 민주주의 시스템의 초기에는 직접참여 비용보다 직접참여 효과가 크므로 직접참여가 중심이 되고, 시스템이 안정화되면 대리인들이 양심과 전문성을 가지고 일정 역할을 대리하게 되므로 위

---

28) 그 자체가 목적인 행위는 프락시스(prāxis: 실천)이고, 그 목적이 행위와 다른 것을 포이에시스(poēsis: 제작(制作))라 함. 포이에시스가 시(poetry)의 어원임.

임대리가 중심이 된다. 현재 대다수 국가에서의 민주주의는 위임대리가 중심이다. 위임대리 상태가 오래 지속되면 정치행정 대리인(정치인과 관료)들이 이익을 공유하면서 일반 시민과 대립자가 된다. 즉 일반시민의 위임대리비용이 매우 커지는 것이다. 이 상황이 되면 균형을 회복하려는 힘이 작용하여 직접참여 비중을 늘리게 된다. 현재 대다수 국가들의 경우처럼 대리인 집단이 견고한 이익 공유 집단이 되면 일반시민들이 직접참여 비중을 늘리기 쉽지 않다. 대리인 집단이 자신들의 권한을 이용하여 일반 시민의 참여를 제한하기 때문이다. 하지만, 서비스주의시스템에서는 대립자들이 대립면을 공유하고 있으므로 참여 증대가 용이하다.

[그림 4-18] 서비스주의 정치참여 모델

서비스주의 정치행정시스템 운용모델

서비스주의 정치행정시스템은 두 대립자들의 상호 작용이 변증법적으로 진행되는 모델이다. 서로의 단점과 장점을 잘 인지하고 있어, 자신의 장점을 발휘하는 시간과 공간에서도 대립자의 장점을 수용할 수 있는 공간과 시간을 확보해 둔 모델이다. 개인의 자유를 강화하면서도 공동체를 위한 평등의 가치를 반영하고, 공동체를 존중하면서도 개인의 권리 존중이 살아있게 한다. 이기심과 권력지향성을 인정하면서도 이타심과 상생지향성이 발현되도록 한다. 직접참여비용이 과도하지 않도록 하되 위임대리비용이 크지 않도록 한다. 부족한 부분을 보완하는 힘을 더 강하게 작용시키며 항상 균형과 대칭을 향해서 힘이 작용한다. 이를 그림으로 도시하면 아래 [그림 4-19]와 같이 나선형 정반합 사이클로 표현할 수 있다. 즉 자유와 평등, 개인과 공동체, 이기심과 이타심, 권력지향성과 상생지향성, 직접참여와 위임대리, 직접참여비용과 위임대리비용 등의 대립자들이 어느 한 시점에서는 특정 대립자가 우세를 보인다. 시간이 경과하면서 이 대립자의 문제가 나타나고 심화된다. 이때부터 반대측 대립자의 힘이 커지면서 일정시간 경과후 반대측 대립자가 우세해지는 사이클로 진행된다. 다음 사이클을 진행할 때는 이전 사이클에서의 문제점을 개선하여 진행한다. 서로 치열한 경쟁상태에 있기 때문이다. 시간이 경과하면서 각대립자들의 문제들이 점점 개선되며, 대칭 균형 시스템으로 발전된다.

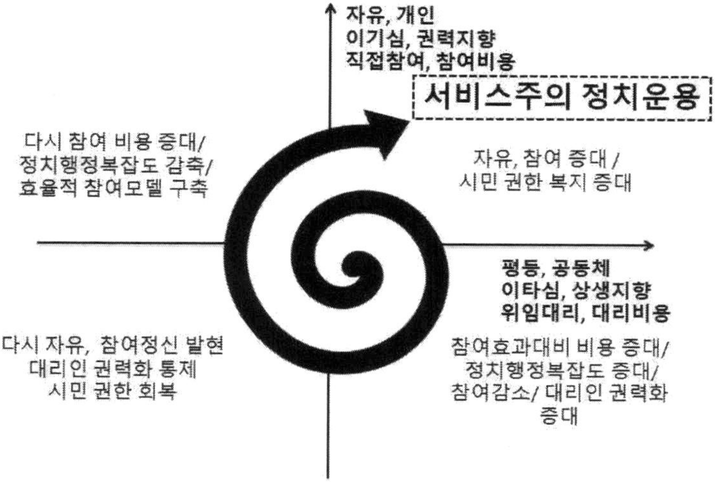
자유, 개인
이기심, 권력지향
직접참여, 참여비용
서비스주의 정치운용
다시 참여 비용 증대/
정치행정복잡도 감축/
효율적 참여모델 구축
자유, 참여 증대 /
시민 권한 복지 증대
평등, 공동체
이타심, 상생지향
위임대리, 대리비용
다시 자유, 참여정신 발현
대리인 권력화 통제
시민 권한 회복
참여효과대비 비용 증대/
정치행정복잡도 증대/
참여감소/ 대리인 권력화
증대

[그림 4-19] 서비스주의 정치운용 모델

이와 같은 2차원 운용모델에 추가하여 시간 공간 인간이라는 3개의 차원을 더하여 서비스주의 정치행정시스템 운용모델을 도시하면 아래 [그림 4-20]과 같이 표현할 수 있다. 아래 그림에서와 같이 서비스주의 정치행정시스템은 변화되는 시공간상에서 인간의 의지를 반영하며 변증법적 모델로 운용된다. 이 운용모델에서는 5개의 힘이 작용한다. 개인의 힘을 중심으로 하는 자유와 참여의 힘, 공동체의 힘을 중심으로 하는 평등과 위임의 힘, 시간의 힘, 공간의 힘, 인간 의지의 힘 등 5개의 힘이 변증법적으로 작용하는 모델이다. 앞의 [그림 4-19]에서 제시한 두 축의 나선형 발전 모델에, 3개의 축이 추가되어 복합된 변증법적 진행모델이 된다. 세상공통원리에 의하여 이 복합모델은 확대와 수축을 번갈아가며 진행한다. 즉 어느 한 방향으로 발전되다가 한계에 이르면 그 문제와 모순을 해결하는 반대 방향으로 선회한다. 반대 방향으로의 선회를 미리 예측하고 선회 비용을 최소화할 수 있는 운용모델이다. 예를 들어, 위임대리 비용이 과도하여 직접참여를 늘리려고 할 경우, 기득권을 가지고 있는 위임대리인 집단의 강한 반발 때문에 직접참여 증대가 봉쇄되는 것이 일반적인데, 서비스주의 시스템에서는 기득권 집단의 반발 수준을 시민이 통제할 수 있는 수준으로 항시 관리하는 시스템을 구축해 두는 모델이다.

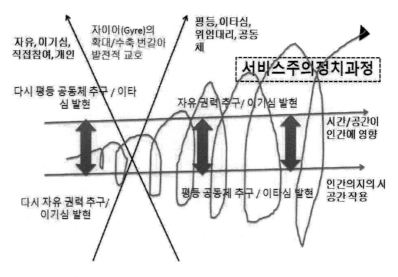

[그림 4-20] 시간 공간 인간 축 위에서의 서비스주의 정치과정

서비스주의 민주주의시스템29)

　서비스주의 민주주의 모델의 기본 구조는 공리에 기반하여 구축된다. 민주주의 국가의 주권자인 국민과, 주권자의 대리인인 공직자는 공리에 의해 한 인간으로서 모두 무한히 자신의 이기적인 목표를 성취하려는 방향으로 행동한다. 이 대립자들이 대립면을 공유하며 서로 치열하게 경쟁하면서 팽팽한 균형을 이루고 있는 모델이 서비스주의 민주주의 모델이다. 우선 아래 [그림 4-21]과 같이 서비스주의 민주주의시스템을 운영하는 모든 국민들의 인간 본성은 선과 악, 이성과 비이성이 팽팽한 균형을 이루고 있는 태극모델로 표현할 수 있다.

　선과 악, 이성과 비이성이 모든 국민과 모든 대리인, 즉 공직자에게 내재되어 있으므로 이 두 대립자를 동시에 고려하여 헌법과 법률을 제정하고 운용한다. 서비스주의 민주주의에서는 수평성과 조화성 기준에 의해 악과 비이성이 통제되도록 시스템이 설계된다. 덕성시스템에 의해 공직자 부패 수준이 일정 수준을 넘어서면 사회적 자기 정화가 시작되고 동시에 자동적으로 대립자적 법제도에 의해 악과 비이성 통제 강화가 시작된다. 인간의 이성성에 대한 과도한 기대를 통제하며, 인간의 비이성성이 적정 수준을 넘지 않도록 시스템으로 통제한다. 넷플릭스식 표현으로 비유하면 이성적이고 책임감 있는 인간은 소수이므로 시스템으로 통제한다.

---

29) Kim, Hyunsoo(2022h), '서비스주의 민주주의 모델 연구' 요약 인용

[그림 4-21] 서비스주의 인간본성관

또한 서비스주의 민주주의시스템에서는 아래 [그림 4-22]와 같이 모든 국민의 권리와 의무가 서로 균형을 이루고 있다. 자유권과 평등권 등 핵심 권리를 누리는 대가로 사회에 대한 책임과 이웃에 대한 배려, 공동체에 대한 의무를 모든 국민이 공평하게 부담한다. 예를 들어, 자유권을 많이 누리는 국민은 공동체에 대한 책임과 이웃에 대한 배려라는 의무를 더 크게 이행해야 한다. 평등권에 대해서도 마찬가지다. 따라서 과도한 자유나 과도한 평등권 주장이 자제되는 사회가 서비스주의 민주주의 사회다. 나의 자유와 타인의 자유, 나의 평등과 타인의 평등이 두 대립자로서 서로 팽팽한 균형을 이루고 있다. 대리인을 선출할 수 있는 선거권에 대해서도 동일한 구조가 적용된다. 자신이 대리인을 선출할 권리를 가지는 만큼, 자신이 선출한 대리인의 행위, 특히 대리인의 이기적 행동이나 악행에 대한 책임도 동시에 지게 된다. 그러므로 대리인을 선출할 때 매우 신중해지며, 최대한 이성을 발휘하여 올바른 선택을 하려고 노력하게 되고, 대리인이 정치행정을 하는 동안에도 이기적 행동이나 악행이 행해지지 않도록 지속적으로 감시하여 중단시키거나 소환하는 활동 의무를 부담한다. 서비스주의 민주주의시스템에서의 시민은 모두 자유와 평등의 크기만큼 책임과 의무를 부담한다.

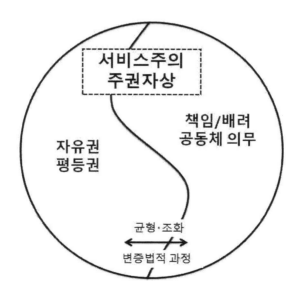

[그림 4-22] 권한과 의무가 균형을 이루는 서비스주의 주권자상

서비스주의 철학이 저변에 구축된 사회는 균형점 부근의 안정 상태로 빠르게 회복된다. 법치와 도덕치가 대립면을 공유하며 상호 자신의 한계점을 인지하고 문제를 보완하는 노력을 적극적으로 수행하는 태극모델이기 때문이다. 아래 [그림 4-23]과 같은 화쟁 태극모델로 표현할 수 있다.

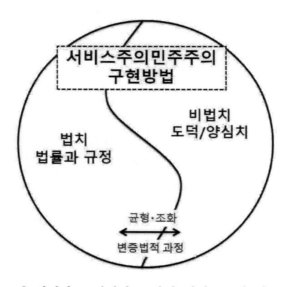

[그림 4-23] 법치와 도덕치가 조화된 서비스주의 민주주의 운용

서비스주의 민주주의 운영방법은 기존 민주주의의 개인 결정 다수결 모델과 달리 집단지성의 정의 공정 시스템을 병행하는 모델이다. 이해관계를 공유하는 다수가 담합하여 불의하게 소수를 약탈하거나 특정인을 파멸하게 할 수 있는 다수결시스템의 문제점

을 보완하는 것이다. 정의와 공정 시스템을 대립자로 운영하며 다수결이 정의와 공정에 위배되지 않도록 조정하는 제도다. 인간의 이기적인 본성이 사회시스템을 파괴하지 않도록 불확실성을 도입하는 것이다. 이러한 서비스주의 민주주의 운영방법의 구조는 아래 [그림 4-24]와 같은 화쟁태극모델로 표현할 수 있다.

[그림 4-24] 공동체와 개인이 조화된 서비스주의 민주주의 운영

이와 같은 서비스주의 민주주의는 그 사상적 토대로서 성악설과 성선설이 동등하게 큰 비중을 가지는 모델이며, 주권자와 대리인의 권리와 의무가 팽팽하게 균형을 이루고 있는 모델이며, 법치

와 도덕치가 병행되며 서로 보완하고 있는 모델이며, 개인에 의한 다수결 결정과 집단지성시스템에 의한 정의 공정 기준이 항시 동시에 가동되는 모델이다. 이러한 구조를 가지는 서비스 민주주의를 운용하는 방안을 아래에 제시한다.

민주주의 모델 운용방안

서비스주의 민주주의 모델은 새로운 유권자상과 새로운 대리인상(공직자 모델), 대리인 선출 및 통제 방식 등에서 현재 민주주의시스템과 크게 차별화된다.

먼저 주권자 모델이 달라진다. 현재 민주주의 시스템에서는 주권자 개인의 주관적인 판단에 대한 책임을 부과하지 않는다. 그래서 선거에서 비이성적이고 무책임한 판단도 자유롭게 할 수 있다. 자신의 결정이 잘못되어 공동체에 큰 해악을 끼쳤다 하더라도 본인이 직접적으로 책임을 지지는 않는 구조다. 공동체가 현재 개인들만의 소유가 아닌 미래세대와 공유하고 있는 영속적인 실체라는 점에서 현재의 주권자가 자신의 결정에 대해 책임을 지지 않는 구조는 문제가 더욱 큰 것이다. 서비스주의 민주주의 시스템은 개인이 의사결정할 때 개인의 이익과 공동체의 이익을 동시에 반영하고, 단기적 이익과 중장기적 이익, 즉 미래세대까지의 이익과 손해를 모두 반영하여 균형 잡힌 의사결정을 하도록 제도화하여 운영된다. 서비스주의 민주주의에서는 의사결정에 대한 책임을 부담하기 위해 유권자 자격을 덕성 기준에 의해 부여한다. 비이성적인 주권 행사의 결과로 공동체나 미래세대가 큰 피해를 입을 경우 이에 대한 책임을 유권자가 지도록 제도화하는 것이다. 직접 책임을 질 수 있는 유권자를 양성하기 위하여 의무교육에서 공동체 의사결정을 훈련시키며, 선거권 연령에 도달하면 평가를 거쳐 유권자 자격을 획득하게 되며 이후 정기적으로 검증한다.

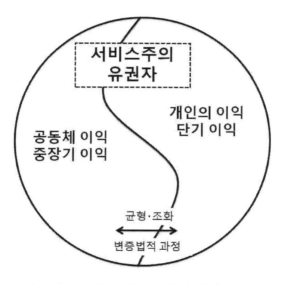

[그림 4-25] 서비스주의 유권자 모델

위 [그림 4-25]와 같이 서비스주의 민주주의 모델의 유권자는 공동체와 개인, 단기와 중장기 관점이 철저히 균형잡힌 시민을 의미하며, 자격을 갖추지 못한 유권자는 자격을 갖출 때까지 선거권이 제한되며, 유권자가 자신의 의사결정에 대해 지속적으로 책임을 지는 시스템이다.

서비스주의 민주주의 모델의 대리인(공직자)상도 현대 민주주의와 크게 차별화된다. 현대 민주주의 시스템에서는 범법자가 아닌 한 모든 국민이 일정 연령 이상이 되면 대리인(공직자) 자격을 획득하게 된다. 민주주의 시스템의 자유권과 평등권 보장 관점이 반영된 것이다. 그러나 서비스주의 민주주의 시스템에서는 아래 [그림 4-26]과 같이 대리할 대상이 가지는 권한 크기나 요구되는 능력 수준 만큼의 덕성 수준이 구비됨이 입증되어야 대리인 후보가 될 수 있다. 또한 이기심을 스스로 통제하고 공동체의 이익을 위해 행동할 수 있음을 보여줄 수 있어야 대리인 후보가 될 수 있다. 어느 한 개인이 가지는 덕성의 수준은 장기간의 그의 행동과 말과 관찰자의 평가와 집단지성의 평가를 통해 판단된다. 장기적으로 집단지성을 속일 수는 없으므로, 대리인 후보들은 항상 긴장을 늦추지 못하는 시스템인 것이다. 고대 그리스에서는 경제적 문제가 해결된 사람들만이 공동체 업무인 정치에 참여할 수 있었고, 아리스토텔레스도 살아가는데 필요한 노동에서 해방된 사람들만이 시민의 미덕을 가진다고 하였다.[30] 개인들은 입후보하려는 직위에 부여되는 권한의 크기만큼 능력과 덕성을 갖추기 위해 부단한 노력을 하게 되는 시스템이다.

---

30) Aristoteles(2020), 정치학

[그림 4-26] 서비스주의 대리인 요건

대리인 선출은 아래 [그림 4-27]과 같이 현행 선거 방식과 대리인 양성 스쿨내 경쟁 시스템을 동시에 활용한다. 대리인 양성 스쿨은 오랜 기간의 교육훈련을 수행하여 공직자 후보를 양성하는데, 장기 덕성 훈련 과정이라고 할 수 있다. 이 과정을 통과한 대리인 후보자들과 일반 후보자들이 덕성과 능력 경쟁을 치열하게 하는 시스템이다. 자유로운 현행 방식만으로는 충분한 수의 대리인 후보자가 확보되기도 어렵고(스스로 부단한 노력을 장기간 해야 하므로), 장기 덕성 훈련 통과자들만으로 후보를 제한할 경우는 평등권에 크게 위배되면서 담합을 할 가능성도 크기 때문이다. 치열한 경쟁을 통해서 최적 시스템이 유지되도록 하는 것이다.

[그림 4-27] 서비스주의 대리인 선출 방식 모델

　서비스주의 민주주의에서는 서비스철학에 의해 어느 한 쪽이 절대적으로 우세한 경우는 거의 없다. 대한민국 태극기를 사용하여 표현하면 공동체나 대리인이 절대 우위인 건괘(왼쪽 위의 3개 효 모두가 양(➖)효)인 경우는 거의 없고, 또한 개인이나 유권자가 절대 우위인 곤괘(오른쪽 아래의 3개 효 모두가 음(➖➖)효)인 경우도 거의 없다. 대다수의 경우가 리괘(왼쪽 아래에 있는 내부가 음효, 외부 2개가 양효)이거나, 감괘(오른쪽 위에 있는 내부가 양효, 외부 2개가 음효)인 경우다. 외형적으로는 대리인 우위이지만 내면의 유권자 중심이 받쳐주고 있는 리괘형 시스템이거나, 외형적으로 시민 유권자 중심이지만 내면은 대리인이 역할을 하는 감괘형 시스템이 번갈아가며 민주주의 운영 시스템으로 작동한다.

서비스주의 민주주의시스템은 인간의 한계를 극복하기 위해 집단지성으로서의 인공지능을 활용하여 구현된다. 빅데이터를 활용한 과거 기록을 모두 분석한 최적 판단, 자연의 상식과 정의 원리를 반영한 판단과 의사결정을 하는 인공지능시스템을 활용하여 아래와 같이 구현된다. 즉 다수에 의한 독재 등을 방지하기 위해 정의 기반 의사결정 시스템 등이 작동되는데, 과학과 이성에 의하여 시스템이 작동될 수 있도록 인공지능시스템을 활용하는 것이다.

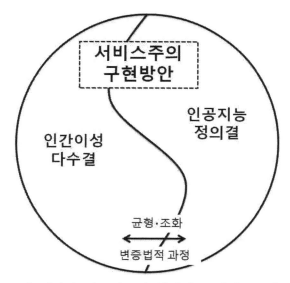

[그림 4-28] 인간과 인공지능이 협업하는 서비스주의 구현방안

요약하면, 서비스주의 민주주의시스템이 현재의 민주주의시스템과 크게 다른 점은 주권자의 책임 및 자격 규정과 국가사회의 덕

성 우위 문화다. 주권자의 자격을 인간 본성인 이기심과 비이성성을 반영하여 공동체에 대한 책임과 의무가 일정 수준 이상인 시민으로 규정한다. 또한 국가사회의 기층 문화로 덕성 우위 문화가 전제되는 시스템이다. 기존의 덕성 유사 개념으로 서구의 정확한 개인(The Punctual Self) 개념이나 벤저민 프랭클린의 절제, 진실, 정의, 중용, 청결, 평정, 겸손 등을 포함하는 13가지 자기규율 개념이나[31] 유교의 신독(慎獨) 개념이 있다. 서비스주의 민주주의에서의 덕성은 이들 기존 관련 요소를 상당 부분 반영하면서 공동체에 대한 책임 개념을 포함한다. 공동체에서의 주요 덕성은 자신의 이기심을 억제하고 공동체를 위해 먼저 자신을 희생하는 소양이다. 자신의 몸과 재산을 바쳐 공동체를 위해 희생할 수 있는 시민이 덕성 있는 시민이다. 고대 그리스에서 민주주의는 경제 문제가 해결된 사람들이 공적인 영역인 폴리스에서 공동체의 가치 증진과 행복을 위한 활동을 하는 서비스였고, 공동체를 위한 가장 큰 가치 있는 희생은 공동체를 위해 싸우다가 장렬히 전사하는 것이었으므로, 공동체를 위한 희생정신은 민주주의 정치시스템의 뿌리 문화라고 할 수 있다. 민주주의를 가장 잘 성공시킨 초기 미국은 개신교라는 종교가 민주주의 시스템과 결합되어 덕성 시스템을 자연스럽게 구현하였다.[32] 공동체를 위한 희생이 삶에서 높은 가치를 가지도록 종교가 역할을 한 것이다. 다양한 가치를 가진

---

31) Ham, Jaebong(2021), 정치란 무엇인가?
32) Ham, Jaebong(2020), 한국사람 만들기 III, 친미기독교파

여러 종교가 공존하고 있는 대다수 현대 국가에서는 종교가 덕성 시스템을 구현하기 어려우므로, 국가사회 차원의 별도 덕성시스템 구현과 운영이 필요하다.

의무교육에서 덕성시스템을 구현할 수 있다. 존경 욕구, 자아실현 욕구, 최고선(arete) 성취 욕구 등이 개인들의 중심 욕구가 되면 덕성 시스템 구현이 용이해진다. 덕성이 높아지는 것은 오랜 기간의 관행과 문화의 영향이므로 장기적인 제도 운영이 필요하다. 유권자 자격을 부여하는 덕성 평가는 인간에 의한 평가의 주관성을 보완하기 위해 인공지능에 의한 평가를 병행한다. 대리인 자격 획득도 동일한 시스템으로 병행한다. 이와 같은 덕성 중심 시스템은 서비스본질인 수평성에 충실한 시스템이며 현대 정신인 평등원리에 위배되지 않으면서 이소노미아(isonomia)[33] 구현을 가능하게 한다. 민주주의 시스템에서 덕성 수준을 특히 중시해야 하는 이유는 경제적으로 자본주의 시스템을 채택하는 한 자유의 속성상 경제적 불평등은 불가피하기 때문이다. 불평등이 심한 사회에서는 공동체 결속력이 약해지고 공동체의 이익을 우선하는 의사결정 가능성은 낮아지게 되므로 덕성 수준을 높여서 공동체의 이익을 위한 의사결정이 이루어지도록 유도해야 하는 것이다.

---

33) 이소노미아(isonomia)는 고대 그리스에서 최초로 시작된 본래의 민주주의 모델임. 경제적으로 여유 있는 가장들이 자유인이 되어 공동체인 폴리스로 나와서 각자 모두가 동등한(isos) 자격으로 함께 공동체를 운영(nomia)하는 제도임. 가정경제 문제를 스스로 해결한 자유인들이, 정직성과 용기 헌신 희생 성실성을 가지고 스스로 자율적으로 자신들을 통치하는 법률을 정하고, 그 법률을 자신들이 스스로 지키는 시스템이 이소노미아임.

대리인 시스템도 덕성시스템 기반 위에서 구현된다. 대리인이 자기 희생을 통해서 공동체에 봉사하는 것을 영광으로 생각하는 덕성 문화가 기반이 되어 있기 때문에 새로운 대리인 구조 구축이 가능하다. 과거 로마에서는 시민이라야 군인이 될 수 있었고, 전투 도구는 사비로 본인이 구매해서 전쟁에 참여해야 하고, 전쟁에 나가서 죽을 수 있음에도 로마 시민이 되는 것을 명예롭게 생각하였듯이, 국가 사회 운영시스템을 개선하면 책임 있는 대리인 시스템 구축이 가능할 수 있다.

또한 서비스주의의 대칭균형모델을 모든 부문에 구현한다. 이기심 중심 자본주의 시스템과 대립자인 희생과 배려가 있는 덕성 시스템이 팽팽하게 균형을 이루도록 한다. 선출직 대리인의 의무(자격)는 각 직위의 권한에 상응하는 수준의 희생이다. 이해충돌 방지 수준을 크게 넘어서서, 자신의 재산과 생명의 희생이 직무 권한에 상응하는 수준으로 요구되는 것을 제도적으로 수용하는 것이다. 서비스주의를 반영하면 대립면을 공유하면서 경제와 정치를 분리할 수 있다. 자신이 현재 가진 것 이상의 경제적 이득을 취할 의사가 없을 뿐 아니라, 공동체의 이익을 위해서는 자신이 가진 것을 희생하는 것이 당연하다고 생각하는 사람들이 대리인 후보가 되기 때문이다. 자본의 힘에 영향을 거의 받지 않을 수 있는 수준의 덕성을 갖춘 사람들이 대리인 후보가 되고, 그런 사람들 중에서 공동체의 이익을 더 우선하는 사람들이 대리인으로 선출되어 공동체를 위한 자신의 직무를 수행하기 때문이다.

서비스주의 법제도시스템34)

인류사회 전체의 법제도시스템 운영 역사를 그림으로 도시하면 아래 [그림 4-29]와 같은 법치와 비법치, 규정제도치와 도덕양심치, 성문법과 불문법 등으로 표현할 수 있는 두 대립자 모델로 운영되어 왔다고 할 수 있다.

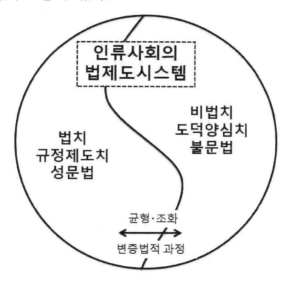

[그림 4-29] 인류사회의 법제도 운용 역사

즉 인류사회는 고대 스파르타와 같은 불문법에 의한 사회, 또 현대 대다수 국가와 같은 성문법에 의한 사회, 그리고 엄격한 법

---

34) Kim, Hyunsoo(2021a), '서비스주의 법제도 구조와 운용 연구' 요약 인용

에 의해 통치되는 사회와 도덕과 양심에 의해 유지되는 사회 등을 모두 경험하였다. 전반적으로는 성문 법률에 의한 국가 경영을 강화하는 방향으로 발전되어 왔다고 할 수 있다. 법철학의 경우 리쿠르고스시대의 고대 스파르타처럼 보다 평등한 사회를 지향하는 목표를 가진 법제도와 누마 시대의 고대 로마처럼 보다 자유로운 사회를 지향하는 법제도를 모두 경험하였다. 현대사회의 법제도시스템은 성문법에 의한 법치를 매우 강조하고 있다. 따라서 도덕과 양심에 의한 비법치는 상대적으로 약화된 상황이다. 이를 그림으로 표현하면 현대사회는 아래 [그림 4-30]과 같은 법치에 기울어진 운동장으로 표현된다. 이러한 기울어진 운동장 상황으로 인해 '유전무죄 무전유죄, 유권무죄 무권유죄' 등으로 회자되는 불공정과 불의가 심화되고 있다. 즉 돈이 많은 사람은 유능한 법률대리인의 도움을 받아서 자신에게 유리한 법 논리를 만들어서 무죄를 받거나 가벼운 처벌로 감경받기 쉬운 시스템이고, 돈이 없는 사람은 그러한 도움을 받기 어렵기 때문에 동일한 범법 행위에 대해서도 처벌을 크게 받을 수 있는 시스템이다. 또한 법률 조항들의 불완전성으로 인해 그 해석이나 판단이 모호할 수 있어, 권력이 있으면 자신에게 유리한 해석이나 판단을 법집행자가 하도록 압력을 가할 수 있는 시스템이다. 모든 사회 이슈를 성문법률화하기도 어렵고, 일부 성문화된 법률마저도 제정하는 인간의 본질적인 한계로 인해 그 허점이 많을 수 밖에 없고, 또 법을 집행하는 인간들의 이기심이나 편견을 통제하기 어렵기 때문에 법치로 기울어진 법제도 운동장은 불공정이 심화될 가능성이 크다.

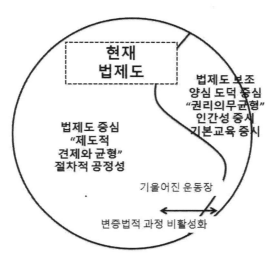

[그림 4-30] 현재의 법제도 모델

즉 성문화된 법제도에 의해 국가를 운영하면서 사회 정의를 구현하려는 사회는 점점 더 많은 문제에 봉착할 가능성이 크다. 이러한 문제를 해결하기 위해 도덕치를 크게 강화하면서, 인류 공통 원리와 서비스철학에 의한 새로운 법제도시스템을 3차원 모델로 아래와 같이 구축하는 것이 개선안이 될 수 있다.

양형 f(x) = ax + b
(x: 범죄 크기, a : 권한 비례 균형계수)

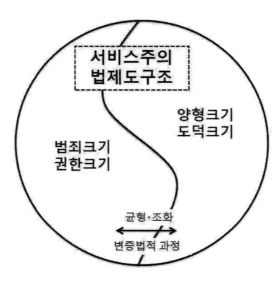

[그림 4-31] 서비스주의 법제도 구조 모델

법률을 위반하는 범죄 행위와 동일한 방식으로 도덕성 및 양심 의무 위반에 대해서도 법범자와 동일하게 비례 균형계수를 활용하는 시스템이 새로운 법제도시스템이다. 도덕성·양심 의무 수준도 유사하게 수리적으로 모델링된다. 즉 각 사안마다 그 사회적 중요성이 다를 수 있으므로, 그 중요성에 비례하여 도덕성 의무를 부과한다. 따라서 위 [그림 4-31]과 같이 대칭 균형 모델로 서비스주의 법제도 구조는 표현될 수 있다.

도덕성 의무 $g(y) = cy + d$
(y: 사안의 중요성, c : 도덕성 비례균형계수)

서비스주의 법제도 운용모델

시간 및 공간과 인간의 의지가 개입되며 법제도시스템은 계속 진화하고 변화한다. 인류공통원리에 의해 현재의 문제점과 부족한 점을 지속적으로 개선하며 변증법적으로 진화한다. 이러한 새로운 변증법적 법제도시스템 운용모델을 그림으로 도시하면 아래 [그림 4-32]와 같다. 법치 중심에서 시작하든 도덕치 중심에서 시작하든 시간이 경과하면서 그 문제점이 드러나고 심화되므로, 아래 그림 과 같이 대립시스템으로 계속 전환되면서 발전해간다.

[그림 4-32] 서비스주의 법제도 운용모델

현대사회의 법제도시스템은 대다수 국가에서 대립자인 법치와 도덕치, 권력자와 시민 중 법치와 권력자가 우세한 1/4분면에 있다고 할 수 있다. 그러나 어느 한 쪽이 절대적으로 우세한 경우는 거의 없다. 대한민국 태극기를 사용하여 상황을 표현하면 법치와 권력자가 절대 우위인 건괘(왼쪽 위의 3개 효 모두가 양(一)효)인 경우는 거의 없고, 또한 도덕치와 시민이 절대 우위인 곤괘(오른쪽 아래의 3개 효 모두가 음(⁃⁃)효)인 경우도 거의 없다. 대다수의 경우가 리괘(왼쪽 아래에 있는 내부가 음효, 외부 2개가 양효)이거나, 감괘(오른쪽 위에 있는 내부가 양효, 외부 2개가 음효)인 경우다. 외형적으로는 법치와 권력자 중심이지만 내면의 도덕치와 시민이 받쳐주고 있는 리괘형 시스템이거나, 외형적으로 도덕치와 시민이 중심이지만 내면은 법치와 권력자가 힘을 가지고 있는 감괘형 시스템이 대다수다. 새로운 법제도시스템은 시공간상에서 계속 균형을 유지해가는 모델인데 인간의 의지가 개입되며 균형에서 일탈하거나 균형을 회복해가는 모델이다.

　서비스주의 법제도시스템은 시스템의 복잡성과 인간의 한계로 인하여 불확실성을 인정해야 한다. 인간의 이성만으로는 100% 최적 솔루션을 찾아내기 어려움을 인정할 필요가 있다. 따라서 불확실성이 가미된 인공지능 시스템을 도입하여 운영하는 방안이 대안이 될 수 있다. 서비스주의 법제도시스템의 대립면인 권력자와 시민 간의 힘의 균형 정도, 법치와 도덕치의 균형 정도, 법제정 및 운용자와 피운용자 간의 힘의 균형 정도 등을 인공지능이 계산하여 시스템 전환에 적용한다. 두 힘이 차이 나는 정도, 운동장이 기울어져 있는 정도를 판단하는 알고리즘을 내장시킨다. 운동장이 기울어진 정도가 미리 설정된 한계 수준을 넘어서면 자동적으로 시스템이 전환되도록 하는 것이다. 자연 대리자를 알고리즘으로 구현하여 시스템 전환에 사용한다. 법제도 제정 및 운용 작위성의 정도에 대한 판단도 인공지능시스템이 객관적 기준과 방법에 의해 수행하도록 하는 것이다. 특정 집단이 영향력을 행사할 수 없도록, 모든 알고리즘은 예측 불가능한 자연의 불확실성 원리를 따르도록 한다. 이 방식은 인간의 한계를 인정하고 인간이 법제도시스템 통제 권한을 자연과 공유하는 것이다. 아래 [그림 4-33]과 같이 자연의 의사결정원리를 반영한 알고리즘을 내장한 인공지능과 자유의지가 있는 인간이 법제도 시스템 전환에 대한 의사결정을 변증법적으로 공유하는 것이다. 자연원리를 대리하는 인공지능시스템은 불확실성과 대칭성 및 조화성 등의 자연원리가 구현된 시스템으로 설계된다. 시간과 공간차원에서 변증법적으로 자연원리가 구현되므로, 시간과 공간의 변화 개념도 반영하여 시스템이 설계된다. 이와 같이 인간이 자신의 한계를 인정하고 자연의 원리를 일정부분 수용할 때, 인간에게 가장 오래 지속가능한 법제도시스템이 구현될 수 있다. 왜냐하면 인간의 비이성성과 이기심을 인간 스스로 통제하기는 어려우므로, 스스로 한 걸음 물러서서 자연의 원리를 활용하여 인간의 근본적인 한계를 보완하는 것이 인간의 고차원 지혜이기 때문이다.

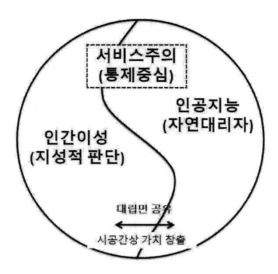

[그림 4-33] 인공지능과 인간이성이 협업하는 법제도시스템

03 서비스 사회 및 인간

서비스주의 사회시스템[35)

　현대 인간사회는 아래 [그림 4-34]와 같이 자연과 상생하려는 힘보다는 인간의 욕망 충족을 위해 자연을 지배하려는 힘이 강한 사회라고 할 수 있다. 근대 이후 과학문명의 발달로 자연의 원리를 이해하게 되면서 인간의 자연지배 힘이 커진 상황이다.

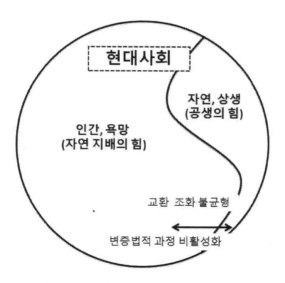

[그림 4-34] 인간 욕망이 우세한 현대사회

---

35) Kim, Hyunsoo(2021c), '서비스주의 사회교육시스템 연구' 요약 인용

위 그림과 같이 현대 사회는 인간의 욕망이 과도하게 발현되는 사회다. 자연을 개발하고 활용하며 인간의 욕망을 자유롭게 추구하는 사회라고 할 수 있다. 자연 환경 파괴에 대한 관심보다는, 자연을 개발하여 인간의 삶을 풍요롭게 하는 것이 좋다는 생각이 현대를 지배하고 있다. 따라서 자연이 위축되고 인간과 자연이 서로 상생할 수 있는 대칭 균형성이 깨진 기울어진 운동장이고 할 수 있다. 훼손되는 자연이 언제라도 인간에게 공격을 가할 수 있는 위험이 커지는 사회라고 볼 수 있다. 지구온난화로 인한 각종 재해를 비롯하여 여러 바이러스의 창궐로 인한 인류사회의 위험이 이 기울어진 운동장에 그 원인이 있다고 볼 수 있다. 또한 인류사회를 구성하는 정신적 힘과 물질 및 제도적 힘의 불균형이 큰 사회다. 인류 문명사를 통해 볼 때 정신의 힘이 인류 문명을 발달시켰다고 볼 수 있는데, 현재는 발달된 문명의 힘이 너무 강해져서 정신의 힘을 약화시키고 있다고 볼 수 있다. 아래 [그림 4-35]와 같이 경제 및 정치 행정 시스템이 인류의 정신 구조를 지배하고 있다고 볼 수 있다. 즉 문화산업이 개별 인간의 정신을 지배하고 있고, 정치행정시스템이 인간의 삶과 행동 방식을 제약하고 있다. 개인들이 스스로 노력해서 독자적 사상과 삶의 철학을 개발하고 자신의 고유한 인생을 향유할 시간이 점점 줄어들면서, 대중화된 사고 방식과 삶의 방식을 문화산업에 의해 강요당할 위험이 커진 상황이다. 자본의 힘이 자체 증식력을 발휘하여 개인의 정신과 사회의 정신을 조종할 수 있는 힘을 계속 키워가고 있는 상황이라고 할 수 있다. 또한 상위 0.1% 또는 0.01%의 인간에게 자본 집중이 더욱 심화되는 상황이라, 소수 거대 자본가의 악의적인 의도가 전체 인류사회를 파국으로 몰고 갈 위험까지 있는 상황이다.

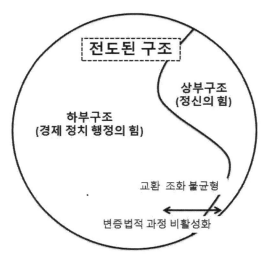

[그림 4-35] 하부구조가 우세한 현대사회

위와 같은 전도된 질서에 추가하여 아래 [그림 4-36]과 같이 개인과 집단 상호 간의 힘의 불균형도 더욱 심화되고 있다. 즉 1점 집중 극화의 심화로 인해 힘을 가진 집단 및 사람의 숫자가 점점 줄어들고 있다. 자본 및 권력과 명예가 소수 집단에 더욱 집중되고 있고, 그 소수 집단 간의 이익 공유 연대가 더욱 강해지고 있어, 여기에서 소외된 대다수 집단과 대중들은 힘을 점점 잃어가고 있는 상황이라고 할 수 있다. 사회이동성도 점점 낮아지고 있다. 소수의 개인들이 큰 계층이동을 하고 있고 여전히 기회의 문은 열려 있지만, '개천 용'의 비중은 점점 줄어들 수 있는 것으로 분석된다. 즉 개방된 자본주의와 대중 민주주의 덕분에 전 미국 대통령 버락 오바마의 사례처럼 큰 사회 계층이동 사례가 가끔 나타나고 있는 착시 효과로 인해 사회이동성이 높아진 듯이 보이지만, 구조적으로 사회이동성은 점점 낮아지고 힘의 불균형은 심화되고 있다고 볼 수 있다.

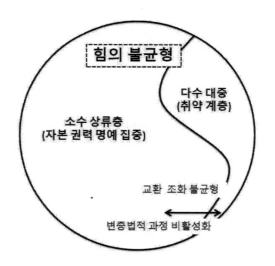

[그림 4-36] 소수가 큰 힘을 가진 힘의 불균형 사회

또한 교통과 인터넷 등 과학기술의 발달과 인간의 감성 욕구 충족 산업의 발달로 인해 인간의 생활방식도 감성과 이성 간의

불균형이 심화되고, 적정 조화 수준을 벗어나 있다고 분석된다. 즉 아래 [그림 4-37]과 같이 감성 중심의 디오니소스적 힘이 더 강한 사회라고 할 수 있다.

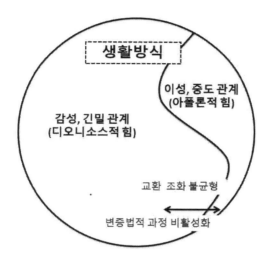

[그림 4-37] 디오니소스적 힘이 강한 현대 생활방식

현대 사회에서 인류의 생활방식은 과학기술과 정보통신의 발달로 매우 크게 변화하고 있다. 과거의 아폴론적 삶의 방식, 즉 이성 중심적이면서 적절한 사회적 거리를 유지하는 아폴론적 삶의 방식에서, 감성 중심적이고 긴밀한 관계를 많이 형성하는 디오니소스적 삶의 방식으로 크게 변화하였다. 온라인과 오프라인 모두에서 변화하였다. 인터넷과 소프트웨어산업의 발달로 전 세계가

온라인상에서 하나로 연결되어 긴밀한 관계를 맺으면서 감성 중심 삶이 강화되었으며, 교통통신의 발달로 전세계가 오프라인에서도 하나의 세계로서 관계성이 강화된 것이다. 관계성 강화와 함께 감성 중심 사회로의 변화가 촉진되었다.

또한 교육시스템이 자본주의의 발전을 위한 교육시스템으로 변화하면서 사회의 위험도를 더욱 높이고 있다. 현재의 교육시스템은 자본주의의 성장을 위한 지식과 기술 교육에 치중하고 있다고 볼 수 있다. 대학 교육도 크게 변화하였다. 고대 이후 근대까지 종합적 지성인을 양성하던 대학 교육이, 자본주의 성숙 이후 교육은 자본주의 사회에서 유용한 역량을 갖춘 개별 지식인을 양성하는 교육으로 변화되었다. 학문의 분야가 철학이라는 1개 분야 중심에서 지난 100 - 200년간 수백개 이상의 전문 학문 분야로 세분화되었다. 따라서 대학교육은 종합 지성인을 양성하는 교육에서 멀어지고, 자본주의 사회에서 생산성을 증대할 수 있는 지식을 갖춘 기능인을 양성하는 교육으로 변화된 것이다. 일부 대학이 과거와 같이 지성인 양성 교육을 하고 있지만, 매우 소수의 대학들일 뿐이고, 이들 대학의 졸업생들마저도 졸업후 기능인이 되기 위해 법대나 의대 등의 기술 지식 교육과정으로 진학하는 경우가 많은 것이 현실이다. 좋은 대학을 졸업해야 자본주의 사회에서 자신들이 원하는 삶을 영위할 가능성이 높아졌기 때문에, 인류의 삶에서 대학의 위상이 더욱 높아지고 비중이 커졌다. 중등교육도 대학 입학을 위한 준비과정으로 전락되었다고 볼 수도 있다. 학생들은 자신들이 원하는 대학에 입학하기 위해 중등교육과정을 이수하고 있다고도 할 수 있다. 따라서 중등교육과정에서 사회적 도덕성을 함양하는 교육을 하기 어려운 상황까지 된 것이다. 초등학교 교육과 유아교육도 마찬가지로 자본주의 시스템에서 성공적인 삶을 살기 위해 유리한 방향으로 교육이 진행되고 있다고 할 수 있다. 물론 문화권마다 또는 국가마다 상황이 조금씩 다르기는 하다. 대학입학을 제도적으로 제한하는 국가에서는(독일 등 유럽) 중등교육에서 기술교육을 하여 사회로 진출시키며, 사회 연대를 강화하기 위해 공통 사상과 도덕성 교육을 강화하기도 한다. 그러나 이러한 통제시스템은 현대 정신인 자유와 평등이라는 가치에 부합하지 않는 것이어서 그 미래는 불확실하다고 할 수 있다.

이와 같은 전반적인 분석에 의해 현대 사회의 교육시스템은 아래 [그림 4-38]과 같이 지식 기술 교육으로 기울어진 운동장으로 표현할 수 있다. 즉 사회에서 개인의 생존력을 강화할 수 있는 기술과 지식 교육에 치중하고 있고, 사회 공동체의 삶을 유지할 수 있는 인성과 지성 교육에는 소홀한 것이 현대 교육시스템이라고 할 수 있다. 개인과 교육기관에게 자유가 크게 주어진 상황이므로 이는 자연스러운 결과라고 할 수 있다. 따라서 현재의 교육시스템은 사회를 유지할 수 있는 도덕성을 갖춘 건전한 인간이나 사회를 안정적으로 이끌어갈 수 있는 역량 있는 지성인을 양성하지 못하고 있기 때문에 사회의 불안정성이 더욱 높아지고 위기를 맞을 가능성이 높아지고 있다.

[그림 4-38] 지식과 기술 교육으로 기울어진 교육시스템

이러한 여러 차원의 기울어진 운동장 구조가 현대 사회에 큰 위협이 되고 있다. 첫째 자연재해와 바이러스 및 전염병 등에 취약해진 인류사회가 되었다. 언제 큰 위험이 닥칠지 모르는 높은 위기사회가 되었다. 인류가 큰 시련을 겪게 되거나 멸망할 위험이 과거보다 높아졌다고 할 수 있다.

둘째, 사회 불안정성이 높아지고 사회적 연대가 약화되고 있다. 사회 계층화가 심화되면서 사회적 연대의식이 약해지고 있다. 공동체의 가치가 붕괴되고 있고 개인 중심 문화가 강화되고 있다. 성숙된 개인들의 비중이 줄어들고 있다. 소수 집단의 잘못된 결정에 의해 사회가 파국으로 치달을 위험이 커졌다고 할 수 있다. 또한 사회적 힘에서 소외된 다수 대중들이 공동체를 버리고 이탈할 가능성도 높아졌다고 볼 수 있다.

셋째, 개인의 행복도가 낮아지고 있다. 말초적 만족감에 익숙해진 개인들은 진정한 삶의 행복과 멀어지고 있다. 계층이동을 못하는 좌절감도 커지고 사회 불평등에 대한 불만도 커져서 행복도가 낮아지고 있다. 1점 집중 극화로 인해 사회에서 실패했다고 인식되는 개인들의 숫자가 점점 많아지고 있다. 이는 사회의 지속가능성에 큰 위협이 되고 있다.

넷째, 교육시스템이 이러한 문제점을 개선하는 방향으로 가동되기보다는 문제를 더욱 심화시키는 방향으로 운영되고 있기 때문에, 현재 인류사회의 문제는 향후에 더욱 심화될 가능성이 크다. 후속세대들이 건전한 상식으로 사회 문제들을 개선하는 방향으로 운영할 수 있을 가능성이 낮은 것이다. 물리학의 엔트로피 증가 법칙이 현대 사회시스템에도 적용되어 사회의 무질서도와 위험도가 계속 증가되는 방향으로 진행될 가능성이 큰 상황이다.

서비스주의는 대칭균형성이 중심인 모델이다. 세상엔 공짜가 없다는 상식대로 직불제 중심 시스템이다. 즉 적정 대가를 즉시 지불하고 혜택을 획득하는 시스템이다. 자유의 대가, 평등의 대가, 민주주의의 대가, 편리의 대가, 효율의 대가, 연결의 대가, 성장의 대가, 행운과 불운의 대가 등을 직불하는 것이 서비스주의의 원칙이다. 그러나, 대가 산정이 불가능하여 직불할 수 없는 경우도 있다. 이런 경우에는 후불을 병행한다. 대가가 거의 없는 것으로 생각되어 지불하지 않고 지내다가, 나중에 대가를 확인하고 지불하는 후불제도 있고, 대가가 작은 것으로 판단되어 지불한 후, 나중에 대가가 큰 것으로 확인되어 추가로 후불하는 경우를 포함한다. 반대의 경우도 있을 것이다. 큰 금액을 직불하였는데, 나중에 대가가 작아 환불을 요구해야 할 때도 있을 것이다. 이 경우는 소급하여 환불가능하도록 하는 시스템이다.

서비스주의 사회시스템 구조

서비스주의 사회시스템은 서비스철학에 기반하여 그 구조가 구축된다. 두 대립자들 간의 철저한 대칭 균형성이 기반이 되며, 두 대립자들이 서로 대립면을 공유하며 치열하게 경쟁하며 상호 윈윈하는 모델이다. 두 힘이 임계점 부근에서 조화롭게 균형을 이루게 되는데, 이 과정이 시공간상에서 변증법적으로 진행된다. 50:50의 철저한 균형 상태를 유지하기는 어려우므로 시소처럼 오르내리며 균형을 잡아가는 동태적 태극 모델이다. 대립자 각각이 자신의 입장에 문제와 모순이 내포되어 있음을 알고 있다. 따라서 반대쪽 입장과의 조화를 추구하는 모델이다. 결론적으로 서비스주의는 화쟁(和諍) 모델이다. 두 대립자가 서로 동전의 앞뒷면처럼 하나의 서로 다른 측면임을 인지하고 상호 화합과 발전을 위한 과정에서 화(和)와 쟁(諍)을 번갈아 사용하는 모델이다.

사회에서는 개인도 중요하고 공동체도 중요하다. 개인의 자유도 중요하고, 공동체를 지속적으로 유지하기 위한 규범의 준수도 중요하다. 즉 아래 [그림 4-39]와 같이 두 개의 대립자가 대립면을 공유하며 팽팽한 균형을 이루고 있는 것이 서비스주의 사회철학이다. 사회유지를 위한 규범을 준수하는 범위 내에서의 개인의 자유 보장이고, 개인의 자유가 보장되는 범위 내에서의 공동체 유지를 위한 개인에 대한 규범 부과인 것이다.

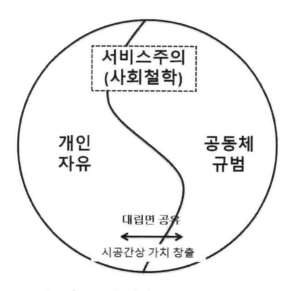

[그림 4-39] 서비스주의 사회철학

한편 서비스주의의 사회인간은 이성과 비이성이 혼재되어 있는 인간형이다. 질서와 무질서, 이기적 속성과 이타적 속성이 한 인간 내에 혼재되어 있는 모델이다. 인간은 적절한 통제가 없으면 이기심이 과도하게 발현되는 존재이고, 적절한 질서유지 통제가 없으면 무질서할 수 있는 존재이고, 비이성에 대한 적절한 통제가 없으면, 이성적 행동을 하기 어려운 존재라는 것이 서비스주의 사회인간의 모델인 것이다.

이러한 사회인간에 대한 통제노력의 수준을 낮추는데 교육시스템이 기여할 수 있으며, 종교 등의 정신시스템도 통제활동에 기여할 수 있다. 이와 같은 서비스주의 사회인간형은 아래 [그림 4-40]과 같은 화쟁태극모델로 표현할 수 있다. 사회 질서를 강조하는 만큼, 인간의 자유를 위한 무질서도 허용하는 시스템이다.

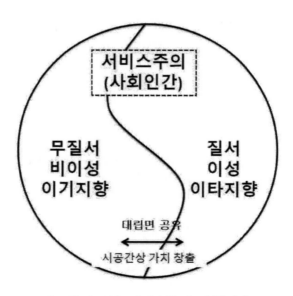

[그림 4-40] 서비스주의 사회인간

또한 서비스주의 사회발전모델은 진취성과 보수성이 균형을 이룬 모델이다. 적극적으로 문명의 발전을 추구하며 인류 생활의 편리함과 효율성을 추구하는 힘과 현재 상태를 유지하면서 조심스럽게 다음 상태를 생각하는 보수적인 힘이 균형을 이룬 모델이다. 전자는 과학기술 발전을 추구하고 개발된 과학기술을 적극적으로 활용하며 성장과 편리성 증대를 추진하는 힘이다. 후자는 과학기술 활용으로 인한 사회적 부작용이나 환경 파괴 위험을 인지하고 신중하게 추진하려는 힘이다. 서비스주의 사회발전 모델은 이 두 힘이 시공간상에서 치열하게 경쟁하며 변증법적으로 균형을 이루고 있는 아래 [그림 4-41]과 같은 모델이다.

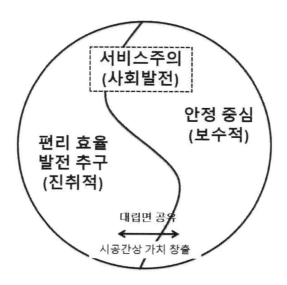

[그림 4-41] 서비스주의 사회발전 모델

서비스주의 사회통제시스템은 개인의 자유를 존중하는 방임형 후불제 시스템과 공동체의 유지를 중시하는 통제형 선불제 시스템이 균형을 이룬 모델이다. 후불제 시스템은 사회 및 기술 혁신을 촉진하는 장점이 있는 반면 그 부작용에 대한 대가를 나중에 크게 치루어야 하는 시스템이다. 선불제 시스템은 공동체 유지 입장에서 통제를 선행하므로 혁신은 촉진되기 어렵지만 추후에 발생할 부작용은 최소화되는 시스템이다. 공동체 유지를 위해 혁신과 발전이라는 기회비용을 미리 지불한 것이므로 선불제 시스템이라고 명명한다. 서비스주의 사회통제시스템 모델은 이 두 힘이 서로 치열하게 경쟁하면서 변증법적으로 균형을 이루고 있는 아래 [그림 4-42]와 같은 태극 모델로 표현할 수 있다.

[그림 4-42] 균형을 이룬 서비스주의 사회통제시스템

결론적으로 서비스주의 사회시스템은 직불제와 후불제를 병행하는 시스템이다. 과학기술의 활용이나 산업과 경제의 발전을 위해서는 후불제가 유리할 수 있다. 그러나 과도한 후불제는 추후에 너무 큰 대가를 지불할 수 있다. 심지어 인류사회 전체의 파멸이라는 대가를 지불해야 할 수도 있다. 직불제는 당장의 이익에 민감한 많은 사회 구성원들의 동의를 얻기 쉽지 않으므로 후불제의 대립자가 된다. 대가를 계산하기 어려운 경우에는 후불제를 사용할 수 있다. 서비스주의 사회시스템은 이와 같이 후불제와 직불제가 각각 필요한 순간에 적절하게 적용되는 시스템이며, 아래 [그림 4-43]과 같은 시공간 태극 모델로 표현할 수 있다.

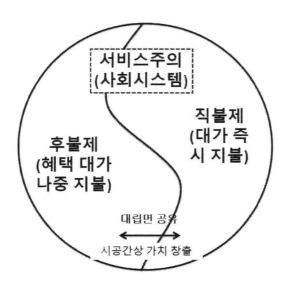

[그림 4-43] 후불제와 직불제가 균형을 이룬 사회시스템

서비스주의 사회시스템 운용모델

　서비스주의 사회시스템은 앞서 제시한 두 대립자들의 상호 작용이 시공간상에서 변증법적으로 진행되는 모델이다. 즉 개인의 자유를 존중하며 이기심이 추구되는 것을 방임하면서 무질서도가 일정 수준 이상으로 높아지면 공동체를 위한 통제를 강하게 하여 질서를 회복하게 되는 모델이다. 한편 통제가 강하게 오래 지속되면 질서는 유지되지만 개인의 자유가 제한되어 피로도가 높아진다. 이 시점에서 적정 수준의 자유 방임 모드로 전환할 수 있는 힘이 있는 모델이다. 무질서 및 자유와 통제가 서로 과도해지지 않도록 대립하면서 보완하는 힘을 발휘한다. 항상 균형을 회복하려는 힘과 대칭을 유지하려는 힘이 작용한다. 이를 그림으로 도시하면 아래 [그림 4-44]와 같다. 현대 사회시스템에서는 두 대립자인 개인과 공동체, 직불제와 후불제 중의 어느 한 쪽이 절대적으로 우세한 경우는 거의 없다. 개인이나 후불제가 우세한 사회에서도 공동체의 통제와 직불제시스템이 저변에서 작동되고 있어야 사회가 유지된다. 공동체의 통제와 직불제가 우세한 사회에서도 후불제시스템과 개인의 자유가 일정 수준으로 보장되어야 사회가 활성화된다. 1/4 분면과 3/4 분면은 개인의 자유 확대와 후불제시스템 중심에서 시간의 경과에 따라 공동체의 통제와 직불제시스템 중심으로 전환되는 사이클이고, 2/4 분면과 4/4 분면은 그 반대 방향으로 시간이 경과하면서 전환되는 사이클이다.

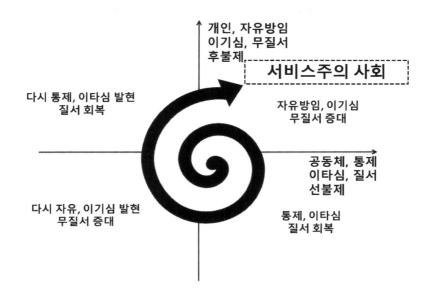

개인, 자유방임
이기심, 무질서
후불제

서비스주의 사회

다시 통제, 이타심 발현
질서 회복

자유방임, 이기심
무질서 증대

공동체, 통제
이타심, 질서
선불제

다시 자유, 이기심 발현
무질서 증대

통제, 이타심
질서 회복

[그림 4-44] 서비스주의 사회시스템 운용모델

시간 공간 인간이라는 3개의 차원을 더하여 서비스주의 사회시스템 운용모델을 도식화하면 아래 [그림 4-45]와 같다. 즉 서비스주의 사회시스템은 변화되는 시공간상에서 인간의 의지를 반영하며 변증법적 모델로 운용된다. 이 운용모델에서는 5개의 힘이 작용한다. 개인의 자유와 후불제시스템을 선호하는 힘, 공동체의 통제와 직불제시스템을 선호하는 힘, 시간 축의 힘, 공간 축의 힘, 인간의지 축의 힘 등 5개의 힘이 변증법적으로 작용하는 모델이다. 세상공통원리에 의하여 이 5차원모델은 확대와 수축을 번갈아가며 진행한다. 즉 어느 한 방향으로 진행되다가 문제가 심화되어 한계에 이르면 그 문제와 모순을 해결하는 반대방향으로 선회한다. 서비스주의의 기반 철학에 의해 반대 방향으로의 전환을 미리 예측하고 전환 비용을 최소화할 수 있는 운용모델이다.

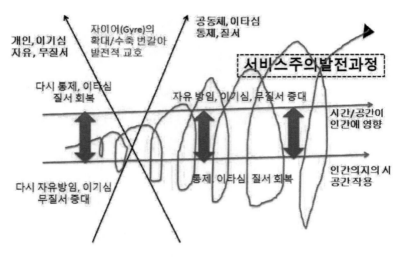

[그림 4-45] 서비스주의 사회시스템 발전과정

앞서 제시된 바와 같이, 이 5차원 모델은 확정적인 해답을 가지고 운용할 수는 없다. 따라서 일부 불확실성을 내포한 근사한 솔루션이 대안이 될 수 있다. 인간이 자신의 한계를 인정하고 적정 수준으로 자연의 원리를 수용할 때, 지속가능한 사회시스템이 구현될 수 있다. 인간의 비이성성과 이기심을 통제할 수 있을 때 인류사회가 지속가능할 수 있기 때문이다.

서비스주의 인간 및 교육시스템36)

서비스주의 인간 및 교육시스템은 아래 [그림 4-46]과 같이 태극모델로 표현할 수 있다. 성선론과 성악론, 이상론과 현실론 등의 대립자가 서로 대립면을 공유하며 치열하게 경쟁하되 자신의 한계와 문제를 인지하고 있으며, 대립자가 자신의 문제를 해결할 수 있음을 알고 있어, 상대를 인정하며 조화를 추구하는 모델이다.

[그림 4-46] 두 대립자들이 균형을 이룬 서비스주의 인간 및 교육시스템

---

36) Kim, Hyunsoo(2022c), '서비스주의 인간 및 교육 연구' 요약 인용

서비스주의 인간에 대한 정의는 아래와 같다. 서비스주의 시스템에서는 아래 [그림 4-47]과 같이 자유와 훈육이라는 두 대립자가 변증법적 과정에 의해 균형과 조화를 이룬다. 즉 인간은 본성이 악하므로 훈육을 강화해야 한다는 인간상과, 인간 본성은 본래 선하므로 최대한 자유를 보장해주어야 한다는 인간상이 서로 대립하며 치열하게 경쟁하면서 조화를 이루고 있는 모델이다.

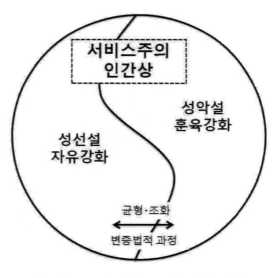

[그림 4-47] 서비스주의 인간 정의

서비스주의 교육목표는 아래와 같다. 개인 차원에서 재능과 도덕성이 균형을 이루고 있어야 하고, 각 개인의 지식과 이성이 균형을 이루어야 한다. 재능이 우수한 개인은 덕성을 키울 수 있도록 교육하고, 지식이 많은 개인은 이성적 판단력을 키울 수 있도록 교육한다. 사회 내에서 각 개인이 담당하는 역할에 따라 필요한 지식과 재능이 다를 수 있다. 각 개인이 원하는 역할을 담당할 수 있는 수준의 지식 교육을 하고, 이에 부합하는 수준의 덕성 교육을 수행하는 것이다. 서비스주의 시스템은 개인이 각자 사회에서 담당을 희망하거나 담당하는 역할 수준에 따라 재능과 덕성, 지식과 이성이 각각 균형과 조화를 이루도록 목표를 설정하고 개별적 수준의 교육을 수행하는 시스템이다. 서비스주의 교육 목표는 아래 [그림 4-48]과 같이 대립되는 두 힘이 변증법적 과정에 의해 균형과 조화를 이루어 간다.

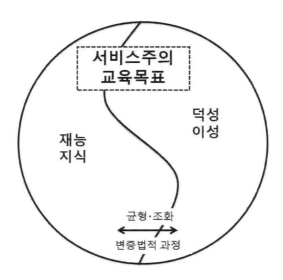

[그림 4-48] 재능과 덕성이 균형을 이룬 서비스주의 교육목표

따라서 서비스주의 교육철학은 아래와 같이 도출된다. 이성과 질서유지 중심 철학과 비움과 무위 안정 철학이 동시에 중시되는 철학이다. 서비스주의 교육 철학은 아래 [그림 4-49]와 같이 화쟁 태극모델로 표현할 수 있다.

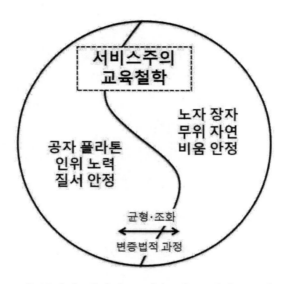

[그림 4-49] 무위와 인위가 균형을 이룬 서비스주의 교육철학

서비스주의 교육철학을 구현할 교육시스템은 아래 [그림 4-50] 과 같이 도출된다. 성선설 기반 지식교육과 성악설에 근거한 덕성교육이 팽팽한 균형과 조화를 이루도록 한다. 현재 대다수 국가의 교육시스템은 지식교육 중심이다. K-12 전 과정에서 덕성교육을 크게 강화해야 지식교육과 균형을 이룰 수 있다. 왜냐하면, 국가사

회 차원에서 지침을 주거나 통제를 하기 어려운 대학 등 고등교육 과정에서는 지식교육에 편중된 교육을 하고 있기 때문이다.

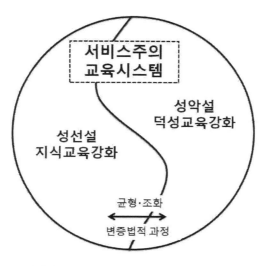

[그림 4-50] 지식과 덕성이 균형을 이룬 서비스주의 교육시스템

　구체적으로 서비스주의 교육의 중심은 아래와 같이 도출된다. 경제사회 성장을 위한 교육, 일자리를 획득하기 위한 교육, 과학기술 교육, 지식교육 등 실용적 교육을 강화하는 것도 중요하지만, 현재 매우 취약한 도덕성 교육, 이웃과의 공존 교육, 사회 유지를 위한 가장 중요한 가치인 공정과 정직 교육 등을 강화하여 두 대립자간의 균형을 유지할 필요가 있다. 서비스주의 교육의 중심은 아래 [그림 4-51]과 같이 태극 모델로 표현할 수 있다. 즉 지식

교육이 인간을 위한 지식 교육이 되려면 덕성 교육이 병행되어야
한다. 올바르게 지식을 사용하는 것이 더욱 중요하기 때문이다.

[그림 4-51] 두 대립자들이 균형을 이룬 서비스주의 교육중심

이러한 서비스주의 인간 및 교육 시스템 구조와 앞서 제시한
공리들을 기반으로 서비스주의 교육시스템의 운용모델을 제시한
다. 아래 [그림 4-52]와 같이 두 대립 국면이 시간의 경과에 따
라 번갈아 나타나며, 상황이 변화하면 다음 사이클을 진행하는 모
델이다. 현대 경제사회에서는 두 대립자의 어느 한 쪽이 절대적으
로 우세한 경우는 거의 없다. 대한민국 태극기를 사용하여 상황을
표현하면 외형적으로는 지식교육 중심이지만 내면의 덕성 교육이
받쳐주고 있는 리괘형 시스템이거나, 외형적으로 덕성 교육 중심

이지만 내면은 지식 교육이 중심을 잡고 있는 감괴형 교육시스템이 대다수이다. 1/4 분면과 3/4 분면은 지식 교육 중심에서 덕성교육 중심으로 시간의 경과에 따라 전환되는 사이클이고, 2/4 분면과 4/4 분면은 그 반대 방향으로 전환되는 사이클이다. 실제로는 이와 같은 2차원 운용모델에 추가하여 시간 공간 인간이라는 3개의 차원을 더하여 5차원 서비스주의 교육시스템으로 운용되며, 인간의 의지가 개입되며 균형을 일탈 또는 회복해가는 모델이다.

[그림 4-52] 서비스주의 교육시스템 운용모델

제 5 장

모든 길은 서비스로

01 모든 학문은 서비스학

02 모든 산업은 서비스산업

03 모든 길은 서비스로

The endless cycle of idea and action,

Endless invention, endless experiment,

Brings knowledge of motion, but not of stillness;

Knowledge of speech, but not of silence;

Knowledge of words, and ignorance of the Word.

…

Where is the Life we have lost in living?

Where is the wisdom we have lost in knowledge?

Where is the knowledge we have lost in information?

- T.S. Eliot [Choruses from 'The Rock'(1934)] -

'서비스'를 통해 그동안 잃어버렸던 삶을 회복!!

01 모든 학문은 서비스학

서비스학이 되어가는 모든 학문들

학문(學問)은 철학(Philosophy)이나 과학(Science)과 유사한 개념이면서, 이들을 모두 포괄하는 개념이다. Philosophy는 '지혜에 대한 사랑' 의미이니, '참다운 삶을 살기 위한 지혜를 추구'하는 과업이라고 할 수 있고, Science는 라틴어 Scientia에서 온 말이니 '앎, 지식을 탐구하는 과업'을 의미한다고 할 수 있다. 즉 학문은 '참다운 삶을 살기 위한 지식과 지혜를 탐구하는 과업'이라고 할 수 있다. 현대의 각 대학들에서 개설하고 있는 모든 학과 및 전공 분야가 학문의 범위라고 할 수 있다. 시대의 변화에 따라 대학의 학과 및 전공 분야가 계속 달라지고 있으므로, 학문의 세계는 계속 변하고 있고 진화되고 있는 것이다. 학문의 공통되는 특징은 객관성과 인류공헌성이라고 할 수 있다. 논리적인 과정과 객관적인 근거에 의한 진리의 발견이어야 하며, 그 내용이 인류의 삶에 어떤 식으로든 기여할 수 있어야 한다. 인류의 삶과 무관한 진리 탐구가 있을 수는 있다. 자연과학 연구의 상당 부분이 '진리 자체를 발견하는 것'이므로, 인류의 삶과 무관한 순수 탐구 과업이라고 생각할 수도 있다. 하지만, 만유인력 법칙이나 양자역학의 발견이 인류의 문명을 크게 발전시켜 인간의 삶을 윤택하게 하고 있듯이, 인간의 삶과 전적으로 무관한 학문은 없다고 할 수 있다. 학문을 하는 주체는 인간이고, 인간은 자기중심성 본성을 가지고 있기 때문이다.

21세기 전반기 현재 상황에서 대다수 학문은 서비스학이고, 모든 학문은 서비스학을 향해가고 있다고 할 수 있다. 본 단원에서는 결국 모든 학문이 서비스학을 향해가고 있음을 설명한다. 현재 대학들에서 개설하고 있는 학문 분야는 매우 다양하다. 인문학, 자연과학, 의학, 사회과학을 비롯하여 공학, 경영학, 법학 등의 다양한 응용분야 학문들이 있고, 최근에는 예술학, 디자인학, 콘텐츠학 등 신학문 분야들이 크게 성장하고 있다. 이들 학문 대다수가 현재는 자신의 분야 도메인 지식 탐구 수준에 머물러 있다. 개별 도메인 중심 연구를 하는 학문들이다. 예를 들어 사회학은 사회 중심 연구, 정치학은 정치 중심 연구, 의학은 인체 중심 연구, 생물학은 동물, 식물 도메인 연구, 경영학은 기업 연구, 법학은 법 연구를 주로 하고 있다. 따라서 여러 도메인에 걸친 연구나 도메인 사이의 관계와 변화에 대한 연구는 소외되어 왔다. 그런데, 현대는 관계와 변화 연구들이 더 중요해졌으므로, 현실과 유리된 학문 연구가 증가하고 있다는 분석도 있다. 그래서 기존 방식의 대학 교육에 대한 문제 의식이 확산되고 있고, 미네르바대학 등의 대안 대학들이 다수 출현하는 기회를 만들어주고 있다. 기존 대학에서도 융합전공 활성화 등으로 학문간 단절 문제 등의 해결을 위해 노력하고 있으나 근본 변화에는 어려움이 있는 상황이다.

이러한 어려움을 쉽게 극복할 수 있는 가장 효과적인 대안이 각 학문의 서비스학화라고 할 수 있다. 왜냐하면, 서비스학은 학문 최초의 목적, 즉 '인간을 위한 지혜 탐구'라는 학문의 근본 목적에 충실하기 때문이다. 또한 서비스학은 인간 삶의 변화, 세상의 변화, 인간 세상의 구조 변화(수직적-> 수평적네트워크구조 등) 등 현대의 변화를 반영하는 학문이기 때문이다. 예를 들어, 기존 학문의 지식체계들이 반영하기 어려운 디지털화, 인공지능화, 지식 보편화, 욕구 확산 삶 등을 반영하기 쉬운 구조이기 때문이다. 기존 학문 체계의 경우, 이러한 세상의 변화 속도를 따라가기 어려운 수직적 지식체계를 가지고 있어서, 자신의 도메인 변화마저 놓치고 있을 가능성이 있다. 각 학문들에서 새로 발견되는 지식이나 지혜가 넘쳐나고 있고, 이에 따른 세상의 변화 속도가 빨라서 기존의 수직적 학문 체계가 위협을 받고 있는 상황이라고 할 수 있다. 간신히 변화를 따라가서 발전된 학문체계를 구축하면 인접학문에서의 그동안 변화된 지식과 그로 인해서 변한 세상은 이미 저 멀리 가서 또 다시 뒤쳐진 학문이 될 가능성이 있다. 서비스학으로 체계를 바꾸지 않으면 인간과 세상의 변화를 계속 못 따라갈 수도 있다. 서비스학은 학문의 구조가 목적 달성에 용이한 서비스네트워크구조이기 때문에, 변화 수용이 용이하고 연구결과의 유용성이 높아진다. 예를 들어 정치학, 경제학, 사회학, 심리학, 경영학, 법학 등의 연구에서, 각 학문을 서비스학으로 연구하면 올바른 진리를 발견할 수 있다. 각 대립자의 존재와 역할, 상호작용, 궁극의 목적 등에 초점을 두고 연구할 수 있기 때문이다. 예를 들어 법학의 경우 법을 제정하거나 집행하는 존재들의 불완전성과 비이성성 등에 초점 맞추어 현실적인 서비스가 되도록 법학을 발전시킬 수 있다. 경제학도 기존의 효율적 합리적 인간 가설 등을 탈피하여, 운용하는 주체들의 비이성성과 불완전성 반영하는 현실적인 연구가 가능하다. 경제를 서비스학으로 연구하고, 경영도 서비스학으로 연구해야 인류사회에 유용한 의미있는 연구 결과를 도출할 수 있을 것이다.

아래에서 몇 개의 사례 학문들을 통해, 각 도메인 학문들이 서비스학이 되어가는 과정을 설명하고, 모든 학문은 사실상 서비스학이 되어야 함을 설명한다.

우선 문사철(문학, 역사학, 철학)로 표현되는 인문학은 사실상 서비스학이다. 학문의 목적이 인간이기 때문이다. 또한 다른 모든 학문들과 수평적으로 연결되어 있기 때문이다. 그리고 시대의 변화에 따라 함께 변화하는 학문이기 때문이다. 소설이나 시나 희곡은 모두 인간에게 서비스하기 위해 쓰여진다. 서비스 수요자인 독자나 관객과 서비스 공급자인 소설가나 시인은 서로 대립면을 공유하며 상호작용한다. 역사적 사건에 대한 해석을 할 때도 역사가는 시대정신과 상호작용한다. 객관적인 사실은 하나지만 그 해석은 시대의 변화에 따라 변할 수 있다. 철학도 마찬가지다. 과학기술 발전 등 시대의 변화와 인간 의식의 변화에 따라 철학 이론과 사조도 계속 변화한다. 모두 인간을 위해 더 나은 서비스를 하기 위함이다. 인문학에서 진리를 탐구한다는 것은 인간을 위한 진리를 탐구한다는 말과 동의어라고 볼 수 있다.

사회과학도 모두 서비스학이라고 할 수 있다. 인간이 함께 살아가는 사회와 그 구성원인 인간에 대한 학문이기 때문이다. 예를 들어 사회과학 중 하나인 심리학에 대한 소개를 보면 학문의 성격이 서비스학임을 명확히 알 수 있다. 서울대학교 심리학과의 홈페이지에 있는 심리학 학문 소개는 다음과 같다.

심리학은 인간의 마음과 행동을 과학적으로 연구하는 학문으로 다양한 영역의 인간 마음과 행동을 연구한다. 구체적으로 살펴보면, 인간의 인지, 정서 및 성격 영역과 이 영역들의 생물학적 기전과 발달과정, 또 사회행동, 이상행동 및 조직행동들이 모두 심리학의 연구 분야들이다.

인간을 탐구하는데 있어서 예술, 종교, 인문학이 직관적이고 서술적인 방법으로 접근한다면, 심리학은 과학적 실험 방법론을 사용하여 인간의 행동과 마음을 연구한다. 또한, 사회학, 경제학 및 다양한 사회과학들이 사회적 구조 및 맥락 또는 문화 등을 통하여 인간을 이해하고자 한다면, 심리학은 행위 주체인 인간의 내면적 요인들에 초점을 두고 인간 행동을 연구한다.

현대 과학들의 관계를 분석한 연구에 의하면, 심리학은 자연과학과 사회과학 및 인문학의 교차점에 위치하며 다양한 과학 분야에서 중심축을 구성하는 7개의 허브 사이언스(hub sciences)[37] 중 하나로 확인되고 있다. 심리학을 포함한 허브 사이언스(수학, 물리학, 화학, 지구과학, 의학, 심리학, 사회과학)들은 여러 학문 분야들을 연결시키고 통합시키는 역할을 한다. 이 연구에 의하면 허브 사이언스를 중심으로 주변 학문들은 교류하게 되기에 미래 심리학은 여러 학문 분야들을 유기적으로 연결시켜주며 새로운 융합과학 분야를 창출하는 기능을 담당할 것으로 전망된다.

심리학은 사회과학의 기초학문이기도 하지만 보다 더 넓은 학문 영역에서 기초학문이므로, 자연과학대학이나 인문대학에도 속할 수 있다. 또한, 심리학은 인간의 마음과 행동을 연구대상으로 하기 때문에, 다루는 주제가 매우 다양하고 광범위하여 여러 전공 분야로 구성되어 있다. 크게 기

---

37) Boyack 등(2005)이 과학 저널에 게재된 논문들로부터 학문 간의 관계와 영향력 정도를 분석하여 도출한 핵심 과학 분야들. 과거 수학과 물리학 등 2개 핵심 과학에서 7개로 확장된 개념

초심리학은 인간의 일반적인 심리과정을 다루는데 인지심리학, 지각심리학, 학습심리학, 언어심리학, 생물심리학, 신경심리학, 발달심리학, 정서심리학, 성격심리학, 사회심리학 및 계량심리학 등이 있고, 응용심리학은 기초적인 심리학 지식을 실제 상황에 적용하여 이해하고 활용하는 분야들로, 임상심리학, 상담심리학, 조직심리학, 산업심리학, 소비자심리학, 광고심리학, 건강심리학, 학교심리학, 범죄심리학, 법심리학 등이 있다.

위의 심리학 소개는 서비스학으로서의 기본 조건을 모두 포함하고 있다. 모든 것이 연결된 네트워크 세상에서 그 하나의 노드로서 심리학이 존재함을 알 수 있다. 심리학을 비롯하여 수학, 물리학, 화학, 지구과학, 의학 들도 여러 학문 분야들을 연결시키고 통합시키는 역할을 한다고 소개되고 있다. 심리학의 연구 대상인 한 인간, 또는 집합적 인간은 또 다른 '너'로서의 인간 및 집합적 인간과의 관계 속에서 연구된다. 의식적으로 그리하지 않더라도 인간의 심리는 타자와의 관계 속에서 명확히 드러나기 때문에 '대립자의 존재 및 상호작용'이 심리학의 기본 가정이 된다. 그래서 심리학은 서비스학이 된다. 또한 심리학은 무형성과 불확실성이 특징이다. 인간의 심리는 눈에 보이지도 손에 잡히지도 않으며, 인간 심리의 미래도 예측하기 어렵기 때문이다. 따라서 심리학을 서비스학으로서 연구하면 인류에게 보다 유용한 연구 결과를 도출할 수 있다. 서비스철학을 기반으로 하고, 대립자와의 상호작용과 치열한 대칭 균형 활동, 그리고 끝없는 변증법적 변화 사이클을 반영하여 인간의 심리를 연구할 수 있으면 심리학은 서비스학의 중심학문으로 부상할 수 있을 것이다.

허브 사이언스에 속하지 않는 다른 모든 학문들도 사실상의 서비스학으로 발전하고 있다. 예를 들어 생물학도 서비스학이 되어가고 있다. 서울대학교 생명과학과 홈페이지에 소개된 생명과학(생물학) 소개는 다음과 같다.

21세기의 20년이 지난 지금, 바이오메디컬연구와 생명의 신비함을 풀어내는 연구의 돌파구를 찾는데 대중들의 관심이 커지고 있습니다. 살아있는 유기체를 연구하는 것이 복잡하고 생명의 비밀이 생물학 단일 분야만으로는 전체를 파악하는데 매우 복합적이기 때문에, 생물학 연구는 이제더욱더 자연과학의 다른 분야 뿐만 아니라 인문학 및 사회과학분야 간아이디어와 지식을 공유하는 공동연구를 필요로 하게 되었습니다. 서울대학교 생명과학부의 목표 중 하나는 모든 생물학 분야, 분자, 세포, 생리학, 행동생태학의 생물학적인 현상의 이해를 추구하는 것입니다. 대학원과정 동안, 생명과학부는 분자세포생물학, 개체생물학, 계통생물학 및 생태학의 서로 다른 세가지 분야의 교육과정을 제공하고 있습니다. 생화학, 생물물리학, 세포생물학, 유전학, 발달생물학, 신경생물학, 계통생물학, 생태학, 미생물학, 생물공학, 식물생리학, 분자 생물학처럼 다양한 생명과학분야의 연구기관들은 상호소통적이고 협력하면서 서울대학교 내의 교수와 학생들간의 종합적이고 다양한 연구 환경을 창조하고 있습니다. 우리의 목표는 근본적인 생명 현상의 과정을 이해하여 의료, 산업 그리고 환경 연구와 사업에 폭넓게 적용시킬 수 있는 핵심적인 지식을 제공하는데있습니다.

위와 같이 현재 생물학도 진정으로 다면적인 과학, 상호 분야간 이차적인 진보를 이루어야 한다고 언급하고 있다. 심리학의 경우와 동일하게 서비스철학 기반 위에서 서비스학의 특징과 방법론을 적용하면 생물학의 서비스학으로의 진보가 가능할 것이다.

또 하나의 주요 자연과학 학문인 지구환경과학도 서비스학 성격을 선언하고 있다. 서울대학교 지구환경과학부 홈페이지에서의 학문 소개는 다음과 같다.

지구는 생명의 행성입니다. 우리가 어떻게 해야 지구를 지속적으로 생명의 행성으로 유지시킬 수 있을까 하는 문제는 지구환경과학이 해결해야할 최우선의 과제입니다. 광대한 우주의 한 구성원인 지구는 대기권, 수권, 지권, 생물권으로 이루어진 하나의 시스템입니다. 이들 구성요소들은 유기적으로 연결돼 지구를 생명의 행성으로 만들고 있습니다. 이러한 문제를 다루는 지구환경과학은 우리 일상생활과 밀접한 관계를 가질 수 밖에 없습니다. 지구환경과학은 지구환경의 문제를 다루는 중심학문입니다. 지구환경과학은 지구 대기권, 수권, 지권의 구성물질과 이들의 순환, 변화의 이치를 이해하고 자연환경의 형성과 변화를 분석 예측하는 자연과학의 한 영역입니다. 또한 이들 권역과 생물권의 상호 작용과 영향을 연구합니다. 우주, 지구, 생명의 기원, 그리고 지구 환경의 형성과 변화를 파악하기 위해 지구 뿐만 아니라 우주공간까지 연구 대상으로 합니다. 분자규모에서 우주 공간 규모에 이르기까지 다양한 규모의 운동계와 물질계들의 생성, 진화, 소멸, 그리고 이들 사이의 상호작용을 이해하는 기초과학을 바탕으로 응용과학기술을 도입해 진단, 예측, 복원하는 방안을 제시합니다. 지구환경과학은 지구대기의 물리 화학적 상태와 그 운동을 이해하는 대기과학, 지구물질과 에너지 순환 기원, 그리고 진화를 이해하는 지구시스템과학, 해양의 구성물질에서 물리적 순환과 자원을 이해하는 해양학을 포함하는 종합 학문영역입니다. 학생들은 각자의 관심과 흥미에 따라 지구시스템과학, 대기과학, 해양학의 교육 트랙을 선택하여 좀 더 집중적으로 공부할 수 있습니다.

하나의 시스템으로서 지구를 언급하고 있는데, 인류사회와 지구는 함께 하나의 시스템에서의 주요 요소다. 지구가 하나의 서비스시스템이라고 생각하는 것은 지구환경과학이 이미 서비스학이 되었음을 의미한다. 서비스시스템 내에서 고객을 생각하고, 대립자와의 치열한 균형활동을 생각하며 연구한다면 이미 서비스학으로 깊이 들어와 있는 학문 연구가 된다.

공학의 모든 학문들도 서비스학이 되어가고 있다. 공학의 대표 학문들인 기계공학과 전자공학의 소개를 보면서 서비스학이 되어가는 현상을 확인한다. 서울대학교 공과대학 홈페이지와 위키백과에 나타난 각 학문 소개는 다음과 같다.

-기계공학 (서울대학교 공과대학 기계공학과 홈페이지)
기계공학(Mechanical Engineering)은 힘과 에너지에 관련된 기본 지식을 바탕으로 인류의 문명 발전과 삶의 질 향상을 위해 다양한 기계 장치의 설계, 제작, 운전, 성능, 제어, 진단 등에 관한 기초 및 응용분야를 취급하는 공학 분야입니다. 과학적 현상이 실생활에 응용될 수 있도록 기계 장치를 제작하여 인류에게 편리함을 제공하는 것이 기계공학이며, 기본적으로 고체역학, 열역학, 동역학, 유체역학을 중심으로 주변 학문분야와 연계된 다양한 영역을 취급하고 있습니다. 기계공학은 일상생활에 필수적인 미래자동차, 산업용 및 서비스 로봇, 생산성 향상에 기여하는 스마트 팩토리, 친환경 에너지 공급 시스템, 건강한 삶을 위한 바이오 기계기술 등과 밀접한 관련이 있습니다. 또한, 기계장치의 최적 구조설계, 부품소재를 제작하기 위한 공작기계, 시스템 제어 및 진단 기술, 드론을 비롯한 차세대 비행장치, 마이크로/나노 기술, 건물 및 주택에 쾌적함을 제공하는 냉난방기기, 에너지 저장 및 생산장치 등도 모두 기계공학과 연관되어 있습니다. 기계공학의 여러 분야는 다른 학문분야와 융합되면서 지속적으로 발전하고 있으며, 인공지능, 빅데이터 등과 결합되어 새로운 가치를 창출하고 있습니다. 힘과 에너지, 지능이 융합된 창의적인 분야가 새로운 기계공학분야로 대두되고 있습니다.

- 전자공학 (위키백과)

전자공학(電子工學, electronics)은 전자의 운동과 그 응용 기술을 연구하는 학문이다. 구동력으로서 전력을 이용하는 구성장치, 시스템 또는 여러 장비(진공관, 트랜지스터, 집적회로, 프린트배선기판)들을 개발하기 위하여 전자들의 운동에 대한 영향과 행동에 대한 과학적 지식을 연구하는 공학의 한 분야로 힘, 기계공학, 원격통신학, 반도체회로디자인, 그리고 다른 많은 부분체들을 포함하는 개념이다. 컴퓨터 공학의 하드웨어 디자인을 비롯해서 전자회로의 디자인과 구성은 전자공학의 한 분야로 특정 문제를 해결한다. 새로운 반도체의 소자에 관한 연구는 때때로 물리학의 한 분야로 분류된다. 전자공학이 적용되는 대표적인 산업으로는 통신, 컴퓨터, 반도체 산업 등이 있다. 전기통신 분야에서 진공관이 비약적인 발전을 이루어 텔레비전, 라디오, 컴퓨터, 레이다 등이 20세기 후반의 문명의 중심이 되면서 미국에서 태어난 개념이다. 기초적인 분야부터 응용면에 이르기까지 광범위한 내용을 지니고 있다.

기계공학에서는 '인류 문명 발전과 인간 삶의 질 향상' 목적을 명확히 제시하고 있고, 전자공학에서는 여러 타 학문들과의 중첩과 연관성을 언급하고 있다. 이렇게 전통 공학들도 학문의 목적을 고객에 두고 있고, 여러 학문들과 수평적 네트워크를 형성하면서 서비스로서의 연구를 수행하고 있다.

이와 같이 모든 학문은 서비스학으로 발전 중이다. '서비스'가 등대가 되고 학문 연구의 방향타가 되어가고 있는 것이다. 아래 [그림 5-1]과 같이 기존 학문들은 각자 신학문으로 발전되고 있다. 신학문이자 현대학문의 중심 학문인 서비스학의 특징을 강화하고 있다. 모든 학문은 서비스학이 이미 되었거나, 서비스학이 되어가고 있는 것이다. 따라서 각 학문의 명칭에 서비스를 부기하는 것이 바람직하다. 예를 들어 의학(Medical Science)은 의료서비스학 (Medical Service Science)으로 표기하는 것이 바람직하다. 왜냐하면 기존의 의학은 '신체 관점 질병치료' 학문이었는데 비해, 현대 의학은 '신체와 마음 합일체로서의 인간 항상성 제고(헬스케어서비스등)'에 초점을 두어가고 있기 때문이다. '정신과' 환자 증대는 과거 의학(비서비스학)의 유산이라고도 볼 수 있다. 따라서, 문제 해결 방안은 의학이 의료서비스학이 되는 것이다. 인간의 자기 중심성 속성으로 인한 문제를, 대립자와의 관계 중심인 서비스학으로 해결할 수 있게 될 것이다. 신체-신체, 신체-마음, 인간-인간, 인간-사회 등의 관계를 연구하여 인류에게 유용한 진리를 발견할 수 있는 의료서비스학이 될 수 있을 것이다.

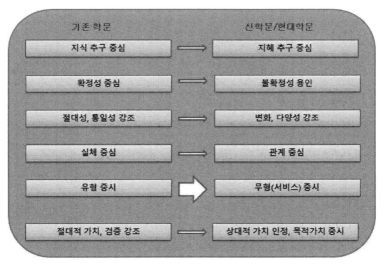

기존 학문		신학문/현대학문
지식 추구 중심	⟹	지혜 추구 중심
확정성 중심	⟹	불확정성 용인
절대성, 통일성 강조	⟹	변화, 다양성 강조
실체 중심	⟹	관계 중심
유형 중시	⟹	무형(서비스) 중시
절대적 가치, 검증 강조	⟹	상대적 가치 인정, 목적가치 중시

[그림 5-1] 기존학문과 신학문(서비스학)의 차이 비교

사회과학의 많은 학문들도 서비스학이 되어가고 있다. 정치서비스를 연구하는 정치학(Political Science)은 대립자와의 관계 연구가 중심이기 때문에 이미 정치서비스학(Political Service Science)이 되었고, 행정학은 행정서비스학, 사회학은 사회서비스학, 교육학은 교육서비스학 등으로 연구 주제 차원에서는 이미 서비스학으

로 변화하고 있다. 정치 행정 교육 사회 인간 등 대상에 중심을 둔 기존 연구에서 크게 확장하여 내부 대상들 및 외부 대상들 간의 관계 중심 연구로 진화되고 있기 때문이다. 예를 들어, 정치서비스학의 경우 정치권력을 획득하려는 세력들 간의 투쟁과 협상 등의 전통적 주제들에 추가하여, 주권자의 의무와 권리 간의 동태적 변화 관계, 주권자와 대리인(정치인) 간의 동태적 힘의 변화 관계 등이 정치사상 및 제도에 대한 연구와 결합되면 서비스학 연구로 발전되는 것이라고 볼 수 있다.

앞서 언급한대로, 인문학은 인간서비스학이다. 문학 역사학 철학은 인간 및 인간 삶의 본질을 탐구하는 학문이기 때문이다. 인간을 위한 인간서비스학인 것이다. ChatGPT 및 AI 시대의 인문학은 더욱 인간서비스학이 된다. AI가 제공하는 기본 지식이나 작품 수준을 훨씬 넘어서는 상위 수준의 지혜를 추구하는 학문이 되어가기 때문이고, '나'와 '너'가 서로 어울리고 감응하는 인간을 위한 서비스학이 되어가기 때문이다. 또한 공학과 자연과학은 앞서 사례로 예시한 바와 같이 과학문명의 발달과 산업화의 성숙으로 인간을 위한 공학과 자연과학이 되고 있다. 예를 들어, 컴퓨터사이언스(Computer Science)도 컴퓨터서비스사이언스(Computer Service Science)로 명명할 필요가 있다. 이미 서비스 분야의 학문들인 관광학, 엔터테인먼트학 등은 이제 관광서비스학, 엔터테인먼트서비스학으로 명칭 개선이 필요하다. 이들은 현재 가장 활성화된 서비스 연구 분야들이지만, 진정한 서비스학이 되기 위해서는 서비스철학과 이론 등 기반서비스학을 도입하여 깊이 있는 연구를 하는 성숙한 서비스학으로 체계를 구축할 필요가 있다.

서비스학 사례로서의 신경영학[38]

경영 및 경제학은 서비스경영학 및 서비스경제학이 되었다고 볼 수 있다. 무형재화(서비스) 산업 증대로 경영 경제 패러다임이 변화하여, 서비스학으로 발전되고 있다. 관계와 변화라는 중심 키워드를 반영하여 경제이론과 경영이론이 변화 중이다. 그동안은 기존 및 신생 서비스산업 관련 연구가 증가하는 수준에 그쳤으나, 곧 학문체계의 근본 변화가 일어날 것으로 전망된다. 예를 들어, 경영학은 신경영학이라는 이름으로 이미 서비스학이 되었다고 볼 수 있다. 신경영학을 사례로 들어, 기존 전통학문의 현대화 및 서비스학이 되어가는 방향을 안내한다. 기존 경영학의 분야는 경영프로세스, 경영기능, 경영확장 분야로 구성된다. 이를 그림으로 도시하면 아래 [그림 5-2]와 같다. 경영프로세스는 계획, 집행, 통제 등 경영관리과정에 대해 탐구하는 분야다. 경영기능은 회계, 인사, 조직, 재무, 마케팅, 생산, 경영정보 등의 경영기능을 탐구하는 분야다. 경영확장은 확대된 경영환경에서의 제반 분야를 탐구하는데, 국제경영, 창업 등이 주된 분야다.

---

38) Kim, Hyunsoo(2020a), (2020b), (2020c), (2020d) 논문 요약 인용

서비스학 체계에 부합하는 현대 경영학이 되기 위해서는 현재 경영학의 문제를 해결해야 하고, 또 현대의 요구에 부합하는 경영학이 되어야 하고, 또 서비스철학 기반의 경영학이 되어야 한다. 우선 현재의 경영학은 경영경제 환경변화를 따라가지 못하여 사회 기여가 매우 부족하다고 분석되었다. 경영경제 환경이 많이 변화하였는데도 불구하고 경영학은 과거 대량생산시대의 기업이론에서 못 벗어나고 있고 수십년 전의 경영학과 동일 내용을 교육하고 있다는 것이다. 즉 계획 집행 통제 등 경영과정, 리더십, 회계, 생산, 마케팅, 인사 등 전통적 주제들을 강의하고 있어 현대 경제의 변화를 못따라가고 있는 것이다. 특히 21세기 들어 제조가 자동화되며 거의 서비스기업 중심인데, 대부분의 경영학 교육과정은 과거 제조기업 중심의 교과과정이어서 변화된 기업환경과 취업시장의 요구를 반영하고 있지 못한 것이 큰 문제로 분석되었다. 또한 경영학 내부 분야들간의 통합 교육이 부족하고, 타 학문과의 융합 교육은 더욱 부족한 것이 문제로 지적되었다. 새로운 경쟁과 제휴, 기술혁신 등 변화와 혁신을 이끌 인재를 교육하지 못하고 있다는 것이다. 제4차 산업혁명시대를 따라가지 못하고 실무와 괴리가 큰 상태가 현재 경영학 및 경영교육의 현실이라는 것이다. 경영철학의 문제도 제기되었다. 경영학의 본성에 대한 성찰이 부족하고 건전한 철학적 기반이 부족하다는 것이다.[39]

---

39) Lee, Doohee, et al.(2018), 경영교육 뉴 패러다임

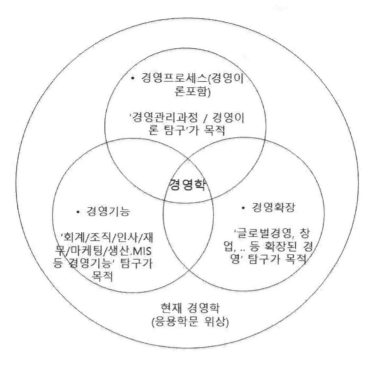

[그림 5-2] 현재 경영학의 구조

　현재의 경영학은 산업사회의 경영학이라고 할 수 있으므로, 새로운 시대를 위한 새로운 경영학이 필요하고, 경영학 교육도 새로운 경제사회를 이끌어갈 수 있는 인재를 양성할 수 있도록 변화해야 한다. 서비스학 기반의 새로운 경영학은 세상 공통원리의 수학적 구조를 반영한다. 공통원리는 2원 및 3원 사상으로 요약할 수 있다. 창조의 수 2로 표현되는 태극 원리가 공통이며, 완전수 3을 반영하여 진리체계를 표현하고 있다. 현대의 특성과 세상공통

원리를 반영하며, 기존 경영학의 문제를 해결한 서비스학 기반의 새로운 경영학의 프레임워크를 그림으로 도시하면 아래 [그림 5-3]과 같다. 즉 경영세계에 관한 이론을 탐구하는 경영철학 분야, 경영자에 관한 이론을 탐구하는 경영자론 분야, 경영지식에 관한 이론을 탐구하는 경영기술 분야 등 세 개의 축으로 구성된다.

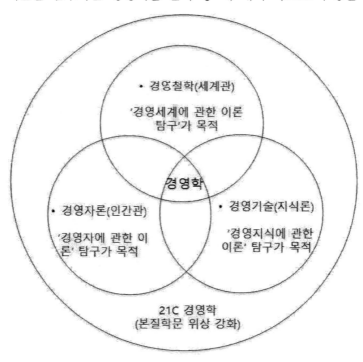

[그림 5-3] 경영학의 새로운 프레임워크

경영철학은 지속적으로 중요하게 탐구되고 실천되어야 할 경영의 중심 분야인데, 아래 [그림 5-4]와 같이 목적론, 대상론, 원리론이 경영철학의 3대 분야다. 왜 경영하는가를 탐구하는 목적론이 중요 부문으로 추가되고, 경영 대상에 대한 심오한 분석이 추가되면서 경영학은 뿌리가 깊은 학문체계를 갖추게 된다.

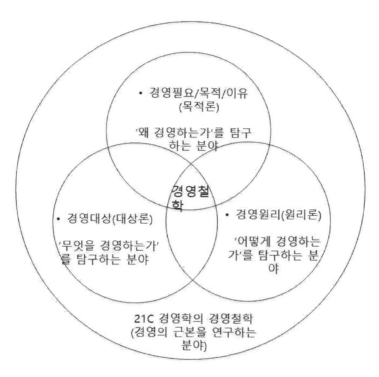

[그림 5-4] 경영철학 연구의 3대 분야

경영자론은 아래 [그림 5-5]와 같이 서비스철학 기반으로 구축되었다. 기존 경영학은 경영 주체로서의 경영자 관점을 과도하게 강조하였고, 경영 객체로서의 경영자 관점을 매우 소홀히 하였기 때문에 현실 경영 세계와 큰 괴리가 있었다. 경영자의 비이성성을 관리하는데 어려움이 많았기 때문이다. 서비스철학 기반의 새로운 경영학에서는 경영 주체로서의 경영자 관점과 경영 객체로서의 경영자 관점을 균형 있게 반영하는 새로운 경영자론이 연구된다. 경영자의 자기중심성과 비이성성을 반영하는 것이다.

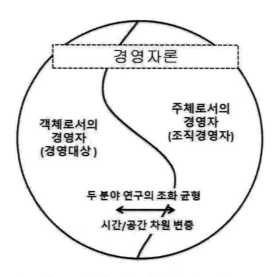

[그림 5-5] 새로운 경영자 연구의 구조

기존 경영학이 일방향이었다면, 서비스경제시대의 경영학은 쌍방향이어야 한다. 쌍방향성은 서비스본질의 주요 요소이기 때문이다. 경영자론도 쌍방향 속성을 가진다. 경영 주체로서의 경영자 연구와 경영 객체로서의 경영자 연구가 서로 팽팽하게 대립면을 공유하며 상호작용하는 쌍방향성이 반영되는 경영자론이다. 경영자론 연구의 하위 분야는 아래 [그림 5-6]과 같이 소양론, 과업론, 방법론 등 3대 분야다.

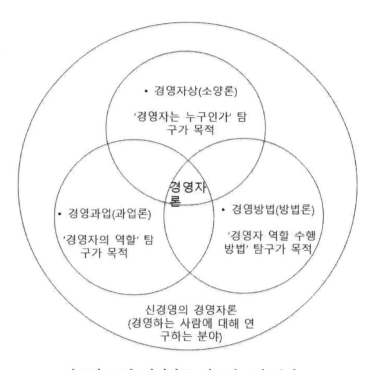

[그림 5-6] 경영자론 연구의 3대 분야

경영기술은 기존 경영학의 모든 분야를 포괄한다. 즉 경영프로세스, 경영기능, 경영확장 분야가 모두 경영기술 분야에 포함된다.

기존 경영학이 경영 지식에 대한 학문이었으므로, 경영 지식에 대한 모든 연구 분야를 경영기술 부문에 포함시킨다. 이를 그림으로 도시하면 아래 [그림 5-7]과 같다.

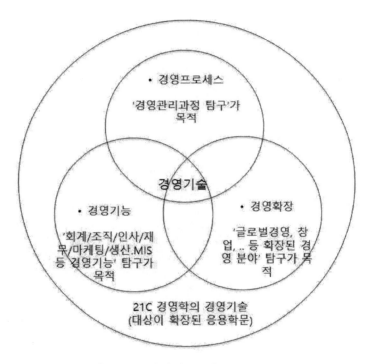

[그림 5-7] 경영기술 연구의 3대 분야

요약하면 서비스학 기반의 새로운 경영학은 기존 경영학의 응용학문 성격을 크게 초월하여 본질 학문 성격을 강화한 학문이다. 기존 경영학의 전체 분야를 포괄하는 경영기술 분야에 경영철학

분야와 경영자론 분야 등 2개의 주요 분야를 추가하여 서비스학 기반의 경영학이 새롭게 탄생한 것이다. 이러한 경영학의 패러다임 발전 사례와 같이 서비스 본질과 현대의 특성을 반영하면서, 기존 학문 체계의 문제점을 개선해가는 것이 서비스학 기반의 새로운 학문 패러다임을 만들어가는 과정이다.

결론적으로 모든 학문은 기존의 지식학문에서 지혜학문으로 발전되고 있고, 궁극적으로 서비스학으로 발전될 것이다. 대다수 기존 학문들은 지식 학문이었다. 자연과 사회와 인간에 대한 지식 탐구가 중심이었다. 예를 들어, '토끼는 풀먹고, 풀은 흙에서 자라고, 비는 구름에서 내리고, 늑대는 토끼 잡아먹고…' 등의 지식을 알아내는 것이 학문 연구의 내용이었다. 최근의 융복합 학문들은 지혜 추구 학문이라고 할 수 있다. 지식 학문들을 연계하여 상위 수준 지혜를 탐구하는 학문들이기 때문이다. 위 예를 계속하면, '인간에게 해롭다고 늑대를 모두 잡아 죽이면, 토끼가 번성하여, 토끼가 풀을 모두 먹어 치우고, 풀이 없어진 땅에 비가 내리면 토양이 물에 쓸려 내려가 인간이 살 수 없는 황무지가 되어 인간도 죽게 된다는 것을 알아내는 것'이 최근 융복합 학문들의 목표라고 할 수 있다. 서비스학은 지식과 지혜도 추구하지만, 추가로 지혜를 넘어선 인간 삶의 진리를 추구하는 학문이다. 모든 것이 연결된 세상, 무형재화가 중심인 세상에서, 인간의 위상도 변화하는 세상에서 인간의 삶의 진리를 추구하는 학문이다. 각 개별학문이 목표를 달성한 그 이후, 궁극의 진리를 추가로 추구하는 것이 각 개별 학문이 서비스학이 되어가는 과정이다. 자연 세계나 사회 세계의 진리를 발견하면 그 이후는 무엇이 될까, 그리고 무엇이 있을까를 연구하고 절대 진리를 추구하는 학문이 서비스학이다. 인간과 인류사회는 끝없는 변화의 흐름 위에 있기 때문이다. 항상 그 다음이 있기 때문이다. 인간 개개인이 자신의 인생 목표를 달성하면, 그 다음 또 그 이후를 추구하며 궁극에 도달하듯이, 각 학문 연구도 목표하는 개별 진리 이후의 다음 세상에 대한 추구가 있는 것이다. 그 끝이 나와 너, 인류사회, 그리고 인간 삶에 관련되는 무엇일 것이다. 따라서 모든 학문은 서비스학으로 귀결된다. 그래서 각 학문이 서비스학이 되면 인간 삶과 인류사회의 궁극적 진리를 공통적으로 추구하게 된다. 서비스학이 되지 않으면, 개별 학문의 연구 결과가 서로 상충되거나, 삶의 궁극적 진리와 배치될 가능성도 있고 역기능도 있을 수 있다. 무형 질병의 경우, 본인이 환자라는 것을 인정하지 않으려 하는 환자들이 많듯이, 학문 연구자도 자신의 연구활동이 한계가 있다는 것을 인정하지 않으려 하는 경우가 많고, 따라서 학문의 구조 혁신에 매우 소극적이거나 때로는 저항도 있을 수 있다. 그래서 시간이 필요하다. 모든 학문이 서비스학이므로, 모든 연구자들이 서비스연구자가 될 수 있도록 인식체계와 사고체계의 개선이 필요하며, 그 개선을 위한 선도 연구자들의 노력과 인내하는 시간이 필요하다.

02 모든 산업은 서비스업

산업간 경계 해체

현대 경제의 모든 산업은 서비스업이라고 할 수 있다. 기존 산업 분류에서 서비스업으로 분류된 산업들은 더욱 산업화가 진전된 서비스산업이 되고 있고, 제조업은 서비스업 성격을 강화하여 실질적으로는 서비스업이라고 할 수 있다. 예를 들어, 세계 시가총액 1위 기업인 애플(Apple Inc.)을 제조기업이라고 생각하는 사람이 거의 없듯이, 제조기업과 서비스기업의 경계가 허물어진 것이 현대 경제의 특징이다. 즉 아래 [그림 5-8]과 같이 현대 경제는 제조업과 서비스업의 구분이 사실상 무의미하다. 제품을 생산하는 기업들 대다수가 고객에게 서비스하기 위한 제품을 생산하고 판매하기 때문이다. 중간재를 생산하는 제조기업 일지라도 최종 생산품이 고객에게 전달되어 사용되는 과정에서의 서비스 경쟁력을 고려하여 생산하기 때문이다. 서비스업의 경우 큰 산업으로 성장하기 위해서도 제조기업화 될 필요가 있고, 산업 내에서 경쟁력을 강화하기 위해서도 제조기업의 성격을 강화할 필요가 있다. 농업과 어업 등도 제조업과 서비스업을 가미하여 경쟁력을 강화해야 수익성이 높아지므로, 전체 산업이 서비스업이 되고 있다고 볼 수 있다. 아래 [그림 5-8]에서는 100% 제조기업도 없고, 100% 서비스기업도 없이, 모든 기업이 하나의 산업 공간에서 경쟁하고 있는 상황을 보여주고 있는데, 1차 산업들도 여기에 포함하여 생각하면, 전체 산업이 인간에게 서비스하기 위한 하나의 산업이라고 할 수 있다. 모든 것이 연결된 현대 사회이고 현대 경제여서 더욱 그렇다고 볼 수 있다. 포지션 이동의 예를 들면, 자동차나 타이어 생산 및 판매기업이 주력 제품 관련 서비스를 개발하여 주력 사업의 구조를 바꾸는 것은 포지션 A에서 포지션 B로 이동하는 경우의 사례이며, 은행 등이 자동화기기를 도입하고 모바일을 확대하여 사람이 일을 하는 순수인적서비스 부문을 계속 축소하고 있는 것은 포지션 B에서 포지션 A로 이동하는 사례다. 애플과 삼성전자를 비롯한 스마트폰 판매 기업들이 휴대폰을 통신 제품으로 팔지 않고 인터넷 검색, 음악 감상, 각종 부가서비스 이용이 가능한 서비스기기로 판매하는 것은 포지션 A에서 포지션 B로 이동한 사례이며, IT서비스기업이 독자적 휴대폰 판매를 추진하는 것은 포지션 B에서 포지션 A로 이동하는 사례다. 맥킨지 등 거의 100% 순수서비스 기업이 지식자산을 제품화하여 전 세계 어디에서든 구성원들이 제품처럼 활용할 수 있게 하는 것도 포지션 B에서 포지션 A로 이동하는 사례가 된다. 서비스기업들은 기존 서비스산업의 주요 특성인 비분리성과 비일관성을 극복하기 위해 제조업적 역량을 도입하여 융합하고 있으며, 제조기업들은 고객 지향성을 강화하기 위해 서비스적 역량을 융합하고 있는 것이다. 이를 통해 서비스 기업들은 서비스 생산성을 획기적으로 높여 왔고, 제조기업들은 고객 대응성을 높여 왔다. 따라서 과거에는 제조기업과 서비스기업으로 사업 영역이 명확히 구분되던 기업들이 산업간 경계 해체 시대에는 저마다 반대쪽 포지션을 강화함으로 인해 이제는 같은 도메인에서 사업을 하며 경쟁을 벌이고 있다. 이러한 추세는 가속화될 것이다. 왜냐하면, 시장에서 힘의 중심이 이미 공급자에서 소비자로 확실하게 이전되었기 때문이다. 영향력이 커진 소비자는 자신을 위해서 제품과 서비스가 공조하여 역할을 해달라고 더 강하게 요구할 것이기 때문이다.[40] 또한 기술혁신은 산업간 경계 해체를 가속화할 것이다. 예를 들어, 인공지능 기술의 발전으로 거의 모든 제품은 서비스 기기가 되어갈 것으로 전망되므로, 전통 제조기업은 서비스기업과 같은 공간에서 경쟁하게 될 것이다. 서비스기업들도 인공지능 기술 등의 도움으로 인적 서비스 부문을 대폭 축소하고 장치산업이 되어 제조기업과 같은 영역에서 경쟁하게 될 것이다. 더 편리하고 싶고 더 행복하고 싶은 인간의 욕구를 중심으로 모든 기업 활동이 재편되고 있으므로, 산업간 경계 해체 추세는 가속화될 것이다. 예를 들어, 잡스가 아이폰을 개발할 때 하나의 기기에서 전화 통화는 물론이고 음악도 마음껏 들을 수 있고, 인터넷도 마음껏 할 수 있도록 개발했는데, 이는 더 편하고 행복하기를 원하는 인간의 욕구를 충족시켜준 것이다. 이렇게 전화기가 서비스플랫폼이 되면서 모바일 세상을 열어준 것과 같이, 인간의 욕구는 계속 산업간 경계 해체를 요구하고 있다.

---

40) Kim, Hyunsoo(2018), 경영의 신경영, p.275

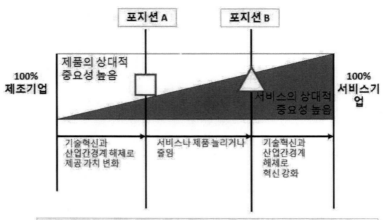

[그림 5-8] 산업간 경계가 해체되는 현대 산업 지형

표준산업분류의 변화

산업변화 추이를 늦게 반영하기는 하지만, 좀 더 공식적인 사례로서 표준산업분류의 변화를 들 수 있다. 대한민국 표준산업분류는 수년에 한번씩 개정되며 산업의 변화 내용을 산업분류표에 반영한다. 제9차와 제10차 개정에서의 산업분류 변화 내용을 보면, 서비스산업의 비약적인 성장과 제조업의 서비스화가 확연히 드러난다. 2007년에 개정 고시한 9차 개정 분류는 국제표준산업분류 4차 개정결과와 한국표준산업분류 8차 개정 이후 진행된 국내 사

회, 경제 변화상을 반영하여 대폭 개정되었다. 9차 개정분류의 주요 특징으로는 대분류에서 농업·임업·어업(A)이 통합되었고 하수·폐기물 처리, 원료재생 및 환경복원업(E), 출판, 영상, 방송통신 및 정보 서비스업(J), 전문, 과학 및 기술 서비스업(M), 사업시설 관리 및 사업지원 서비스업(N) 등이 신설 또는 범위 변경 형태로 세분화 되었다. 전통적으로 오랫동안 주력산업이었던 농업이 독자적인 대분류가 되지 못하고 임업과 어업 등과 통합된 것을 보듯이, 현대 경제의 산업구조는 크게 변화하고 있다. 한국표준산업분류 9차 개정 이후 시간이 경과하면서 새롭게 등장하고 있는 산업영역들의 통계작성 및 정책지원에 필요한 분류체계 신설, 변경 요청 등이 급증함에 따라, 2017년 제10차 한국표준산업분류체계가 고시되었다. 제10차 개정에서는 국제표준산업분류 4차 개정안을 추가로 반영하여 부동산 이외 임대업 중분류를 부동산업 및 임대업 대분류에서 사업시설 관리 및 사업지원 서비스업 대분류 하위로 이동하였고, 수도업 중분류를 전기, 가스, 증기 및 수도업 대분류에서 수도, 하수 및 폐기물 처리, 원료재생업 대분류 하위로 이동하였다. 자본재 성격의 기계 및 장비 수리업 소분류는 수리 및 기타 개인 서비스업 대분류에서 제조업 대분류로 이동하고 중분류를 신설하였다. 출판, 영상, 방송통신 및 정보서비스업 대분류는 정보통신업으로 명칭을 변경하였다. 이와 같이 급격하게 성장한 정보통신서비스 부문이 하나의 대분류로 승격하는 큰 변화가 있었다(통계청 고시, 2017년 1월). 아래 [표 5-1] 대분류표의 A부터

E 까지의 1차 및 2차 산업들은 아직은 서비스라는 인식이 약한데, 제조의 서비스화 경향이 뚜렷해지면서 점차 서비스업이라는 인식이 강화되고 있다. F부터의 모든 산업은 서비스산업인데, 대분류 명칭에 서비스를 포함하고 있는 경우도 있고, 산업의 키워드로 대분류 명칭을 대신하는 경우도 있다. 예를 숙박 및 음식점업은 숙박서비스 및 식음료서비스를 제공하는 산업이므로 숙박서비스업, 식음료서비스업이라고 명명해야 정확하다. 아직 서비스에 대한 인식이 부족하여 정확한 명명을 하지 못한 것으로 분석된다. 건설업, 금융업, 정보통신업을 비롯하여 아직 서비스를 명칭에 부기하지 않은 모든 서비스산업들은 산업의 주체 또는 통계 작성 주체들이 서비스본질을 이해하면 명칭 개선과 함께 큰 발전이 기대되는 산업들이다. 이미 서비스 명칭을 가진 산업들의 성장과 분화도 계속되고 있다. 예를 들어, 교육서비스업에서 스포츠 교육기관은 태권도 및 무술 교육기관과 기타 스포츠 교육기관으로, 예술학원은 음악학원, 미술학원, 기타 예술학원으로 세분되었다. 보건업 및 사회복지서비스업의 경우, 주로 장기 입원환자를 대상으로 진료하는 요양병원을 신설하였으며, 증가하는 사회복지서비스 수요를 반영하여 비거주 복지서비스업 세분류에 종합복지관 운영업, 방문 복지서비스 제공업, 사회복지 상담 서비스 제공업을 신설하였다. 아래 [표 5-1]과 같이 기존의 서비스업은 큰 산업으로 발전되어 대분류가 되었고, 과거에 매우 큰 비중을 차지했던 기존의 1차 및 2차 산업은 지속적으로 축소되고 있으며, 또한 서비스업 성

격으로 변화하고 있다. 특히 제조업의 경우, 로봇과 인공지능 기술의 발전으로 거의 모든 생산 작업이 자동화되면서 노동현장의 일자리가 상당히 감소하고 있고, 연구개발 및 물류, 마케팅 등 서비스 일자리가 중심인 산업이 되고 있다. 아래 [그림 5-9]와 같이 인간의 제조 부문 일자리가 로봇 및 인공지능과 경쟁하면서, 임금 경쟁력이 낮은 경우, 빠르게 자동화되고 있다.

[그림 5-9] 자동화로 인간 일자리가 줄어들고 있는 자동차 공장

2024년 1월 고시된 제11차 한국표준산업분류체계에서는 대분류와 중분류의 경우 제10차 고시와 동일하고, 소분류에서 2개, 세분류에서 6개, 세세분류에서 9개가 증가하였다. 영상물 및 오디오

물 제공서비스업, 가상자산 매매 및 중개서비스업, 온라인 플랫폼 활용 서비스 산업 등 미래·성장산업을 중심으로 분류를 신설·세분하였다. 콩나물 재배 및 타이어 재생 등 농업이나 제조업 등에서 상대적으로 비중이 감소된 산업은 항목이 통합되었다. 제조업 내에서도 서비스와 관련된 제조업은 분류가 신설되었다. 예를 들어, 반려동물용 사료 제조업, 체외 진단 시약 제조업 등 서비스를 위한 제조업은 별도 분류 코드를 부여받았다. 공기 조화장치 제조업은 서비스 수요 증가를 반영하여 가정용 및 산업용 공기 조화장치 제조업과 운송장비용 공기 조화장치 제조업으로 확대되었다. 서비스업 내에서도 기존의 '애완용동물' 표현을, 서비스 성격을 반영하여 '반려용동물'로 변경하였고, 야영장업이나, 온라인 활용 마케팅 및 관련 사업지원 서비스업 등 서비스 수요가 증가된 산업 분류를 신설하였다. 이와 같이 전통 산업의 비중은 계속 감소되고 있고, 서비스업의 비중은 계속 증대되고 있다.

제11차 한국표준산업분류표의 대분류 산업 21개는 아래 [표 5-1]과 같다(통계청 고시, 2024년 1월 1일). 위에 설명한 바와 같이 대분류의 명칭과 숫자는 제10차 고시와 동일하지만, 그 내용은 전체 산업의 서비스화 추세를 반영하고 있다. 앞으로도 계속 이와 같이 서비스산업의 비중이 증대되는 방향으로 표준산업분류가 개정되어 갈 것이다. 서비스가 계속 새로운 재화로 발전한 과정이 인류의 역사이기 때문이다.

[표 5-1] 한국표준산업분류 제11차 고시 대분류표

대분류
A 농업, 임업 및 어업
B 광업
C 제조업
D 전기, 가스, 증기 및 공기조절 공급업
E 수도, 하수 및 폐기물 처리, 원료 재생업
F 건설업
G 도매 및 소매업
H 운수 및 창고업
I 숙박 및 음식점업
J 정보통신업
K 금융 및 보험업
L 부동산업
M 전문, 과학 및 기술서비스업
N 사업시설 관리, 사업 지원 및 임대 서비스업
O 공공행정, 국방 및 사회보장 행정
P 교육서비스
Q 보건업 및 사회복지 서비스업
R 예술, 스포츠 및 여가관련 서비스업
S 협회 및 단체, 수리 및 기타 개인 서비스업
T 가구 내 고용활동, 자가소비 생산활동
U 국제 및 외국기관
21

인류 역사는 서비스의 산업화 역사

　서비스산업들은 인류 문명의 발전과 함께 탄생하고 발전되었다. 서비스가 재화로 거래되면서 인류 문명의 발전이 촉진되었다고 볼 수 있다. 예를 들어 인류의 문명 발전에 결정적으로 기여한 교육서비스의 경우, 최초의 직업 교육자 공자로부터 재화가 되고 산업화가 시작되었다. 『논어論語』 술이述而편 제7장에는 '속수(束脩: 묶은고기) 이상을 가져오는 자에게는 내가 가르쳐주지 않은 적이 없다'라는 대목이 나온다. 대가를 받고 가르쳐 주었다는 것이다. 공자는 여러 선생들로부터 배웠다고 하는데, 그 자신이 대가를 지불하고 배웠다는 기록이 없는 것을 보면, 공자 이전의 선생들은 무료로 가르쳤다고 볼 수 있다. 즉 교육서비스를 대가를 주고 받는 서비스 재화로 만든 사람은 공자라고 할 수 있다. 이렇게 시작한 교육서비스가 지금은 수많은 교육자들, 강사들의 직업군으로 성장하였고, 연봉 100억원 이상을 받는 사람들도 다수인 주요 서비스업으로 성장을 하였다. 서비스를 행하는 사람들이 그 가치를 경제적인 대가로 요구하는 주도성이 서비스업 성장에서 중요하게 작용하는 사례라고 볼 수 있다.

　교육서비스와 함께 역사가 오래되었고 현대 경제에서 비중이 큰 의료서비스의 경우, 과학기술의 발전과 제조업의 성장으로 더욱 큰 산업이 되었다. 과거에는 의사 개인이 자신의 지식과 기술만을 활용하여 의료서비스를 제공했기 때문에 부가가치도 높지 못했고, 큰 산업으로 성장하기도 어려웠다. 그러나 근대 이후 생명과학과 제조업의 발전으로 진단기술, 치료기술이 개발되고 각종 의료기기들이 개발되면서 큰 조직들이 활동하는 거대 서비스산업이 되었다. 앞서 표준산업분류의 변화에서 보듯이 과학기술의 발전과 제조업의 발전을 기반으로 작은 서비스산업이 거대한 서비스산업으로 성장하는 경우가 많다. 과학기술이 계속 발전할수록, 또 제조업이 고도화될수록 서비스업의 탄생과 발전이 촉진되는 것이고, 또 서비스산업이 성장하면 과학기술 연구와 제조업의 성장을 촉진하는 상호 선순환 구조가 형성되는 것이다.

또 기업가들의 창의적 노력에 의해서, 과거에는 산업이 아니었던 서비스가 새로운 산업으로 탄생하고 주력 산업으로 성장하기도 한다. 예를 들어 경영컨설팅서비스산업이나 엔터테인먼트서비스산업은 유능한 기업가의 창의적 노력이 산업의 탄생과 성장에 큰 역할을 했다고 볼 수 있다.[41] 경영컨설팅서비스는 비즈니스 모델로 개발하는 데 많은 어려움을 겪었지만, 그 어려움을 극복하고 당당하게 고부가가치 서비스산업으로 성장한 사례를 보여준다. 맥킨지의 창업자인 맥킨지(James O. McKinsey)가 48세의 젊은 나이에 요절하자 회사는 파산 위험에 처했었는데, 파트너 중 한 명이었던 마빈 바우어(Marvin Bower)가 회사를 인수해 경영 컨설팅업이 서비스 비즈니스 모델이 되도록 노력하기 시작했다. 1930년대였던 당시에 경영 컨설팅이 비즈니스 모델이 된다고 생각하는

---

41) Kim, Hyunsoo(2018), 경영의 신경영, pp.168-171

사람은 거의 없었으니 고객을 확보하기도, 수익을 창출하기도 어려웠다. 경영 컨설팅의 대상은 CEO들인데, 오랜 업계 경력과 노하우를 지닌 CEO들은 관련 경험이나 이해가 일천한 경영 컨설턴트의 컨설팅 가치를 인정하지 않았고, 더구나 컨설팅 결과물은 몇 권의 보고서와 경영 제안에 불과해 CEO들이 그 가치를 인정하기가 쉽지 않았기 때문이다. 마빈 바우어는 언론에 오랫동안 지속적으로 칼럼을 기고하고, 직접 뛰어다니며 많은 사람을 만나 경영 컨설팅의 가치와 효과를 전파했다. 그가 30여 년간 사장으로 재직하면서 이런 방식으로 회사를 경영한 결과, 그가 퇴직한 1960년대에는 경영 컨설팅이 고부가가치를 창출하는 서비스산업으로 자리 잡을 수 있었다.

대한민국의 SM엔터테인먼트 창업자인 이수만은 1987년 창업 당시 소상공인 영역에 있던 연예 매니지먼트 업무를 기업 경영 원리를 도입하여 기업 비즈니스 모델로 발전시켰다. 연예인의 잠재된 능력을 개발하고 능력을 관리하며 연예인과 관련 부문의 가치를 높이는 업무인 연예 매니지먼트는 모두 무형적 활동이기 때문에 산업화하기 쉽지 않은 영역이었다. 그래서 유형재화를 생산하는 제조업 경영의 패러다임을 서비스업에 도입하여 연예 매니지먼트의 산업화를 추진하였다. 우선 분업화를 추진하였다. 당시 음반기획사의 업무는 분업화되지 않았었는데, SM엔터테인먼트에서는 가수발굴, 기획, 녹음진행, 홍보 등의 업무를 분업화하여 전문화시켰으며, 매니저도 로드매니저, 스케줄매니저, 헤드매니저 등으로 세분화하여 업무를 전문화시켰다. 그리고 연구개발 개념을 도입하였다. 가수를 조기에 발굴하고, 이들을 시장과 고객의 기호에 맞게 장기간 훈련시킨 후, 완제품으로 생산하여 시장에 출시하는 방식을 도입하였는데, 이는 제조기업들이 사용하는 방식인, 연구개발 과정을 거친 후에 제품을 생산하고 출시하는 프로세스를 도입한 것이다. 이러한 창의적인 노력으로 현재의 K-팝의 성공이 가능했다고 볼 수 있다. 지금의 세계적인 K-팝 스타들인 BTS나 블랙핑크 등도 이러한 창의적인 산업화의 결과물이다.

엔터테인먼트서비스는 물론이고, 관광서비스, 스포츠서비스 등도 거대 서비스산업이 되고 있다. 경제가 발전하여 거의 모든 사람들이 먹고 사는 문제를 해결하면서 즐거움을 주는 서비스들이 산업으로 성장하였다. 스포츠서비스는 e-스포츠까지 활성화되며 고속 성장하고 있고, 엔터테인먼트서비스는 유튜브 등 콘텐츠 플랫폼의 보편화와 함께 모든 사람의 일상이 되었다. 스포츠서비스와 엔터테인먼트서비스의 성장으로 사회도 크게 변하고 있다. 젊은 나이에 유명 인물이 되고 큰 부자가 되는 사람들이 많아지면서, 청소년들의 세상에 대한 인식도 크게 변하고 있다. 콘텐츠크리에이터가 최고 선호 직업이 되기도 하고, 젊은 나이에 큰 자산을 축적하여 경제적 자유를 조기에 달성하려는 목표가 일상화되기도 하였다. 이는 새로운 서비스산업을 더 많이 창출하는 동력이 되고 있다. 먼 미래보다 현재를 더 중시하는 삶의 태도는 현재의 삶이라는 과정에 필요한 서비스에 더 집중하도록 하기 때문이다. 이는 그동안 경제의 성장과 전 세계의 지구촌화 등으로 크게 성장한 관광서비스가 더욱 성장하는 동력이 되기도 한다. 새로운 것을 보고 즐기는 관광서비스는 현재의 삶을 최고의 삶으로 만드는 효과적인 서비스이기 때문이다. 새로운 것이나 좋은 것을 보고 즐기고 먹고 마시면서 행복을 느끼는 관광서비스는 시간적으로 유한한 인간의 삶을 질적으로 무한하게 하는 중요 서비스이기 때문이다.

[그림 5-10] 번창하는 관광서비스산업 (체코 프라하성 관광객들)

또 금융서비스, IT서비스 등은 자본주의 경제의 성장과 과학기술의 발전으로 거대 서비스산업이 되고 있다. 산업혁명과 함께 거대 자본이 형성되면서, 금융서비스는 자본주의 경제의 중심 산업으로 성장하였다. 금융서비스는 주식과 채권 등 전통적 금융에 추가하여, 파생상품들과 무형성이 강한 프로젝트파이낸싱(Project

Financing)이 일상화되고, 또 금본위제 폐지로 인한 화폐시스템의 부작용 문제를 해결하기 위해 등장한 가상화폐까지 금융서비스산업에 가세하면서, 더욱 거대한 서비스산업 부문으로 발전하고 있다. IT서비스는 컴퓨터의 발전과 인터넷 세상의 도래로 가장 거대한 서비스산업 부문이 되어간다고 할 수 있다. 시가총액 최상위 기업들은 대다수가 IT서비스 기업들이며, 끊임없이 새로운 서비스가 개발되고 새로운 서비스기업들이 나타나고 있다. 최근에는 사물인터넷(IoT) 및 인공지능(AI)과 챗GPT 등의 첨단기술 발전으로 인간 삶과 경제활동의 구조적 변화를 압박하고 있다. 인류가 자본주의 경제시스템을 계속 유지하는 한 금융서비스와 IT서비스는 끝없는 확장을 할 수 있는 서비스산업이며 또한 일자리를 많이 만들어낼 수 있는 산업이다.

이렇게 계속 새로운 서비스가 생겨나는 것이 인류의 역사다. 창의적인 기업가들이 앞으로도 계속 서비스산업을 창조하고 발전시킬 것이다. 왜냐하면 제품은 그 수요에 한계가 있지만, 서비스는 그 수요에 한계가 없어서 무한히 창출될 수 있기 때문이다. 인간의 무한한 욕구를 충족시키려는 기업가들의 창의적인 노력에 의해 서비스산업은 무한히 성장할 것이고, 이를 통해 일자리와 경제 성장 정체 문제를 동시에 해결할 수 있을 것이다. 인공지능 등 과학기술 개발로 산업 생산성은 계속 높아지고 유휴 노동력은 계속 증가할 것이므로, 유휴 노동력을 흡수하기 위한 새로운 산업들을 계속 많이 만들어내야 한다. 과거와 같이 미래도 인류의 역사는 서비스 창조와 서비스업 산업화의 역사가 될 것이다.

[그림 5-11] 인공지능이 생성한 로봇과 포옹하는 사람 이미지
(인간의 욕망은 한계가 없고, 과학기술은 인간의 욕망 충족을 위해 계속
개발되고 발전하므로, 모든 산업은 서비스산업이 될 것임.
그림 출처 Freepik)

03 모든 길은 서비스로

모든 길은 서비스로 통한다. 인류 공통 사상은 서비스 사상이고, 우주와 생명의 원리는 서비스 원리이고, 인류사회의 발전과 지속가능성도 서비스적 구조와 운용에 기반을 두고 있다. 산업이나 학문은 물론이고, 국가 사회와 개인도 모두 서비스 원리에 따라야 한다. 서비스가 진리이고, 행복의 지름길이기 때문이다.

위대한 문명의 핵심 사상은 모두 서비스 사상

인류사회의 선조들은 서비스사상이 인류사회를 지속가능하게 하는 절대 진리임을 일찌감치 발견하였다. 2,500여 년 전에 지리적으로 서로 멀리 떨어져서 소통을 할 수 없었음에도 불구하고, 인류의 대표 문명지역들에서 동일한 진리를 발견하였다. 고대 그리스인의 중심사상인 적도(適度, to metrion) 사상, 고대 중국인들의 유교 중용(中庸) 사상, 고대 인도인들의 불교 중도(中道) 사상 등은 모두 서비스사상의 다른 표현들이다. 서비스공급자와 서비스수요자 간의 치열한 대칭 균형성은 '나와 너'라는 인간사회의 대칭적 구조와 동일하기 때문이다. 그래서 서비스사상을 각 문명권의 용어를 사용하여 인간 삶의 지혜로 표현한 것이라고 할 수 있다.

고대 그리스의 대표 신전인 델포이 아폴론 신전에 쓰인 '너 자신을 알라. 무엇이든 지나치지 않게' 경구는 지난 2,500여 년간 서양 문명의 뿌리 사상으로 작동하였다고 볼 수 있다. 소크라테스가 널리 퍼뜨린 '너 자신을 알라' 사상이 인류의 지성 문명을 이끌었다고 볼 수 있으며, '무엇이든 지나치지 않게'라는 적도 사상이 인류의 지혜 문명을 이끌었다고 볼 수 있다. 러셀(Bertland Russel)은 자신이 만년에 출간한 『서양의 지혜(Wisdom of the West)』 머리말에서 '서양 철학 전체는 그리스 철학이다'라고 했고, 화이트헤드(Alfred North Whitehead)는 그의 책 『과정과 실재(Process and Reality)』 제2부 제1장에서 '유럽 철학의 전통을 가장 무난하게 일반적으로 규정하자면, 플라톤에 대한 일련의 각주들(해석들)로 이루어졌다(The safest general characterization of the European philosophical tradition is that it consists of a series of footnotes to Plato)'고 했으니, 적도 사상의 인류 사상사에서의 중요한 위상을 짐작할 수 있다. 플라톤은 알맞은 정도라는 의미의 적도(to metrion)를 광범위하게 사용한 데 비해, 아리스토텔레스는 '도덕적 훌륭함(arete)은 지나침과 모자람이라는 양극단의 중간인 상태(mesotes)'로 한정적으로 사용하였다.[42] 플라톤의 사상은 유교의 중용과 맥락이 같다고 할 수 있다. 특히 플라톤은 '적도와 균형성이 없는 모든 혼합은 파멸된다'고[43] 강조했으

---

42) Park, Jonghyun(2022), 적도 또는 중용의 사상, p.36
43) Ibid., p.205 '필레보스'편 인용

니, 플라톤의 사상은 현대 서비스사상과 정확히 맥락이 일치한다고 할 수 있다.

그리스 사모스(Samos)섬에서는 물이 적정 수준을 넘으면 삽시간에 다 쏟아지도록 고안된 물잔 모양의 용기가 지금도 생산되고 있다고 한다. 과음하지 못하도록 술이 잔의 7할을 넘으면 술이 새어버리게 만든 계영배(戒盈盃)와 유사하게, 그리스의 용기는 적도를 넘으면 확 쏟아져 버리게 고안되어 있는 것이다. 계영배는 넘치게 술을 따르더라도 7할의 술은 그대로 유지되고 넘치는 부분만 새어버리는 데 비해, 그리스의 용기는 적정 수준을 넘어서면, 바로 100% 전체가 쏟아져 파국이 된다는 것이 차이라고 할 수 있다. 이것이 서비스 사상과 일치한다. 서비스 공급자와 수요자 간의 균형이 깨지면, 서비스 자체에 파국이 오는 현상과 일치하기 때문이다. 그리스에서는 포도주를 희석해서 마시는 전통이 있고, 희석 용기인 크라테르(krater)가 보편적으로 사용되었는데, 이는 음주가 지나치지 않고 적도를 유지하도록 하는 적도 사상과 관련이 깊다고 할 수 있다.44)

정치사회 시스템의 경우에도 그리스는 적도 사상에 충실하였다. 스파르타의 국가시스템을 구축한 리쿠르고스(Lykourgos)는 부왕과 형의 사망으로 왕위를 직접 물려받을 수 있었음에도 조카에게 양보하고, 오랜 기간 여러 나라를 주유하며 수련의 시간을 가진 후에, 본국의 초대를 받아 왕의 직무를 맡았다. 적도 사상에 부합

---

44) Ibid., p.70

하는 행동이었다고 볼 수 있다. 그가 구축한 스파르타의 정치시스템도 적도사상에 부합하는 시스템이었다. 2명의 왕들, 28명의 60세 이상 원로들로 구성되는 원로원(gerousia), 30세 이상 시민들로 구성되는 민회(apella), 추후에 추가된 5명의 국정감독관(ephoroi)까지 모두 적도 사상의 산물이라고 할 수 있다. 각 기관들이 적절하게 권력을 분점하고 있으며, 한 권력기관 내에서도 철저한 견제가 있는 시스템이다. 예를 들어, 왕이 1명일 경우 독재하기 쉬우므로 왕을 2명을 두어 권력을 적정한 수준으로 통제하였고, 이런 제한된 왕의 권력마저도 국정감독관들이 통제할 수 있도록 이중 견제 장치를 마련하였다.[45]

이렇게 고대 그리스 사상은 현대 서비스 사상과 맥락이 일치한다. 서비스시스템에서는 적도를 넘어서면 시스템 파국이 일어나기 때문이다. 서비스공급자와 서비스수요자 중 어느 한 쪽이 적도를 넘어서면, 그 서비스는 성립되지 못하고 파국을 맞는다. 또한 시스템 전체 차원에서도 서비스네트워크의 일부 노드(node)가 적도를 넘어서면, 서비스네트워크 전체가 붕괴된다. 아래 두 그림은 각 노드들이 적도를 잘 지키는 살아있는 서비스네트워크와, 일부 노드들이 적도를 벗어나 죽어가는 네트워크를 예시한다. 세계의 모든 존재는 서비스로 연결되어 있으므로, 모든 존재가 자신에게 부여된 역할(권한과 의무)을 적정하게 수행할 때 이 세계는 살아있는 네트워크가 되고 지속가능한 것이다.

---

45) Park, Jonghyun(2022), 적도 또는 중용의 사상, p.48

[그림 5-12] 각 노드들이 적도를 잘 지키는 살아있는 네트워크

(출처 Freepik, 작가 callmetak)

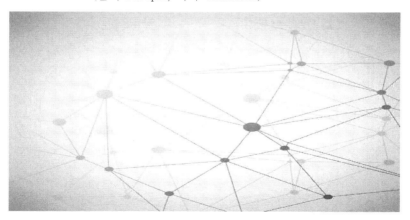

[그림 5-13] 일부 노드들이 적도를 벗어나 죽어가는 네트워크

(출처 Freepik, 작가 Harryarts)

예를 들어, 의료서비스시스템 경우, 미용 시술 등의 비 필수 의료가 적도를 넘어서면 중증 질환 치료 등의 필수 의료가 붕괴되고, 이어서 의료서비스 전체의 붕괴로 이어진다. 피부과 등 미용 시술은 위험도와 난이도가 낮으면서 부가가치는 높은 의료서비스인데 비해, 중증 질환 치료는 위험도와 난이도가 높으므로 의사들이 기피하게 되고, 따라서 인체라는 전체 시스템을 종합적으로 치료하는 의료서비스시스템에 불균형이 초래되고 서비스 붕괴로 이어질 수 있다. 위 [그림 5-12]는 각 노드들이 각자 제 역할을 충실하게 수행할 경우, 자신도 빛나고 네트워크 전체도 생동하는 힘을 가지는 경우의 예시이다. [그림 5-13]은 특정 노드들이 자신의 과도한 이기심이나 비이성성 등의 어떤 이유로 적도를 크게 벗어나서 이웃 노드들을 쇠락하게 만들고, 결국에는 자신도 빛을 잃고 전체 네트워크도 사멸하는 모양을 예시한다.

고대 중국에서도 양 극단을 경계하며 치우침이나 지나침이나 부족함이 없는 상태인 중용을 인간 사회의 지혜로 발견하였다. 중(中)이란 한쪽으로 치우치지 않고 기울어지지 않으며, 지나침도 미치지 못함도 없는 것(不偏不倚 無過不及: 불편불의 무과불급)을 일컫는 것이고, 용(庸)이란 떳떳함을 뜻하는 것이라고 생활윤리 수준의 유학을 철학적 사상으로 발전시킨 주희는 설명하였다. 단순히 중간에 머무는 것이 아닌 치우침이 없는 상태는 자신과 대립되는 상대의 입장을 수용할 수 있어야 가능한 것이다. 두 대립자를 양 손에 동시에 잡고 철저한 균형을 유지할 수 있어야 가능한 것이다. 서비스하는 자와 서비스받는 자가 상대를 내 안에 인식하고 상대와의 철저한 균형을 유지하는 것이 중용의 도(道)라고 할 수 있다. 어느 한 쪽으로 치우치지 않고 과부족 없이 한결같이 떳떳함은 '시중(時中)'으로 연결된다. 시중(時中)은 그때 그때 다른 상황을 만나서 치우치지 않도록 한결같이 살아야 한다는 뜻이다. 이것이 현대 서비스 사상이다. 성공한 기업이나 개인들은 그렇게 고객의 상황, 시장의 상황에 맞게 자신을 맞추어 나가고 있기 때문에 성공하는 것이다. 한결같이 서비스철학을 견지하였기 때문에 성공하였다고 볼 수 있다.

2,500년간 동양사회를 이끌어온 유학의 중심사상은 '인(仁)' 사상이다. 유학에서 인(仁)은 인간의 본질이며 삶 자체이며, '몸을 죽여 인을 이룬다(殺身成仁:살신성인)'고 강조하고 있다. '인(仁)'의 성취 방법은 서비스 구현 방법과 동일하다. 문질빈빈(文質彬彬), 즉 문(文)과 질(質)이 서로 조화를 이루어 빛나는 것, 겉과 속, 내용과 형식, 유형과 무형의 조화가 인의 구현 방법이다(『논어論語』 옹야雍也편 제16장). '자신이 원하지 않는 것을 남에게 베풀지 말라'(己所不欲 勿施於人:기소불욕 물시어인)(『논어論語』 위령공편 제23장)는 방식이 인의 구현 방식이다. 앞서 말한 '시중지도(時中之道)'와 '인(仁)'은 공자의 정신세계다. 따라서 유학 사상은 현대 서비스사상과 맥락이 일치한다.

조선 후기 실학자인 다산 정약용은 유교의 근본 사상인 인(仁)을 파자(破子) 하여 두 사람으로 해석함으로써, 두 사람, 즉 두 대립자 간의 철저한 균형을 강조하였다. '두 사람의 교제/관계가 곧 인이 된다네'(시 '인자(仁字)' 중)라고 했으며, '사람과 사람이 각기 본분을 다하면 곧 인이 된다'(여유당전서, 맹자요의)고도 했다. 예를 들어, 목민관과 백성이 두 사람으로서 각기 본분을 다하는 것이 '인'이라는 것이다. 공급자와 고객이 각기 자기 본분을 다하는 것이 '서비스'의 구조이므로, 서비스사상과 인 사상은 일치한다. 그는 유학에 대한 해석도 서비스학과 유사한 방식으로 하였다. 사회적 관계 속의 인간의 양심과 욕구의 충돌 및 그 운용 철학을 신유학으로 정의하였다. 이는 관계 중심 세계관인 서비스학의 세계관과 일치한다. 또한 그는 '인(仁)의 본성은 인간 내부에 있지 않고, 사회에서 힘겨운 노력을 통해 축적되는 외재적 덕성'이라고 하며 '인이 인간 본성에 내재되어 있다'는 주희의 주장을 반박하였는데, 이는 과정을 철저하게 중시하는 서비스의 과정철학 성격과 맥락이 서로 통한다. 예를 들어, 요순(堯舜)은 무위정치가 아닌 빈틈없는 치밀 공정 정치라고 주장하였는데, 이는 겉으로 무위인 것처럼 보이는 무수한 서비스가 '실제로는 내부에서 빈틈없는 치열한 노력의 산물'이라는 서비스의 본질과 맥락이 같다. 우주의 빈틈없는 조화로운 운행이 서비스 원리와 맥락이 같듯이, '인'사상도 서비스사상과 맥락이 일치한다.

요약하면, 나와 너가 서로 어울려서 살아가는 인간 세상의 바람직한 모습을 '인'이라고 해석한 것인데, 이는 서비스의 기본 구조와 일치하는 것이다. 서비스하는 자와 서비스받는 자가 서로 어울려서 살아가는 것이 이 세상의 구조이기 때문이다.

앞서 제3장에서 일부 언급한 바와 같이, 여기서 우리가 주목할 것은, 고대 중국에서 유가(儒家)와 쌍벽을 이루었던 묵가(墨家)의 쇠퇴 원인이다. 묵가는 비공(非攻: 남을 공격하지 않음), 겸애(兼愛: 모두를 똑같이 사랑함) 등 이상적인 사회 사상을 전파하였으며, 매우 도덕적이고 이타적인 삶을 살았던 사람들의 학파였는데, 왜 그들의 전통은 단절되었는가? 적도를 벗어난 것이 원인이었다고 분석된다. 보통 사람들이 지키기 어려운 도덕 규범이 묵가 집단의 규율로 요구되었던 것이 지속 불가능의 원인이었던 것으로 분석된다. 아래 '여씨춘추' 거사(去私) 편에 나오는 묵가의 지도자 복돈의 사례가 시사점이 크다.[46] 개인의 자아(ego)로 인한 이기심을 철저히 통제하는 묵가의 규율을 보여준다.

복돈은 묵가의 거자(巨子:지도자)로서 진(秦)나라에 살고 있었는데, 그의 아들이 살인을 하였다. 진나라 혜왕(惠王)이 말하였다. "선생의 나이도 많은데 다른 아들도 없으니, 내가 이미 법을 집행하는 관리에게 명하여 처형하지 말도록 하였소. 선생께선 이제부터 내 뜻을 따라 주시오." 복돈이 대답하였다. "묵가의 법에 사람을 죽인 자는 사형에 처하고 사람을 상하게 한 자는 형벌을 받도록 되어 있는데, 이는 사람을 죽이거나 상하게 하는 것을 금하는 수단입니다. 사람을 죽이거나 상하게 하는 것을 금하는 것은 천하의 대의(大義)입니다. 왕께서 비록 은총을 베푸시어 옥리에게 명하여 처형하지 말도록 하셨다 하더라도 저는 묵가의 법을 행하지 않을

---

46) Kim, Hakju(2014), 묵자, 그 생애·사상과 묵가, p.154

수 없습니다.' 혜왕의 뜻을 따르지 않고 마침내 복돈은 묵가의 법에 따라 그의 외아들을 죽였다.

왕의 방면에도 불구하고 살인자 아들을 아버지가 죽인 묵가의 엄격한 규율은 보통 사람들에게는 수용되기 쉽지 않았을 것이고, 따라서 이들의 고매한 이상과 헌신적 노력에도 불구하고 묵가의 사상은 이어지지 못했던 것으로 볼 수 있다. 즉 묵가의 사상은 인간의 이기심(ego)을 인정하지 않고, 조화성, 대칭성, 균형성 등의 서비스사상에 부합하지 못하였기 때문에 지속가능하지 못했을 것이다. 서비스사상에 부합해야 장구(長久)할 수 있는 것이다.

고대 중국의 사상 중에서 유학과 함께 크게 장수하고 있는 노자(老子)사상도 적도를 매우 강조하고 있다. 노자 『도덕경(道德經)』 제5장 끝에서는 '말이 많으면 금방 한계에 봉착한다. 중(中)을 지키는 것만 못하다(多言數窮 不如守中: 다언수궁 불여수중)'고 하였고, 제16장 첫 부분에서는 '텅 빈 상태를 유지해야 오래가고, 중을 지켜야 도타워진다(至虛 恒也, 守中 篤也: 지허 항야 수중 독야)'고 하였다. 모두 중을 지키는 것이 매우 중요하다는 것이다. 노자 도덕경에서 일관되게 강조되는 사상이 중(中)이다. 또 제40장에서는 '되돌아가는 것이 도의 운동이다(反者, 道之動: 반자, 도지동)'라고 다시 강조하며 어느 한 쪽으로의 지나침을 경계하고 있다. 어떤 한계를 넘어서게 되면 반드시 그 반대로의 힘이 작용하여 상황이 반전된다는 것이니, 지속가능하려면 지나침을 특히 경계해야 하는 것이다. 이와 같이 고대 중국의 핵심 사상도 고대 그리스의 적도 사상과 맥락을 함께 하고 있으며, 이는 현대 서비스사상과 맥락이 일치한다.

한편 고대 인도에서도 치우치지 않은 바른 도리가 진리임을 발견했다. 불교의 핵심 사상인 중도(中道)는 물질적 풍요도 깨달음이나 구원의 길이 아니고, 힘든 고행도 구원이나 깨달음의 길이 아니고, 이 둘을 넘어서는 심신의 조화가 깨달음의 길이라는 사상이다. 서비스에서도 양자 간의 조화가 좋은 것이듯이 인생의 진리도 두 대립자 간의 조화가 좋은 것이라는 것이다. 인도의 중도사상은 중국에 전파되어 더욱 심화되었다. 중국에서 중도사상은 수처작주(隨處作主(임제록))로 표현되고 있다. 즉, 가는 곳 마다 늘 조건과 상황이 변화하는 동적인 환경 속에서 주도적으로 행동하는 것이 중도라는 것이다. 서비스가 고객과 공급자의 상황이 수시로 변함에 따라 끊임없이 스스로 변화해야 하는 것처럼, 어느 한쪽에 치우침이나 머무름이 없이 계속 주도적으로 변해야 하는 것이 세상의 진리라는 것이다. 초기 불교 경전 『숫타니파타』에 나오는 유명한 '무소의 뿔처럼 혼자서 가라' 장처럼, 어느 쪽에도 의지함이 없이 자신의 길을 가는 것이 '중도'라는 것이다.

또 다른 인도의 주요 지혜서인 『바가바드기타』에서도 적도 사상은 뚜렷이 나타나고 있다. 바가바드기타 제6장에 '너무 먹는 자, 전혀 먹지 않는 자, 너무 잠이 많은 자, 그리고 지나치게 깨어있는 자에게 요가는 없다. 적절히 먹고 노니는 자, 행위들과 관련하여 적절히 활동하는 자, 적절히 잠자고 깨어있는 자에게는 고통을 없애는 것인 요가가 있다'고 하였다.[47] 서비스하는 자와 서비스받는 자 모두 서로 적절해야 서비스가 성립하므로 바가바드기타의 사상은 서비스 사상과 맥락이 일치한다. 바가바드기타의 카르마요가(Karma Yoga: 행의 요가, 결과에 집착하지 않는 행위) 사상을 평생 실천하였던 마하트마 간디도 그의 감옥에서의 편지 중에 사티아그라하(진리의 파지) 운동시 '아힘사'를 설명하면서, '아힘사(비폭력)는 철저한 균형이 없이는 실천할 수 없다'고 강조했다. 이렇듯 대립자 간에 철저한 균형을 시공간의 변화 속에서도 유지하는 과정은 고대와 현대, 동양과 서양, 동양의 동서 지역을 공통적으로 관통하는 인류가 발견한 최고의 진리라고 할 수 있고, 이 진리는 현대 서비스사상과 맥락이 일치한다. 현대에 들어 동양과 서양의 문명과 지혜가 본격적으로 만나면서 자연과학과 인문학에서 많은 사람들이 동서양의 진리가 공통됨을 발견하였고, 이는 현대 서비스사상과 맥락이 일치함을 입증하였다. 예를 들어, 앞서 언급한 바와 같이 자연과학에서는 닐스보어 등이 양자역학 및 상보성원리 등과 동양의 주역 등의 원리가 공통됨을 밝혀내었다.

앞서 제2장에서 언급한 바와 같이, 현대 역사가 아놀드 토인비는 그의 저서 『역사의 연구』에서 인류의 모든 찬란한 문명은 척박한 환경에서 도전을 이겨내는 응전을 통해 발전되었다고 하였다. 토인비는 인류 역사를 문명 단위로 거시적으로 분석한 후, 최

---

47) Lim, Keundong(2021), 바가바드기타, p.169

적 구간 이론을 제시하였다. 그의 중심이론은 도전과 응전 이론인데, 이 도전의 크기가 적정해야 한다는 것이다. 즉 인류의 큰 문명들은 모두 자극과 도전에 대해 인간들이 응전을 하면서 발전해왔는데, 그 자극과 도전이 너무 작아도 문명이 발전하지 않고, 그 자극과 도전이 너무 커도 문명이 발전하기 어렵다는 것이다. 자극과 도전이 적정한 구간이라야 인간이 최선을 다해서 그 도전에 대해 응전을 할 수 있었고, 따라서 위대한 문명이 탄생할 수 있었다는 것이다. 이 또한 적도 또는 중용 이론이라고 할 수 있다. 동양 사회에서 또 고대 그리스 사회에서 중심이론이었던 적도 이론이 현대 역사가의 연구에서도 인류사회의 진리로 제시된 것이다. 이 중용과 나선형 발전 이론은 서비스 철학의 핵심이다. 물론 토인비의 적정 구간은 그가 분석한 5가지 도전을 종합적으로 판단하는 개념이다. 즉 척박한 지역, 낯선 환경, 공격, 압박, 압제 등 5가지 도전 중의 어느 부문은 그 정도가 너무 클 수 있지만, 다른 부문의 적정함으로 도전 정도가 완화될 수 있다는 것이다. 예를 들어, 베네치아와 네덜란드는 척박한 자연환경의 도전은 매우 컸지만, 그 척박한 자연환경 덕분에 공격, 압박, 압제로부터 벗어날 수 있어서(베네치아의 이웃 롬바르디아와 네덜란드의 이웃 플랑드르가 유럽의 상주적 전쟁터가 된 것을 생각하면, 이들의 척박한 자연환경은 오히려 구원일 수 있었으므로..) 인류 역사의 모델이 된 위대한 문명을 발전시킬 수 있었다는 것이다.[48]

---

48) Toynbee, A. J.(2016), 역사의 연구 I, p.178

[그림 5-14] 문명 발전 원리로서의 서비스 철학

위 [그림 5-14]와 같이 문명을 이룬 집단의 경우 도전의 크기가 응전력의 크기와 적절한 균형을 이룬 경우 도전을 성공적으로 극복하며 발전된 문명으로 나아갔다. 이 과정은 일회적인 것이 아니라 나선형으로 여러 번 순환하며 발전하는 과정으로 진행되며 문명이 성장하였다(생의 약동(elan vital)으로 창조적 진화를 통해 성장!). 즉 한 걸음씩 나아가도록 하는 도전이며, 한 가지 일이 이루어지면 또 새로운 노력을 하게 하고, 한 문제가 해결되면 또 다른 문제가 생겨 음에서 양으로 전진하게 하는 도전이었다. 예를 들어 헬라스(그리스) 문명의 경우, 미노스 문명 해체 이후 혼란과 어둠이라는 도전을 성공적으로 극복하여 촌락사회에서 도시사회로, 목축사회에서 농업사회로 발전하였다. 하지만 그 결과인 인구 증가로 새로운 도전에 직면하였다. 이 도전에 대해서도 헬라스 문명인들은 발전된 군사기구와 도시국가라는 정치적 수단을 이용하여 지중해 전역에 많은 식민도시를 건설하여 극복하였다. 이러한 도전과 응전이 그 이후에도 여러 번 나선형으로 전개되면서 인류사회에 찬란한 유산을 남긴 헬라스 문명이 발전하였다.[49]

이와 같이 인류의 공통사상은 현대 서비스사상과 맥락이 일치하고 있고, 인류 문명의 발전 원리도 서비스원리와 맥락이 일치한다. 따라서 서비스는 인류사회의 진리라고 할 수 있다.

우주원리와 생명원리는 서비스 원리

제2장에서 일부 설명한 바와 같이 우주 및 생명의 구조와 운행 원리도 서비스원리와 동일하다고 볼 수 있다. 앞에서 우주의 구조가 서비스 구조와 일치함을 설명하였는데, 생명의 구조도 서비스 구조와 일치한다. 인체와 모든 동식물은 대칭 구조가 기본이다. 사람 몸의 경우, 눈 귀 코 등의 얼굴 부위는 물론이고, 팔과 다리 등 몸의 전체가 대칭을 이루고 있다. 그래서 건강 검진을 할 때 인체의 대칭 구조가 잘 유지되고 있는가를 검사하여 건강의 주요

---

49) Ibid., p.231

지표로 고려한다. 동물과 식물도 기본 구조가 대칭 균형성이다. 서비스 공급자와 서비스 수요자가 서로 균형을 이루고 대칭 구조에서 상호작용할 때 서비스가 활성화되고 가치를 인정받듯이, 우주와 생명도 모두 대칭 균형을 유지해야 지속가능할 수 있다. 인간이 만든 예술도 대칭 균형성을 잘 유지할 때 가치를 높게 인정받는다. 음악, 미술, 무용, 문학 등 모든 예술은 대칭성이 기본이다. 인류의 고전인 호메로스의 『일리아스』와 『오디세이아』부터 시작하여 거의 모든 훌륭한 작품들은 대칭성을 기본으로 하고 있다.

[그림 5-15] 모두 대칭 구조인 봄 꽃들 (출처 Freepik)

우주와 생명의 운행 원리는 '변화'다. 시공간의 변화에 따라 함께 변화하고 함께 흘러가는 모습이 우주와 생명의 운행 모습이다.

세상에 변하지 않는 진리는 '모든 것은 변한다'라고 한다. 또한 작용과 반작용이 주요 운행 원리다. 우주는 계속 변화하면서도 그 대칭적 기본 구조를 치열하게 유지한다. 시간의 변화와 공간의 변화 속에서 계속 대칭과 균형을 이루어 가는 과정이 우주의 운행 과정이다. 따라서 결과보다 과정이 중요한 것이다. 시간은 무한히 계속 흘러가고, 모든 것은 다음과 그 다음이 계속 존재하므로, 실질적으로는 우주 속의 모든 존재는 과정만 있는 것이다. 미시적 차원에서 우주의 원리는 상보성과 불확정성이다. 존재의 두 대립자 또는 대립 속성이 서로 상보적인 것이다. 서비스 공급자와 서비스 수요자는 서로 상보적이다. 반대편에 서 있지만 서로를 보완하며 서비스를 이루어 간다. 불확정성 원리도 서비스에서 나타난다. 전자의 운동량과 위치 측정이 동시에 정확하게 될 수 없고 하나가 정확하게 측정되면 다른 하나의 불확정성은 높아지듯이 서비스도 그러하다. 서비스의 과정에 집중하면, 결과의 불확정성은 높아지고, 서비스의 결과에 집중하려 하면, 과정의 불확정성은 높아진다. 결과와 과정에 동시에 집중하기 어렵다. 운의 작용인 불확실성이 개입되기 때문이다.

이렇게 우주 및 생명 원리와 서비스 원리가 일치하고 있는 것을 보면, 인간사회의 온갖 대립자들은 어쩌면 필연일 수 있다고 볼 수도 있다. 유와 무, 부귀와 빈천, 장수와 단명, 미와 추, 선과 악, 진실과 거짓, 이성과 비이성 등 인간사회의 모든 대립 이슈는 어쩔 수 없는 것일지도 모른다. 인간은 다만 그 정도가 심각하지 않도록 하고, 그 부작용을 관리할 수 있는 수준으로 조절하는 것에 만족해야 할지도 모른다.

우주의 모든 존재는 끝없이 변화하고 있다. 지구도 자전과 공전을 하며 변하고 있고, 태양도, 달도 그렇다, 태양계도 변하고 있고, 태양계가 있는 은하도 이동하며 변하고 있다. 인간과 인간사회도 마찬가지다. 앞서 언급한 대로, 불교에서는 '제행무상(諸行無常: 모든 것은 항상 변한다)'이 진리라고 했고, 『주역(周易)』에서는 '변화'가 진리라고 했다. 솔로몬은 '모든 것이 헛되다'고 했고, 셰익스피어는 '인간의 삶은 그저 걸어다니는 그림자'라고 했다.

Life's but a walking shadow, a poor player,

That struts and frets his hour upon the stage,

And then is heard no more. It is a tale

Told by an idiot, full of sound and fury,

Signifying nothing.

Tomorrow, and tomorrow, and tomorrow,

(맥베스의 독백, 『Macbeth』, William Shakespeare)

끝 없이 변화하는 생명과 세상의 운행을 정확히 직시하면 결국엔 위와 같은 표현으로 인간의 삶과 세상의 모습을 표현할 수 밖에 없을지 모른다. 인도의 고전 중 최고의 지혜서라고 하는 『우파니샤드』에서도 neti, neti론(neither this nor that: 이것도 아니고 저것도 아니고)이 강조되고 있으니, 비유비무(非有非無: 있는 것도 아니고 없는 것도 아니고)가 우주와 생명의 모습일 수 있다. 서비스 또한 그렇다. 무형성이 특징이기 때문에 뚜렷하게 있는 것도 아니고 전혀 없는 것도 아니라는 평가를 받는다. 이 때문에 제대로 가치를 인정받지 못하기도 한다. 하지만, 우주와 생명이 끝없이 변해가기에 비유비무라는 인식이 생겨났듯이, 서비스도 변화 속에서 엄연히 존재하는 것이다. 다만 그 존재를 보통 사람들이 인지하기 어려울 뿐이다. 따라서 서비스의 존재를 인정받기 위한 노력이 필요하다. 인간이 대체로 우주의 존재를 잊고 살 듯이 서비스의 존재를 잊고 살 수도 있으므로, 그 가치를 인정받기 위한 노력은 인류사회 전체가 함께 해야 할 일이다. 소크라테스가 사형 집행을 앞두고 있는 시점에서, 그의 친구 크리톤이 '소크라테스를 매장한다'와 같이 말하자 '내 육체(soma)를 매장한다'라고 말하라고 표현 정정을 요구했는데[50], 소크라테스에게는 혼(psykhe)은 영원 불멸이고 육체만 죽어 소멸한다는 믿음이 있었기에 그러했을 것이다. 사람에게서 몸(육체)만 보이고, 혼은 잘 보이지 않는 것처럼, 서비스에서도 유형의 요소만 잘 보이고 무형의 요소는 잘 안 보이는 경우가 많다. 따라서 보통 사람들에게도 서비스의 무형적 요소가 잘 보이도록 하여, 그 가치를 제대로 인정받을 수 있도록 하는 것이 인류사회 전체, 특히 서비스 연구자들과 서비스산업 종사자들의 역할 중의 하나다.

이와 같이 우주 및 생명의 원리와 서비스 원리는 그 맥락이 동

---

50) Plato(2012), 소크라테스의 변명·크리톤·향연·파이돈, p.312

일하다. 잠시도 쉬지 않고 끝 없이 변화하므로, 항상 그 다음이 있다. 아래 [그림 5-16]과 같이 대칭 구조를 유지하면서 변증법적으로 끝없이 흘러가는 과정이 우주의 운행이고 생명의 운행이며, 서비스의 운행 과정이다.

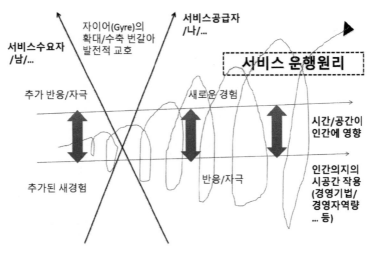

[그림 5- 16] 서비스의 운행 원리

위 그림과 같이 서비스는 시간과 공간의 변화에 따라, 인간 의지의 변화에 따라, 또 서비스 수요자와 공급자의 상황과 변화에 따라 끝없이 변화하는 과정이다. 변화하는 과정에서도 계속 대칭성과 균형성을 유지하려는 힘이 작용한다. 어느 한 쪽으로 크게 기울면, 반대쪽의 힘이 크게 작용하여 기울어진 운동장을 바로 잡으려는 노력이 강화되며 서비스는 변화한다. 우주가 그러하고 모든 생명이 그러하듯이, 서비스에서는 끊임없이 공급자와 수요자의 양자 간의 균형을 맞추기 위한 힘이 작용한다. 이 원리로 서비스가 운행된다. 우주와 생명이 이 원리로 영원히 지속하듯이, 서비스도 이 원리로 오래도록 지속하려고 노력한다.

인류사회의 성공 구조는 서비스 구조

인류사회도 서비스 구조에 부합할 때 크게 성공하였다. 국가 차원에서 그러했고, 사회 차원에서도 그러했다. 개인 차원에서도 서비스 구조는 성공으로 이끌어주는 중심 구조였다. 인류역사에서 가장 장기간 강대한 제국을 운영하였으며, 또한 후대 인류 역사에 가장 큰 영향을 준 국가사회 중의 하나인 로마나, 현대 인류사회의 가장 강대한 국가이며, 인류에게 가장 큰 영향을 주고 있는 미국이나, 가장 단기간에 가장 큰 발전을 이룬 대한민국 등의 사례를 중심으로 인류사회의 성공구조는 서비스 구조임을 설명한다. 이와 함께 로마에 큰 영향을 준 원조 서양문명 국가인 그리스의 사례나 미국의 건국에 큰 영향을 끼친 네덜란드공화국의 사례도 이야기한다. 물론 로마나 미국이 이상적인 국가는 아니다. 그럼에도 불구하고 이들 국가를 사례로 제시하는 이유는, 상대적으로 타사회보다 서비스적 구조가 뚜렷한 사회이기 때문이다. 인간이 살아가는 이 세상에는 인간의 비이성적 본성으로 인해 많은 비인간적인 행위들이 나타날 수 있다. 하지만 이러한 비이성성을 최대한 통제하려는 강한 의지의 인간들이 중심 역할을 하는 사회는 서비스철학이 뿌리내린 사회라고 볼 수 있다.[51]

로마사회부터 분석한다. 베르길리우스의 서사시에 의하면 로물루스가 로마를 건국한 직후 부족한 주민을 보충하기 위해 새 도시 로마를 도망자와 망명자의 피난처로 제공했다고 한다. 그래서 곧 로마는 젊은 남자들이 넘쳐나 여자가 많이 부족하게 되었다. 로마는 잔치를 열어 사비니족 여자들을 약탈하여 혼인하였고, 이 야만적 행위에 분노한 사비니족과 로마는 네 차례의 전쟁을 하였는데, 아버지와 남편 사이를 사비니족 여자들이 중재한 후에, 로마와 사비니는 공동 통치하는 수평적 국가사회를 구성하였다. 즉 지배-피지배 관계가 아닌 수평적 연대에 의한 최초의 국가운영이 시작되었고, 후일 2차 포에니전쟁에서 한니발에 의해 로마 전역이 초토화된 상황에서도 동맹국들이 로마를 배신하지 않고 로마 편에 설 수 있었던 기반 문화를 제공했다고 할 수 있다. 로마는 카르타고와의 긴 전쟁에서 결국 승리할 수 있었으므로, 수평적 연대의 힘이 로마를 구원하고 장기 지속가능하게 했다고 볼 수 있는 것이다. 로마는 건국 초기의 수평적 연대 정신을 살려서, 정복한 국가인 속주들에서 로마에 기여가 있는 유능한 시민을 지속적으로 로마시민으로 편입시키는 정책을 통해 강대한 제국을 장기간 유지

---

51) 이하 Kim, Hyunsoo(2022b), '인류사회 발전 지혜로서의 서비스철학' 인용

할 수 있었다고 볼 수 있다. 현재 강대국인 미국도 이러한 로마의 정책을 벤치마킹한 이민 및 시민권 정책을 통해 지속 번영하는 성공을 누리고 있다고도 볼 수 있다.

미국의 경우 공식적으로는 1776년 영국으로부터 독립선언을 하면서 국가 건국을 시작하였지만, 미국의 건국정신과 미국사회 운영 정신은 1620년 11월 21일 미국 땅에 하선하기 전 메이플라워 서약을 한 건국 시조들에게 그 뿌리를 두고 있다. 자발적으로 수평한 관계에서 서약하였으며 '스스로 시민공동체를 결성하고 정당하고 평등한 법률, 조례, 법, 헌법이나 직책을 때때로 만들고 이에 복종하고 따를 것을' 서약한 것은[52] 미국사회 구성원의 수평적 관계를 명확하게 선언한 것이었다. 어느 누구도 지배-피지배 관계가 아니고 모두가 수평적 관계임을 강조한 것이고, 법과 규정을 만드는 지배자가 따로 있고, 복종하는 사람이 따로 있는 것이 아니고, 스스로 합의에 의해 법과 규정을 만들고, 만든 사람들 모두가 의무적으로 복종하겠다고 서약한 것이다. 수평성 등의 서비스 철학이 뚜렷하게 서약된 것이라고 할 수 있다. 수평적인 대등한 관계에서 자발적으로 사회를 형성하기로 한 것이며, 자발적으로 스스로 자신들을 규율하는 법제도를 만들고 복종하는 것은 서비스 구조와 부합한다. 1620년과 1776년 미국의 건국정신은 네덜란드 공화국의 1581년 '네덜란드 독립선언'의 영향을 받았다. 당시 스페인 지배하에 있던 네덜란드 7개 주는 '군주가 신민의 특권을

---

52) Ham, Jaebong(2020), 한국사람 만들기 III, p.344

침해하고 노예와 같은 복종을 요구한다면 그는 더 이상 군주가
아니다'라고 스페인으로부터의 독립을 선언한 이후 스페인과의
80년 전쟁을 통해 독립을 쟁취하였다. 이러한 네덜란드공화국의
정신이 미국 건국 시조들에게 큰 영향을 끼쳤다고 볼 수 있다. 독
일의 프리드리히 실러는 1788년 『스페인 통치에 대한 네덜란드
연합의 저항의 역사』를 저술하여 이들의 고귀한 자유 정신을 기
렸다. 그는 '정치사에 있어 가장 놀라운 일 중의 하나는 네덜란드
가 자유를 획득한 일이다. 이로써 16세기는 역사상 가장 찬란한
역사가 되었다'고 인류역사의 큰 성취를 기록하였다.[53]

　이와 같이 문명이나 국가가 장대한 업적을 남기는 요인은 하드
웨어적 요소보다는 소프트웨어적 요소가 중요하였다고 볼 수 있
다. 자유의 소중함에 대한 인식, 수평적 연대의 가치에 대한 인식,
이상을 실현하려는 강한 의지 등 소프트웨어적인 요소들이 위대한
국가를 건국하고, 건국한 국가를 오래도록 지속가능한 발전을 할
수 있도록 한 원동력이었다고 볼 수 있다. 이는 서비스라는 소프
트웨어적 가치의 승리라고 볼 수 있는 것이다.

　서비스 구조의 요소들 중 중요한 것은 대립자의 도전에 대한
상응하는 응전, 수평적 연대, 품고 있는 발전적 이상 등이라고 할
수 있다. 이 중에서 대립자의 큰 도전에 대한 상응하는 수준의 절
박한 응전은 거의 모든 문명의 공통적인 성공 요인이다. 대칭 균
형 구조인 서비스철학에 의해 대립자의 도전 크기만큼 응전력을

---

53) Ibid., p.271

키워야 했기 때문이다. 토인비가 척박한 환경에서 위대한 문명이 탄생했다고 분석하였듯이, 대립자인 척박한 환경의 도전을 이겨내야 하는 응전의 절박함이 그 사회를 위대한 문명국가로 발전시킨 것은 인류 공통 진리라고 할 수 있다.

고대 로마를 건국한 초기 멤버들은 이웃나라에서 밀려난 또는 망명한 사람들이 다수였기에 로마 땅에서 생존이 절실한 사람들이었고, 그래서 사비니와의 전쟁도 승리할 수 있었고, 수평적 연대 정신에 의해 공동왕국으로 계속 발전해 갈 수 있었고, 공화국 이상을 구현해 갈 수 있었다고 볼 수 있다. 절박함은 베네치아공화국에서도 볼 수 있다. 바다밖에는 생존의 수단이 없었기에 목숨 걸고 바다를 지키고 무역로를 지켰고, 작은 나라임에도 불구하고 460년간 크레타를 지배하는 등 해상왕국으로 영광을 누릴 수 있었다. 베네치아는 훈족 아틸라의 침입을 피해 아드리아해 북쪽 석호내 섬으로 이주한 사람들이 건국한 공화국이다. 좁고 불안정한 주거지를 안전한 주거지로 만들기 위해 섬을 확장하는 간척사업에 백양목 말뚝 수백만 개를 박으며 힘든 과정을 거쳐 생활근거지를 만들었고, 바다와 바다를 통한 무역이 유일한 생존 수단이라 바다와 해상무역로를 확보하려고 혼신의 힘을 다하였다. 척박한 환경에서 살아내야 한다는 절박함이 이들을 제국으로까지 성장시키고 수백년 이상 번영하게 하였다.

현대 대한민국의 최근 번영도 베네치아와 유사하다고 할 수 있다. 오랜 가난을 벗어나려는 절박함이 대한민국을 번영하게 하였다고 볼 수 있다. 인구는 많은데 땅이 좁아 수출을 통해 살아야 했기 때문에 열심히 수출 경제를 일으켜서 나라가 번영하게 되었으니, 가난이라는 대립자를 이겨내려는 절박함이 주요 성공 요인이었다고 볼 수 있다. 물론 건국 초기에 구축된 우수한 교육시스템에 의해 키워진 인재와 자유시장 개방경제시스템이 없었다면 절박함만으로는 고속성장이 불가능했을 것이다.

네덜란드공화국을 건국한 사람들도 절박함은 마찬가지였다. 자신들의 특권을 박탈하고 폭력적인 조세 행정을 하는 스페인 왕정의 통치로부터 독립하여 자유를 획득하려고 80년간이나 전쟁을 한 걸 보면 독립 공화국에 대한 그들의 염원이 얼마나 절실했는지 알 수 있다. 앞서 언급한 프리드리히 실러의 표현대로 '평범한 시민들이 자유라는 목표를 위해 모든 것을 희생할 각오로 단합을 하여, 결국엔 단호하고 필사적으로 중과부적의 싸움에서 전제주의의 가공할 힘에 맞서서 이를 물리치고 승리한 것'은 16세기를 찬란한 세기로 만든 위업이었다고 할 수 있다. 그런 전쟁 과정에서도 계속 번영의 역사를 쓴 걸 보면 그들의 수평적 연대 시스템과, 스페인의 억압이라는 대립자를 이겨내려는 절박함은 후대 인류사의 모델이었다고 할 수 있을 것이다.

대립자를 이겨내려는 절박함은 미국 건국 시조들에게서도 발견된다. 실질적인 미국 건국 시조들인 청교도 필그림파더스(Pilgrim Fathers)의 경우, 종교박해를 피해 잉글랜드에서 처음에는 네덜란드로 가서 새 삶을 살아보려고 했으나 실패하고, 다시 잉글랜드로 돌아와서, 새로운 대안으로 아메리카 신대륙을 선택한 사람들이었다. 1620년 플리머스 항을 떠난 102명의 사람들에게 종교적 자유를 획득하려는 절박함은 대단했을 것이다. 더구나 이들은 품고 있는 이상 구현이 절실했기에, 메이플라워호에서 하선하기 전에 메이플라워 서약을 작성하여 서명하고, 아메리카 땅에 내려, 그 겨울을 지나며 절반이 아사하는 비극이 있었지만, 절박함과 높은 이상을 잃지 않았기에, 결국에는 미국 건국 시조가 된 것이다. 이들보다 앞서 1607년에 버지니아에 도착한 잉글랜드 사람들 등이 미국 건국의 시조로 불리지 않고 1620년 메이플라워 서약을 한 사람들이 미국 건국 시조로 추앙되는 이유는 그 절박함과 높은 이상과 평등한 서약 정신과 수평적 연대 정신 등이 위대했기 때문이고, 그 위대한 정신이 오늘날의 미국으로 발전시키는 원동력이 되었기 때문이다. 역사상 가장 큰 영토의 제국을 창건한 몽골의 징기스칸도 어린시절 배신이 난무하며 생존이 거의 불가능했던 환경에서 살아내려 했던 절박함이 제국의 기원을 이루었던 것이니, 모든 역사를 통틀어서 대립자의 도전을 이겨내려는 도전과 같은 크기의 절박한 응전은 큰 문명 성취의 기반 조건이었다고 볼 수 있다.

서비스적 요소의 또 하나의 주요 요소는 조화성이다. 역사 발전 패러다임과 조화롭게 함께 가는 사회는 번성하였다. 예를 들어, 지중해 역사를 보면, 고대 지중해 중심 역사에서는 지중해를 지배하면 제국이 되었다. 그래서 로마와 카르타고의 포에니전쟁이 3차까지 가면서 카르타고가 완전히 멸망하며 로마제국의 전성기가 시작되었고, 이후 476년 서로마가 망하고, 동로마제국은 남아서 이후에 이름을 바꾸어 그리스 문명 중심의 비잔틴제국으로 1000년을 더 번성하였다(6세기 유스티니아누스 대제 때는 서로마제국 영토까지 거의 회복함). 하지만, 1453년 오스만투르크 메메드2세 청년 술탄에 의해 비잔틴제국이 멸망하면서 동지중해 패권은 이슬람에게 넘어가기 시작하였고, 이후 로도스섬 기사단이 정복되고, 크레타의 베네치아 식민지가 오스만의 슐레이만 술탄 시대에 정복당하면서 동지중해 지배권을 이슬람제국이 완전히 장악하였다. 그런데 오스만투르크가 비잔틴제국 및 베네치아공화국 등과 치열하게 싸운 시간은 서지중해 서유럽에서는 대항해시대를 준비하거나 시작한 시기이므로, 동지중해 패권을 위한 투쟁은 세계 역사의 패러다임과 조화되지 못한 투쟁이었다고 볼 수 있다. 즉 지나가는 시대의 영광을 위한 투쟁이었다고 볼 수 있다. 동지중해 패권을 차지한 오스만투르크가 620년간(1299-1922)이나 강대한 제국을 유지하였지만 현대사에서 오스만투르크의 유산과 영향은 상대적으로 작다고 볼 수 있다. 이스탄불이 보여주는 공존의 문명 시현 역사 등은 매우 중요한 인류의 자산이지만 대항해시대라는 주류 패러다임을 주도하지 못하였기 때문에 그 영향력이 작아졌다고 볼 수 있다. 근대의 인도나 중국도 마찬가지라고 할 수 있다. 중국과 인도가 각기 동양 역사의 큰 축을 이루는데, 중국은 당(唐) 금(金) 원(元) 청(淸) 등 이민족에게 자주 지배당하는 역사를 보였다. 인도는 아리안족의 남진 이후만 보더라도 알렉산드로스의 제국, 무굴제국, 영국 등의 이민족 지배가 자주 있었다. 계속 변화해 가는 각 시대 역사의 주류 패러다임들과 조화되지 못하였기 때문에 피지배의 역사가 길었다고 볼 수 있을 것이다.

고대 이후 동양 역사에서 서비스라는 소프트웨어적 경쟁력을 가진 국가가 드물게 보이는 이유는 앞서 제시한 대륙문명과 해양문명, 동양철학과 서양철학의 근본 차이에 기인한다고 볼 수 있다. 즉 동양은 실물 중심 하드웨어가 중심인 국가이고, 서양은 추상 중심 소프트웨어가 중심인 국가들이 많다. 소프트웨어가 중요해진 근대 이후의 인류 역사는 소프트웨어가 강한 서양이 주류세력으로 자연스레 부상하게 된 것으로 볼 수 있다. 서비스 시대에는 서비스철학이라는 소프트웨어가 강한 국가가 더욱 융성할 가능성이 크다. 신뢰성 수평성 관계성 조화성 등 서비스철학 기반이 더욱 중요해지기 때문이다. 메타버스와 같은 가상서비스사회 일지라도 서비스철학 기반이 융성의 토대가 된다.

동양에서 서비스철학적 기반으로 성공을 한 사례도 있다. 몽골은 '성을 쌓는 자 망하고 길을 여는 자 흥한다'는 노마드문명의 주류 패러다임으로 세계를 정복한 사례다. 몽골제국은 상당기간 세계를 지배하며 최초의 지구촌 시대를 열었다. 중국에 건국한 원나라는 200년 가까이(1271-1368) 유지하였고, 러시아도 킵차크칸국부터 수백년간 지배하였다. 몽골제국의 특징은 개방과 다양성의 혼혈문화다. 다종교를 포용하는 다민족 공동체라는 특징이 대제국을 오래 유지한 원동력이었으며, 이 특징이 무제한 경쟁체제의 자유무역, 바다와 육지를 이은 물류기지의 제국, 다국어를 바탕으로 한 제국, 종교 문제가 없었던 제국을 운영할 수 있게 하였다고 볼 수 있다. 개방성과 다양성은 지구촌을 오래도록 번영시킬 현대의 주류 패러다임이 될 가능성이 있다.

서비스철학적 가치를 구현한 가장 최근 사례로 대한민국을 들 수 있다. 제2차 세계대전 이후 원조 수원국인 후진국에서 원조 공여국인 선진국으로 발전한 유일한 나라인 대한민국은 서비스철학 기반에 의해 발전한 대표적인 국가라고 할 수 있다. 대한민국은 아래 [그림 5-17] 및 [그림 5-18]과 같이 대륙문명과 해양문명 간의 치열한 경쟁과 조화를 통해 지난 70여 년간 초고속 발전을 이루어 냈다고 분석된다.[54] 이는 서비스철학의 구조와 운용모델이 잘 적용된 전형적 국가사회 모델이라 할 수 있다.

대한민국 사례는 고대 그리스 아테네부터 이어온 서비스철학 적용 지혜의 현대적 구현이라 할 수 있다. 고대 아테네의 전성기를 이끌었던 페리클레스의 철학에서 보듯이, 정부의 형태와 국민의 문화 풍속이 서비스철학적 가치에 뿌리를 두고 있을 때, 국가와 사회는 발전한다. 페리클레스는 펠로폰네소스 전쟁 첫해 희생자를 추도하는 자리에서 아테네의 우월성이 정부의 형태와 국가의 풍속에 있다고 강조하였다.[55] 민주주의와 적도 사상 등 아테네의 서비스철학적 가치가 아테네를 우월한 국가사회로 발전시켰다는

---

54) Kim, Hyunsoo(2022e), 서비스주의 국가사례: 대한민국 건국과 발전 지혜
55) Ham, Jaebong(2021), 정치란 무엇인가?, p.259

것이다. 후일 미국 대통령 링컨이 게티스버그 연설에서 페리클레스의 연설을 더 구체화한 바와 같이, 죽음과 삶의 철저한 균형에 기반을 두고 있음도 서비스철학적 가치의 시현이라고 할 수 있다.

대한민국의 경우도, 같은 민족이면서 같은 자연환경과 같은 문화적 뿌리를 공유하고 있는 북한의 경우와 매우 다른 발전 양상을 보인 것은 서비스철학적 가치의 구현 때문이라고 할 수 있다. 북한의 경우 세습제를 포함하여 그 이전 시대인 조선왕조시대 대륙문명의 전통만을 많이 이어받아 발전이 거의 없었던 반면, 대한민국은 자유민주주의, 시장경제, 개인 중시 등의 해양문명을 도입하여 크게 발전하였다. 즉 도입된 해양문명이 전통적인 가족과 교육 중시 등의 대륙문명과 서로 치열하게 경쟁하고 조화를 이루면서 변증법적 발전 과정을 통해서 인류 역사에 큰 성공 사례를 시현한 것이다. 두 대립자 간의 경쟁과 조화라는 서비스철학적 바탕이 결정적인 성공 요인이었다고 할 수 있다. 즉 개인과 공동체간의 치열한 경쟁과 조화, 개방과 폐쇄 간의 경쟁과 조화, 수직문화와 수평문화의 경쟁과 조화 과정을 통해 국가사회 모든 부문이 큰 발전을 이루어 낸 것이 지금까지의 대한민국 역사였다고 할 수 있다. 예를 들어, 개인보다 공동체를 중시하는 문화를 통해 기업들이 단기간에 크게 발전하여 세계 최고 수준이 되었고, 개인 중시 문화를 통해 양질의 교육을 받은 우수한 개인들이 육성되어 여러 부문에서 세계적인 성취를 이룬 개인들이 많아졌고, 또 가장 많은 국가들에 한국인이 진출하여 성공하고 있다.

[그림 5-17] 대륙문명과 해양문명이 공유된 대한민국 건국사상

[그림 5-18] 두 문명의 변증법적 전개 과정이었던 대한민국 운영

대한민국은 여러 가지 차원에서 서비스 구조로 성공하였다. 음악에서도 서비스 구조를 가지는 트로트를 만들어서 성공하였다. 아래 [그림 5-19]와 같이 한과 흥, 슬픔과 기쁨이 어우러져 공존하는 음악인 트로트를 만들어서 크게 성공하였다. 세계적인 K-팝 그룹 BTS(방탄소년단)도 서비스 구조를 활용하여 성공한 사례다. 아래 [그림 5-20]과 같이 현대 젊은이들이 처한 환경이 사회적 절대 선의 요구로 기울어진 운동장 상황임을 인식하고, 그 기울어진 운동장 상황에서 자유롭고 싶은 개인이 처한 어려움과 억눌림에 공감을 해주고, 어려운 상황의 극복을 도와주는 음악들을 만들어 전세계 젊은이들의 열광적인 호응을 이끌어냈다.

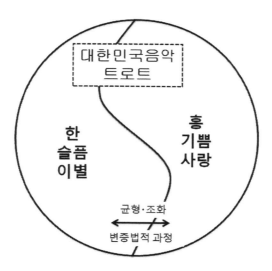

[그림 5-19] 대한민국 음악 트로트의 서비스적 구조

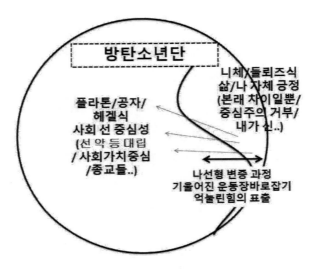

[그림 5-20] K팝 그룹 방탄소년단의 서비스철학 구조 활용

　서비스 구조를 활용하여 성공하기도 하지만, 서비스 구조가 붕
괴되면 파멸하기도 한다. 제1장 서비스의 철학적 의미 단원에서
설명한 바와 같이, 조선왕조는 서비스적 구조에 의해 초기에 큰
성공을 하였지만, 이 서비스적 구조가 조선 중기 이후에 붕괴되고
기울어진 운동장이 심화되어 허망하게 파멸한 사례라고 볼 수 있
다. 아래 [그림 5-21]과 같이 조선시대 전기에는 사상적으로나 문
화적으로 대립자 간의 치열한 경쟁이 있었고, 그 경쟁을 통해 사
회가 발전하였다고 볼 수 있다. 고려사회의 문제를 해결하고 발전
된 나라를 만들기 위해 유교와 불교, 왕과 사대부, 문반과 무반
등의 대립자가 치열하게 경쟁한 사회였다고 볼 수 있다.

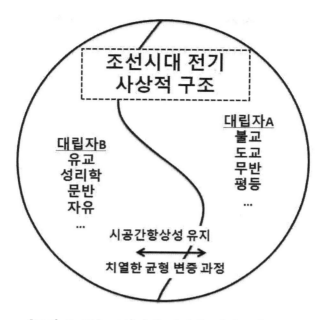

[그림 5-21] 조선시대 전기의 서비스적 구조

　조선왕조 후기에는 유교 성리학의 힘이 너무 강성해지며 아래 [그림 5-22]와 같이 서비스적 대칭 구조가 붕괴되어 쇠락의 길을 갔다. 16세기에 퇴계 이황, 율곡 이이 등의 대학자들이 나타나며 서원이 등장하였고, 이때부터 운동장이 기울어지기 시작하였다고 볼 수 있다. 이에 따라 17세기 이후에는 조선 전기에 잘 지켜지던 남여균등상속(아들과 딸이 번갈아 제사를 지내는 등의 조건으로 부모의 재산을 균등하게 상속받는 제도로서 분재기에 나타남)이 조선 후기에는 장자중심상속으로 기울어지는 등 서비스적 구조가 붕괴되었다. 조선시대에는 초기부터 사회에서 여성에 대한 균분상속의 관습이 있었고, 당시 가부장적인 사회였음에도 불구하고 균분상속이 법으로 명문화되어 상당 기간 동안 지켜져 왔다. 그 당시 중세 서양뿐만 아니라 중국에서도 그 유례를 찾기 힘든 법과 관습이었다. 여성은 재산을 소유할 수 있었고, 아들과 동등하게 상속받을 수 있었을 뿐 아니라 상속인이 없는 경우 자신의 재산을 본족에게 줄 수도 있었다. 그러나 17세기 이후 성리학으로 크게 기울어진 사회가 되면서, 경국대전을 비롯한 법에서 균분상속은 조선 말기까지 폐지되지 않았지만, 균분상속은 실질적으로 크게 약화되었다.[56] 성리학의 압도적인 우세에 힘입어 문반이 큰 세력을 형성하면서, 무반은 취약해졌고, 그 결과 조선 말기에는 변변한 군대도 유지하지 못하여 전쟁도 없이 나라를 잃는 결과로 이어졌다.

인간의 자기중심성이라는 근본 한계로 인해 대립자와 계속 치열한 경쟁을 해야 하는 상황은 매우 불편하고 피하고 싶은 상황이기는 하다. 예를 들어 무반이 약화되면 문반은 경쟁하지 않고 더 편하게 국가 주도권을 가질 수 있기 때문에 문반은 무반의 약화를 원할 수 있다. 하지만 그 결과로 전쟁도 제대로 하지 못하고 나라를 잃을 수 있음을 알고 있다면 대립자와의 경쟁이 결코 피해서는 안되는 의무사항으로 각인되었을 것이다. 서비스적 구조는 이렇게 불편함을 서로가 의무사항으로 가지는 구조다. 내가 불편한 만큼 대립자도 함께 불편하므로 동등한 조건인 것이다. 그 불편함의 수용으로 인해서 서로가 윈윈(Win-Win)할 수 있고 함께

---

56) Yoon, Jinsook(2013), 조선시대 균분상속제도와 그 의미

행복할 수 있는 구조가 서비스적 구조다. 어떤 사회 또는 개인이 번영하거나 성공하기 위해서는 서비스적 구조를 견지하거나 활용해야 한다. 서비스적 구조는 인류사회의 성공 구조다.

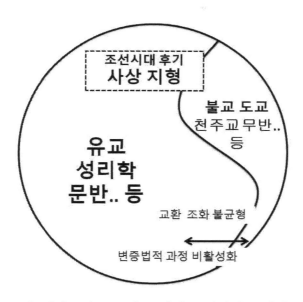

[그림 5-22] 서비스적 구조가 붕괴된 조선시대 후기의 사상지형

인도 타고르의 『기탄잘리(봉헌송)』 서문을 쓴 아일랜드 시인 윌리엄 버틀러 예이츠도 자이어론으로 서비스적 구조가 인류사회의 진리임을 이야기하였다. 아래 [그림 5-23]처럼 어떤 힘이 계속 성장하다가 어떤 일정 한계를 넘어서면 반대쪽의 힘이 생겨나고 성장하며 그 반대 방향으로 세상은 운행된다는 것이다. 인류사회나

개인의 흥망성쇠가 시공간의 변화에 따라 이와 같이 진행된다는 것이다. 이는 서비스적 구조의 또 다른 표현이다. 인류사회의 운행 및 성공 원리는 서비스 구조를 따른다고 볼 수 있다.

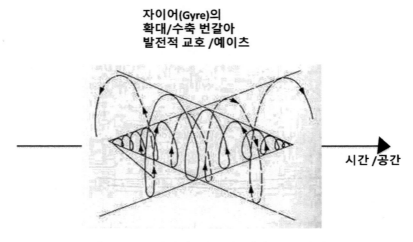

[그림 5-23] 윌리엄 버틀러 예이츠의 자이어론

나의 성공과 행복도 서비스에

인류 공통사상도 서비스사상이고, 우주와 생명의 원리도 서비스 원리이고, 인류사회의 성공 구조도 서비스 구조라면, 우리 개별 인간의 삶도 서비스 구조와 원리를 따른다고 볼 수 있다. 서비스 구조와 원리에 부합할 때 성공한 인생을 살아간다고 볼 수 있다. 우리들의 일상 삶과 우리 각자의 한 인생에 대해서도 서비스 구조와 원리로 동일한 이야기를 할 수 있을 것이다. 인생의 희로애락, 기쁨과 슬픔, 즐거움과 괴로움, 성공과 실패, 좌절과 희망은 누구나 언제나 어디서나 수시로 교차하는데 그것들 간에 치열한 대칭 균형 구조가 존재한다고 볼 수 있다. 즉 무엇을 성취했을 때의 기쁨이 크면 그것을 잃었을 때의 슬픔도 그만큼 크고, 즐거움이 작으면 괴로움도 작을 것이라고 볼 수 있다. 작든 크든 그 자체로서 균형을 이루고 있으면 각자 최고로 행복한 인생, 행복한 삶이 될 수 있다는 것이다. 모든 인간은 자기 몫의 생을 살다 가는 것이므로, 타인과 비교할 필요도 없고, 비교가 의미도 없다고 볼 수 있다. 따라서 인간의 삶에 있어 행복의 구조도 서비스 구조가 기본 구조가 된다. 즉 인간의 생명, 삶과 행복은 아래 [그림 5-24]와 같은 대칭 균형 구조를 가지게 된다. 생성과 소멸이 치열한 균형을 이루고 있고, 죽음과 탄생이 서로 균형을 이루고 있고, 변화력과 유지력이 팽팽한 균형을 이루고 있는 구조다.

육체적 생명의 유한성을 극복하기 위해 종교에서는 부활이 있고, 내세 즉 다음 생도 있고 윤회 개념도 있지만, 그것들도 생성과 소멸의 대칭적 기본 구조를 바꾸지는 못한다. 대립자의 어느 한 쪽이 절대적인 힘의 우위를 가질 수 없는 것이 우주의 구조이고 생명의 구조인 것이다. 서비스에서도 서비스 받는 자와 서비스하는 자 중의 어느 한쪽이 절대적인 우위를 가질 수 없다. 어느 한 쪽이 절대적인 우위를 가지면 우주와 생명이 붕괴되듯이, 공급자나 수요자 중 어느 한 쪽이 절대적인 우위를 가지면 서비스도 지속되지 못하고 붕괴된다.

[그림 5-24] 인간 생명 우주의 대칭적 구조

즉 아래 [그림 5-25]와 같이 채움과 비움이 팽팽한 대칭 관계에 있고, 버림과 얻음이 균형을 이루고 있으며, 좌절과 성취가 치열한 대칭을 이루고 있는 것이 행복의 기본 구조가 되는 것이다. 많이 얻었다 생각하면 많이 비워주어야 한다. 예를 들어, 돈을 많이 벌었다고 생각하면 그 돈을 벌게 해준 이웃과 사회에 많이 베풀어야 한다는 이야기가 되는 것이고, 그러한 버림이 또 다른 얻음을 가져오게 된다는 것이다. 좌절만 반복될 수는 없으며 반드시 그에 대응하는 성취나 배움이 뒤따라 이어진다는 것이다. 비움과 버림은 반드시 그 만큼의 채움과 얻음으로 이어진다는 것이다. 그러한 대칭 균형 구조를 믿고 살아가는 것이 최고의 행복으로 가는 길이다. 서비스적 구조가 행복의 구조이기 때문이다. 현세와 내세, 정신과 육체, 영혼과 마음 등이 모두 그러한 대칭 균형 구조일 때 모든 인간은 함께 행복할 수 있다. 모든 것이 연결된 서비스네트워크 세상이 파국을 맞지 않고 함께 행복하려면, 이 구조를 크게 일탈하려는 노드(인간)를 함께 경계해야 한다.

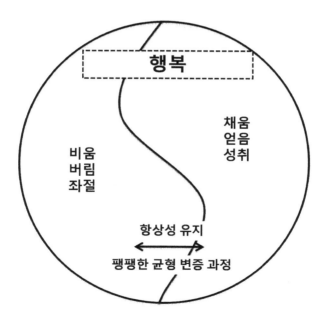

[그림 5-25] 행복의 서비스적 구조

동시에 기억해야 할 것이 인간 세상에서의 불확실성과 우연성
이다. 미시세계 원리인 양자역학의 중요한 발견 중의 하나가 불확
정성인데, 이 불확정성은 인간 세상의 원리이며 서비스 원리이기
도 하다. 운은 누구에게나 크게 작용하고 있다. 열심히 노력하지
않았어도 운이 좋아서 잘 될 수도 있고, 열심히 노력했음에도 불
구하고 운이 따라주지 않아서 잘되지 않을 수도 있다. 이러한 운
과 불확실성이 이성성 및 인과성과 함께 인간 세상의 주요 원리
로 동시에 작동되고 있으므로, 인간 세상의 구조는 아래 [그림
5-26]과 같이 인과성과 무작위성, 이성성과 비이성성이라는 두 대
립자가 상호작용하는 대칭 구조로 표현할 수 있다.

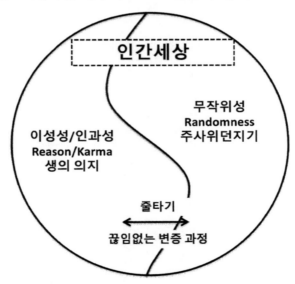

[그림 5-26] 인과성과 무작위성이 줄타기하는 인간 세상의 구조

따라서 아래 [그림 5-27]과 같이 노력만으로 자신이 원하는 것을 성취할 수는 없지만, 노력이 없으면 성취하기 어려운 것이고, 원하는 것을 성취하지 못하였다고 해서, 자신에게 전적으로 원인을 귀속시킬 필요도 없다는 것이 서비스 구조가 알려주는 진실이다. 서비스 하는 자와 서비스 받는 자 사이도 마찬가지다. 어떤 대립자 또는 어떤 상대와 어떤 상황을 만나는지에 따라 예상하지 못한 결과와 평가를 받게 됨을 이해하고, 그 책임을 자신에게 귀속시키지 않을 수 있어야 한다. 서비스에서는 성실하게 노력하는 과정이, 운의 작용이 있는 결과보다 더 중요하기 때문이다.

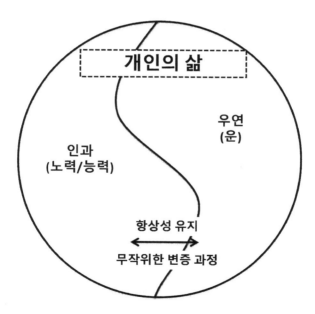

[그림 5-27] 개인의 삶도 서비스적 구조

결론적으로 서비스적 구조에 따르면, 인간을 포함한 모든 개체는 각자 자기 몫의 생을 살다 가는 것이라고 할 수 있다. 인생의 희로애락은 대칭 구조를 이루고 있다고 할 수 있다. 그래서 스스로 작으면 크게 기뻐하고, 스스로 크면 크게 경계하라는 선현들의 가르침이 옳은 것일 수 있다. 기독교에서 마태복음 7장 12절에 "그러므로 남이 너희에게 해주기를 바라는 그대로 너희도 남에게 해주어라" 라고 했듯이, 거의 모든 고등 종교와 철학에서 이 서비스적 구조인 황금률(The Golden Rule)을 강조하고 있다. 서비스 구조가 모든 고등 종교에서 중심이 되었던 것이다. 좀 더 거시적으로 서비스적 구조를 해석하면, 현재의 삶에서 이 균형성 궤도를 벗어나 있으면 현세의 남은 생과 내세 모두 궤도를 이탈할 수 있다는 것이다. 우주가 임계 밀도를 유지하기 위해, 무언가 더해지면, 그만큼을 덜어내야 하듯이, 인간 세포도 계속 살아가려면, 매일 일정 부분이 생성되므로, 일정 부분은 매일 그만큼 죽어야 하고, 인간의 마음도 항상성을 유지하려면 비움과 채움의 균형을 지속적으로 유지해 주어야 한다. 출생부터 사망까지 인간의 모든 삶은 서비스를 주고 받는 과정인데, 이 과정이 적도, 즉 서비스적 구조를 벗어나면 안된다는 것이 이 이야기의 결론이다. 인간이 행복하기 위한 조건은 이 서비스적 구조를 자신의 삶의 모든 과정에서 유지하는 것이다. 건강 관리도 마음 건강과 육체 건강이 서비스적 구조를 이루어야 진정으로 건강한 것이고, 인간 관계도 나와 '나' 자신과의 관계와, 나와 타인과의 관계가 모두 서비스적 구조를 유지해야 행복한 것이고, 외적인 사회적 성공과 자신의 내면의 성공이 서비스적 구조를 유지해야 행복한 성공이 되는 것이다. 결론적으로, 서비스구조와 서비스철학을 올바르게 이해하는 것이 오래도록 최고로 행복한 인생을 사는 길인 것이다.

에필로그

上士聞道勤而行之

中士聞道若存若亡

下士聞道大笑之, 不笑 不足以爲道

...

우수한 사람은 도를 듣고 힘써 그대로를 행하고,

보통 사람은 도를 듣고 듣는 듯 마는 듯 하고,

못난 사람은 도를 듣고 크게 웃는다.

그가 웃지 않으면, 족히 도라고 할 수 없다.

.... (도덕경 제41장)

'아무에게나 말하지 말고, 현인들에게만 말하라.

대중은 금방 비웃어버리기 때문이다' -괴테-

이 책에서는 서비스의 기본구조와 인간과 우주의 공통원리를 토대로 왜 서비스가 현대 인류 경제사회의 중심이 되어야 하는지, 왜 서비스에 대한 올바른 이해가 필요한지를 이야기하였다. 모든 것이 변하는 세상에서 절대 진리를 이야기하기는 어렵지만, 인간 인지의 한계 내에서 서비스가 인간 세계의 가장 중요한 진리일 수 있음을 이야기하려고 했다. 흘러감과 변해감이 인간 세계의 본 모습이므로, 시지프스의 이야기처럼 과정의 행복이 완전한 전체일 수 있음을 이야기하려고 하였다. 그 과정이 서비스적 구조에 부합해야 인간의 삶이 행복할 수 있음을 이야기하였다. 현대 사회는 자본주의의 성숙과 과학기술의 발달로 자극의 강도가 계속 높아지고 있다. 자극의 강도가 계속 높아져서 더 큰 자극을 원하는 회로가 형성되고 있다. 그걸 충족 못시키면 스트레스가 더 커지고 그래서 행복감이 낮아지고 있다. 이런 악순환 사이클 가능성을 스스로 관리할 수 있도록 서비스적 구조에 대한 이해가 더욱 필요해진 세상이다. 예를 들어, 적도 소비에 만족하면, 자극 요구 강도가 본인이 관리할 수 있는 적정한 수준으로 통제되어 행복감이 증대될 수 있으므로, 서비스적 구조 이해가 큰 도움이 된다. 물론 적도의 수준은 개인마다 다를 것이므로, 각자 스트레스나 자극을 견디는 정도에 따라 자신의 삶의 구조를 디자인하면 될 일이다. 또 각자가 타인들과 맺고 있는 관계의 양과 내용에 따라 적도 수준이 달라질 것이다. 그래서 적도는 매우 다양하고 복잡하고 중층적인 개념이다. 또 시공간에 따라 변화하는 개념이므로, 서비스의 운행 구조를 깊이 있게 이해하려는 노력이 필요하다. 인류 공통사상인 적도, 중도, 중용 등이 현대 사상으로 체계화된 것이 서비스사상이라고 할 수 있다. 서비스 사상에 대한 깊은 이해가 인간의 삶을 행복으로 이끌어 줄 것이다. 나아가 이는 인류사회를 오래도록 지속가능하게 하는 지혜가 될 것이다.

서비스산업이 발전되는 방향에 대해서도 보다 깊이 있는 논의가 필요하다. 인류가 더 즐겁고 더 편리하기 위해서 서비스가 계속 개발된다. 일자리를 창출하고 소득을 늘리기 위해 새로운 서비스는 계속 개발되어야 하고, 서비스산업도 계속 발전해야 한다. 하지만 인류사회 행복의 총량을 키우는 방향으로 서비스 산업이 발전할 필요가 있다. 즉 서비스 철학을 이해하고, 인간 행복의 총량 구조를 이해하고, 이에 부합하는 서비스산업을 먼저 발전시킬 필요가 있다. 서비스를 통해 더 건강한 백세인 삶이 가능하도록 산업을 발전시킬 필요가 있다. 예를 들어, 인간이 더욱 건강하려면 마음 건강과 신체 건강을 동시에 적정한 수준으로 유지해야 하는데, 신체 건강을 위한 서비스산업이 먼저 크게 발전하였으므로, 앞으로는 마음 건강을 위한 서비스산업을 좀 더 발전시킬 필요가 있다. 신체 건강을 위해 유산소 운동과 근력운동을 골고루 하고, 근력운동도 하체의 각 부분 근육, 상체의 각 부분 근육들에 골고루 자극을 주는 운동을 해야 하듯이, 마음 건강에도 각 요소들을 건강하게 하는 각종 서비스들이 산업으로 발전될 수 있을 것이다. 인간 생명의 유한성은 서비스에 대한 보다 깊은 이해를 요구한다. 생성과 소멸의 대칭적 기본 구조는 서비스적 구조의 한 부분이다. 이 구조 위에서 인간의 삶이 영위되는 것이다. 이 구조를 이해하면 살아가는 전부가 예술작품이 되는 것이다. 국가사회도 마찬가지다. 토인비의 연구에서도 강조되었듯이, 도전의 정도가 적정한 수준에 있어야 문명이 탄생하고 발전하는 것처럼, 대립자 간에 도전과 응전의 수준이 적정한 범위 내에 있어야 국가사회도 지속적으로 발전한다. 어느 한쪽으로 크게 기울면 쇠망의 운명을 벗어나기 어렵다. 대한민국도 마찬가지다. 그동안 대립자 간의 치열한 경쟁과 균형화 노력을 통해 크게 발전하였는데, 기울어진 운동장이 되고 있다는 걱정이 커지고 있다. 현재 대한민국의 경제사회 지형은 유형가치 중심, 유형재화 중심, 제조업 중심, 부가노동 중심 등으로 많이 기울어진 운동장이라는 분석이 있다. 즉 필수노동의 중요성에 대한 인식 부족, 서비스에 대한 올바른 이해 부족, 무형적 가치에 대한 이해 부족, 상호 신뢰와 배려 등의 사회적 자본 부족 등이 심화되고 있다는 걱정이 있는 것이다. 신뢰 등의 사회적 자본 강화, 서비스에 대한 올바른 이해 강화, 서비스 철학 강화 등이 필요한 상황이다. 이런 상황을 인지하고 (사)서비스사이언스학회와 (사)서비스강국코리아가 대한민국의 기울어진 운동장을 바로잡기 위해 탄생되었고, 최근 10여 년간 꾸준한 노력을 통해 대한민국이 서비스강국코리아로 한 걸음씩 전진하는데 중요한 역할을 하고 있다. 이러한 학자들의 헌신적인 사회봉사 활동이 결실을 맺을 수도 있고, 결실을 맺지 못할 수도 있다. 결과에는 환경과 운의 작용이 크게 개입되기 때문이다. 하지만 그 과정은 살아남을 것이다. 분투했던 과정, 그 치열했던 정신은 살아남아 언젠가는 인류사회의 발전과 많은 개인들의 행복 증진에 기여할 것이다. 분투한 과정은 빛에 새겨져 우주 어딘가에서 계속 운행하면서 대한민국과 인류사회에 선한 영향을 줄 것이기 때문이다.

우리의 인생도 마찬가지다. 서비스에 대한 이해, 서비스적 구조에 대한 이해, 서비스 사상과 철학에 대한 이해를 위해 노력한 시간은 그 결과와 무관하게 우리의 인생을 그 노력한 양만큼 더 행복하게 할 것이다. 우주 속의 존재인 인간은 서비스 구조와 운행 원리를 따를 수 밖에 없으므로!!

참고문헌

Aristoteles(2020), Chun, B. H. Tr., *POLITIKA*, Soop, (아리스토텔레스 (2020), 천병희 역, *정치학*, 숲)

Baron, S., Warnaby, G., and Hunter-Hones, P.(2014), Service(s) Marketing Research: Developments and Directions, *International Journal of Management Reviews*, Vol. 16, 2014, pp.150-171

Berns, G. (2006), *Satisfaction*, BookSum (그레고리 번스 저, 권준수 역 (2006), *만족*, 북섬)

Boyack, K.W., Klavans, R., & Börner, K. (2005). Mapping the backbone of science. *Scientometrics*, 64, pp.351-374

Butler, E. (2018), *The Condensed Wealth of Nations and The Incredibly Condensed Theory of Moral Sentiments*, Sungkyu Lee Tr., Yulgok Publishing Co. (버틀러(2018), *도덕감정론 및 국부론 요약*, 이성규 역, 율곡출판사)

Choi, J. (2019), *Phono Sapience*, Sam and Parkers (최재붕(2019), *포노사피엔스*, 샘앤파커스)

Chuang-tzu(2010), *Chuang-tzu*, Hakjoo Kim Tr., Yeonamseoga Publishing Co. (장자(2010), *장자*, 김학주 역, 연암서가)

Chun, Hogeun(2018), *A History of Korean Philosophy*, Memento (전 호근(2018), *한국철학사*, 메멘토)

Diamond, J.(1998), Jinjun Kim Tr., *Guns, Germs, and Steel*, Munhaksasang (제레드 다이아몬드(1998), 김진준 역, *총, 균, 쇠*, 문학 사상)

Encyclopedia of Korean Culture(2022), Hwaeom Thought (한국민족문화대백과사전(2022), 화엄사상(華嚴思想))

Fynes, B. and Lally, A.M.(2008), Innovation in Services: From Service Concepts to Service Experiences, in *Service Science, Management and Engineering(SSME)*, Bill Hefley and Wendy Murphy (Eds.), Springer, 2008, pp.329-333

Ham, Jaebong (2021), *What is Politics*, H Press (함재봉(2021), *정치란 무엇인가?* H 프레스)

Ham, Jaebong (2020), *Making Korean I, II, III*, H Press (함재봉(2020), *한국사람 만들기 I, II, III*, H 프레스)

Han, Hyungjo(2018a), Dasan's studies of Confucian classics, *Dasan-Hak Studies*, Dolbaegae, pp.368-402 (한형조(2018a), 다산경학 유교 고전의 실학적 독법, *다산학 연구*, 돌배게, pp.368-402)

Han, Hyungjo(2018b), Yi-hwang's Sunghak 10 diagrams – Self salvation map, The Academy of Korean Studies Press (한형조 독해(2018b), 성학십도 자기 구원의 가이드맵, 퇴계 이황 편집, 한국학중앙연구원)

Hanbi(2019), Jung, C. K. Tr., *Hanbija*, Sanjini. (한비(2019), 정천구 역, *한비자*, 산지니)

Harari, Y. N.(2017), Myungjoo Kim Tr., *Homo Deus*, Gimyoungsa (유발 하라리(2017), 김명주 역, *호모데우스*, 김영사)

Harari, Y. N.(2015), Hyunwook Cho Tr., *Sapiens*, Gimyoungsa (유발 하라리(2015), 조현욱 역, *사피엔스*, 김영사)

Hawking, S.(1998), *A brief History of Time*, Kachi Publishing (스티븐

호킹 저, 김동광 역(1998), *그림으로 보는 시간의 역사*, 까치글방)

Held, Klaus(2007), *Treffpunkt Platon*, Kang Seo Lee Tr., Hyohyung Publishing Co., (클라우스 헬트(2007), *지중해 철학기행: 모든 길은 플라톤으로 통한다*, 이강서 역, 효형출판)

Hsün-tzŭ(2009), *Hsün-tzŭ*, Daelim Choi Tr., Heungsinmunhwasa Publishing Co. (순자(2009), *순자*, 최대림 역, 흥신문화사)

Huxley, Aldous (2014), *The Perennial Philosophy*, Cho Ok-Kyung Tr., Gimyoungsa (올더스 헉슬리(2014), 조옥경 역, *영원의 철학*, 김영사)

Ivanovic, A. & Fuxman, L.(2012), Productivity and Innovation in Services: The Multidisciplinary Perspective Offered by Service Science, in N. Delener Eds., *Service Science Research, Strategy and Innovation: Dynamic Knowledge Management Methods*, Business Science Reference, PA., USA

Jang, Kwukang (2019), Oh, S. H. Tr., *JaChiTongGam*, Chusubat. (장귀강(2019), 오수현 역, *자치통감*, 추수밭)

Jung, C. Y.(2016) Tr., *Upanishads*, Mujigaedarinumu Press (정창영 편역(2016), *우파니샤드*, 무지개다리너머)

Kil, Heesung(1984), *A History of Indian Philosophy*, Minumsa (길희성(1984), *인도철학사*, 민음사)

Kim, Chul (2015), *The Road of Indians*, Sechang Media (김철(2015), *인디언의 길*, 세창미디어)

Kim, Hakju (2014), *Muk-Ja*, Myungmundang (김학주(2014), *묵자, 그 생애·사상과 묵가*, 명문당)

Kim, Hyunsoo (2022a), Service Philosophy as Wisdom for Human Society Development, *Journal of Service Research and Studies*, Vol.12, No.4 Dec. 2022, pp.139-163 (김현수(2022a), 서비스학의 현재와 미래, *서비스연구*, 제12권 제4호, pp.139-163)

Kim, Hyunsoo (2022b), Service Philosophy as Wisdom for Human Society Development, *Journal of Service Research and Studies*, Vol.12, No.4 Dec. 2022, pp.1-18 (김현수(2022b), 인류사회 발전 지혜로서의 서비스철학, *서비스연구*, 제12권 제4호, pp.1-18)

Kim, Hyunsoo (2022c), A Servicism Model of the New Human and Education System, *Journal of Service Research and Studies*, Vol.12, No.3 Sept. 2022, pp.115-133 (김현수(2022c), 서비스주의 인간 및 교육 연구, *서비스연구*, 제12권 제3호, pp.115-133)

Kim, Hyunsoo (2022d), A Servicism Model of the New Technology Industry Enterprise System, *Journal of Service Research and Studies*, Vol.12, No.3 Sept. 2022, pp.1-25 (김현수(2022d), 서비스주의 기술 산업 기업 연구, *서비스연구*, 제12권 제3호, pp.1-25)

Kim, Hyunsoo (2022e), A Case Study on Servicism: Korea's Founding and Development Wisdom, *Journal of Service Research and Studies*, Vol.12, No.2 Jun. 2022, pp.135-151 (김현수(2022e), 서비스주의 국가사례 연구: 대한민국 건국과 발전 지혜, *서비스연구*, 제12권 제2호, pp.135-151)

Kim, Hyunsoo (2022f), A Case Study on Service Philosophy: Assetization on Wisdom of the Founding President of the Republic of Korea, *Journal of Service Research and Studies*, Vol.12, No.2

Jun. 2022, pp.1-22 (김현수(2022f), 서비스철학 사례 연구: 대한민국 건국대통령 지혜의 자산화, *서비스연구*, 제12권 제2호, pp.1-22)

Kim, Hyunsoo (2022g), A Servicism Model of the New Financial System, *Journal of Service Research and Studies*, Vol.12, No.1 Mar. 2022, pp.49-68 (김현수(2022g), 서비스주의 금융시스템 연구, *서비스연구*, 제12권 제1호, pp.49-68)

Kim, Hyunsoo (2022h), A Servicism Model for A New Democracy, *Journal of Service Research and Studies*, Vol.12, No.1 Mar. 2022, pp.1-24 (김현수(2022h), 서비스주의 민주주의 모델 연구, *서비스연구*, 제12권 제1호, pp.1-24)

Kim, Hyunsoo (2021a), A Servicism Model of the New Legal System, *Journal of Service Research and Studies*, Vol.11, No.4 Dec. 2021, pp.1-20 (김현수(2021a), 서비스주의 법제도 구조와 운용 연구, *서비스연구*, 제11권 제4호, pp.1-20)

Kim, Hyunsoo (2021b), A Servicism Model for Korean, *Journal of Service Research and Studies*, Vol.11, No.4 Dec. 2021, pp.21-42 (김현수(2021b), 서비스주의 한국인 모델 연구, *서비스연구*, 제11권 제4호, pp.21-42)

Kim, Hyunsoo (2021c), A Study on the Servicism Based Society System, *Journal of Service Research and Studies*, Vol.11, No.3 Sept. 2021, pp.75-97 (김현수(2021c), 서비스주의 사회교육시스템의 구조와 운용 연구, *서비스연구*, 제11권 제3호, pp.75-97)

Kim, Hyunsoo (2021d), A Servicism Model of the New Politics and Administration System, *Journal of Service Research and Studies*,

Vol.11, No.2, Jun. 2021, pp.1-19 (김현수(2021d), 서비스주의 정치행정시스템 구조와 운용 연구, *서비스연구*, 제11권 제2호, pp.1-19)

Kim, Hyunsoo (2021e), A Servicism Model of the New Economy System, *Journal of Service Research and Studies,* Vol.11, No.1, Mar. 2021, pp.1-20 (김현수(2021e), 서비스주의 경제시스템 구조와 운용 연구, *서비스연구*, 제11권 제1호, pp.1-20)

Kim, Hyunsoo (2020a), A Study on the New Management Technology Model in Service Economy Era, *Journal of Service Research and Studies,* Vol.10, No.4, Sept. 2020, pp.101-125 (김현수(2020a), 서비스경제시대의 경영기술 연구, *서비스연구*, 제10권 제4호, pp.101-125)

Kim, Hyunsoo (2020b), A Study on the New Manager Model in Service Economy Era, *Journal of Service Research and Studies,* Vol.10, No.3, Sept. 2020, pp.1-22 (김현수(2020b), 서비스경제시대의 신경영자 모델, *서비스연구*, 제10권 제3호, pp.1-22)

Kim, Hyunsoo (2020c), A Study on the Service Management Model as the New Management, *Journal of Service Research and Studies,* Vol.10, No.2, June 2020, pp.91-108 (김현수(2020c), 신경영으로서의 현대 서비스경영 모델, *서비스연구*, 제10권 제2호, pp.91-108)

Kim, Hyunsoo (2020d), A Study on the Framework of New Management, *Journal of Service Research and Studies,* Vol.10, No.1, Mar. 2020, pp.1-15 (김현수(2020d), 신경영학 프레임워크 연구, *서비스연구*, 제10권 제1호, pp.1-15)

Kim, Hyunsoo (2019a), A Study on Service Philosophy for New

Economy and Society, *Journal of Service Research and Studies,* Vol.9, No.4, Dec. 2019, pp.1-17 (김현수(2019a), 신경제사회 중심사상으로서의 서비스철학 연구, *서비스연구,* 제9권 제4호, pp.1-17)

Kim, Hyunsoo (2019b), A Study on the Service Philosophy of Major Western Ideology, *Journal of Service Research and Studies,* Vol.9, No.3, Sept. 2019, pp.1-16 (김현수(2019b), 서양대표사상의 서비스철학성 연구, *서비스연구,* 제9권 제3호, pp.1-16)

Kim, Hyunsoo (2019c), A Study on the Service Philosophy of Mainstream Oriental Ideology, *Journal of Service Research and Studies,* Vol.9, No.2, June 2019, pp.1-15 (김현수(2019c), 동양주류사상의 서비스철학성 고찰, *서비스연구,* 제9권 제2호, pp.1-15)

Kim, Hyunsoo (2019d), A Study on the Service Philosophy of Major Korean Ideology, *Journal of Service Research and Studies,* Vol.9, No.1, March 2019, pp.1-16 (김현수(2019d), 한국대표사상의 서비스철학성 고찰, *서비스연구,* 제9권 제1호, pp.1-16)

Kim, H.(2019e), Service Science: Past, Present, and Future, *Journal of Service Science Research,* Vol.11, No.2, Dec. 2019, Springer, pp.117-132

Kim, Hyunsoo (2018) *New Management of Management,* Kookmin University Press, (김현수(2018), *경영의 신경영,* 국민대학교 출판부)

Kim, Hyunsoo (2017), A Study on Korean Traditional Philosophy as the Service Economy Philosophy, *Journal of Service Research and Studies,* Vol.7, No.3, Sept. 2017, pp.105-118 (김현수(2017), 서비스경제철학으로서의 한국고유사상 정합성 연구, *서비스연구,* 제7권 제3

호, pp. 105-118)

Kim, Hyunsoo(2016), A Study on Accelerating Service Economy by the 4th Industrial Revolution, *Journal of Service Research and Studies*, Vol.6, No.3, Sept. 2016, pp.15-28 (김현수(2016), 4차 산업혁명의 서비스경제화 촉진 연구, *서비스연구*, 제6권 제3호, pp. 15-28)

Kim, Hyunsoo(2015), A Suggestion on the New Service Research Framework, *Journal of Service Research and Studies*, Vol.5, No.2, Sept. 2015, pp.199-216 (김현수(2015), 서비스연구의 프레임워크 제안, *서비스연구*, 제5권 제2호, 2015.9, pp. 199-216)

Kim, H.(2009), Service Science for Service Innovation, *Journal of Service Science Research*, Vol.1, No.1, June 2009, Springer, pp.1-7

Kim, H. et al.,(2011), The Essence and Development Model of Sustainability Science, *Journal of Sustainability Science Research*, Vol.1 No.1, Mar. 2011, pp.1-22 (김현수 외 4인(2011), 지속가능과학의 본질과 발전 모델, *지속가능연구*, 제1권 제1호. pp.1-22)

Kim, Sanggoo(2014), *Kim Go Hearing*, Magic House (김상구(2014), *김구청문회*, 매직하우스)

Kim, Soohaeng(2014), *A Study on The Capital*, Dolbaegae (김수행(2014), *자본론 공부*, 돌베게)

Kim, Taehee(2018), Dasan's leading articles - Wellbeing of All People, *Dasan-Hak Studies*, Dolbaegae, pp.348-367 (김태희(2018), 다산논설 모든 백성을 잘살게, *다산학 공부*, 돌베개, pp.348-367)

Kim, Taeyoung(2018), Gyeongseyupyo - Innovation of Old Country, *Dasan-Hak Studies*, Dolbaegae, pp.229-255 (김태영(2018), 경세유표

  - 낡은 국가 혁신론, *다산학 공부*, 돌베개, pp.229-255)

Kim, Yongsam(2013), *Syngman Rhee and Entrepreneur Era*, Book and People (김용삼(2013), *이승만과 기업가시대*, 북앤피플)

Komiyama, H., Takeuchi, K.(2006), Sustainability Science: Building a new discipline, *Sustainability Science*, Vol 1, No 1, pp.1-6, Springer, 2006

Korea Ministry of Government Legislation(2021), Constitution of the Republic of Korea (법제처(2021), 대한민국 헌법, 국가법령정보센터)

Kunz, W.H., and Hogreve, J.(2011), Toward a deeper understanding of service marketing: The past, the present, and the future, *International J. of Research in Marketing*, Vol.28, Elsevier, pp.231-247

Lamprecht, S.P. (1992), *Our Philosophical Traditions*, Kim Taegil, etc. Tr., Eulyou Culture Co., (램프레히트(1992), *서양철학사*, 김태길 등 역, 을유문화사)

Lao-Tzu(1982), *Tao Te Ching*, Ki Keun Chang Tr., Samsung Publishing Co. (노자(1982), *도덕경*, 장기근 역, 삼성출판사)

Lee, Changil, et. al.,(2018), *Cosmology and Human being of Neo-Confucianism*, The Academy of Korean Studies Press (이창일, 김우형, 김백희 지음(2018), *성리학의 우주론과 인간학*, 한국학중앙연구원 출판부)

Lee, Doohee, et al. (2018), *A New Paradigm of Management Education*, Maeil Economic Press (이두희 외 23인(2018), *경영교육 뉴 패러다임*, 매일경제출판사)

Lee, Hanwoo(2008), *Woonam Rhee Syngman build Korea,* Haenaem Publisher (이한우(2008), *우남 이승만, 대한민국을 세우다,* 해냄출판사)

Lee, Hyungwoo (2018), *A People Management,* Jain Research Center (이형우(2018), *사람경영,* 자인연구소)

Lee, Jangwoo (2015), *Emergent Management,* 21st Century Books (이장우(2015), *창발경영,* 21세기북스, pp. 267-274)

Lee, Juhee(2014), *Conditions of Power Nations,* MID (이주희(2014), *강자의 조건,* MID)

Lee, Keun Chul(2011), *Research on Cheonbugyung Philosophy,* Serving People Publisher, 2011.4 (이근철(2011), *천부경 철학 연구,* 도서출판 모시는 사람들, 2011.4)

Lee, Kidong(2010), *Lecture on The Book Of Changes,* Sungkyunkwan University Press (이기동(2010), *주역강설,* 성균관대학교 출판부)

Lee, Kidong(2005), *The Analects of Confucius,* Sungkyunkwan Univ. Press (이기동 역해(2005), *논어,* 성균관대학교 출판부)

Lee, Kwangsoo (2021), *Deep Reading of Hindu History - History, not Religion,* Purunyuksa (이광수(2021), *힌두교사 깊이 읽기 - 종교학이 아닌 역사학으로,* 푸른역사)

Lew, Young Ick(2019), T*he Life and Founding Vision of President Syngman Rhee,* Chung Media (유영익(2019), *이승만의 생애와 건국 비전,* 청미디어)

Lew, Young Ick(2013), *Founding President Syngman Rhee,* Iljogak

(유영익(2013), *건국대통령 이승만*, 일조각)

Lim, Keundong (2021), *Bhagavadgita*, Samunnanjuk (임근동 역주 (2021), *바가바드기타*, 사문난적)

Lusch, R.F., S.L. Vargo, G. Wessels(2008), Toward a conceptual foundation for service science: Contribution from service-dominant logic, *IBM Systems Journal*, Vol.47, No.1, pp.5-14

Machiavelli(2005), Kang & Moon Tr., *IL Principe*, Kkachi. (마키아벨리(2005), 강정인 문지영 역, *군주론*, 까치)

Marx, K.(2015). *The Capital Vol. I, II, III*, Kim, Soohaeng Tr., Bibong Publishing Co. (마르크스(2015), *자본론 I, II, III*, 김수행 역, 비봉출판사)

Ministry of Public Administration and Security(2022), PRESIDENTIAL ARCHIVES, 1948.8.15 Presidential Address (행정안전부(2022), 대통령기록관, 1948년 정부수립 기념연설문)

Moussa, S., and Touzani, M.(2010), A Literature Review of Service Research Since 1993, *Journal of Service Science Research*, Vol.2, No.2, The Society of Service Science and Springer, pp.173-212

Oliver, Robert T.(2008), Ilyoung Park Tr., *Syngman Rhee and American Involvement in Korea(1942-1960) - A Personal Narrative*, Dongseomunhwasa (로버트 올리버(2008), 박일영 옮김, *이승만 없었다면 대한민국 없다*, 동서문화사)

OneWorldInData.org, Literacy Rate Increase, OneWorldInData.org/Literacy, CC BY-SA

Ostrom, A.L., Bitner, M.J., Brown, S.W., Burkhard, K.A., Goul, M., and Smith-Daniels, V.(2010), Moving forward and Making a difference: Research priorities for the Science of service, *Journal of Service Research*, Vol.13, No.1, pp.4-36

Park, Chan Seung (2014), *A History of Independence Movement of Korea*, Yuksabipyungsa (박찬승 (2014), *한국독립운동사.* 역사비평사)

Park, Jonghyun (2022), *The Thought of Equator or Mean*, Seokwangsa, 2022 (박종현(2022), *적도 또는 중용의 사상 - 헬라스 사상을 중심 삼아 살핀 -*, 개정증보판, 서광사)

Park, Wongil (2012), World History of Genghis Khan and the Great Mongol Empire, 2012.4, Northeast Asian History Net (박원길 (2012), 징기스칸과 대몽골제국의 세계사적 의미, 2012.4.25, 동북아역사넷)

Piketty, T.(2014), *Capital in the Twenty-First Century*, Harvard University Press, 2014.

Plato(2019), Chun, B. H. Tr., *Politeia*, Soop, (플라톤(2019), 천병희 역, *국가*, 숲)

Plato(2012), Park, B. D. Tr., *Apology·Criton·Symposium·Phaedon*, Yukmunsa, (플라톤(2012), 박병덕 역, *소크라테스의 변명·크리톤·향연·파이돈*, 육문사)

Plutarchos (2019), Lee, Sungkyu Tr., *Bioi Paralleloi*, Modern Intellect. (플루타르코스(2019), 이성규 역, *플루타르코스 영웅전 전집 I, II*, 현대지성)

Pung, W. R.(2017), Park, S. K. Tr., *A History of China Philosophy*, Kkachi. (풍우란(2017), 박성규 역, *중국철학사*, 까치)

Radbruch, Gustav(1985), Choi, J. K. Tr., *Rechtsphilosophie*, Samyeongsa. (라드브루흐(1985), 최종고 역, *법철학*, 삼영사)

Rhee, Francesca Donner(2010), *Francesca and 6.25 Diary*, Kiparang (프란체스카 도너 리(2010), *프란체스카의 6.25 난중일기*, 기파랑)

Rhee, Syngman(2018), Park, K. B. Ed., *Independence Sprit*, Bibong Publisher, (이승만(2018), 박기봉 교정, *독립정신*, 비봉출판사)

Rhee, Syngman(2015), Ryu, K.H. Tr., *Japan Inside Out*, Bibong Publishing Co. (이승만(2015), 류광현 옮김, *일본의 가면을 벗긴다*, 비봉출판사)

Rhodes, D.H. and Nightingale, D.J.(2008), Educating Services Science Leaders to Think Holistically about Enterprises, in *Service Science, Management and Engineering(SSME)*, Bill Hefley and Wendy Murphy (Eds.), Springer, pp.163-168

Salminen, V. and Kalliokoski, P.(2008), Challenges of Industrial Service Business Development, in *Service Science, Management and Engineering(SSME)*, Bill Hefley and Wendy Murphy (Eds.), Springer, pp. 41-48

Siegel, J., Evenson, S., Hefley, B., Slaughter, S.(2008), Legitimizing SSME in Academia: Critical Considerations and Essential Actions, in *Service Science, Management and Engineering(SSME)*, Bill Hefley and Wendy Murphy (Eds.), Springer, pp. 3-9

Samachun(2017), So, J. S. Tr., *Samachun Saki 56*, Modern Intellect. (사마천(2017), 소준섭 역, *사마천 사기 56*, 현대지성)

Shin, Chaeho(2006), Park, K. B. Tr., *Old History of Chosun*, Bibong

Publisher, (신채호(2006), 박기봉 옮김, *조선 상고사*, 비봉출판사)

Shin, Chulsik(2017), *Testimony by Hyunhwak Shin*, Medici (신철식 (2017), *신현확의 증언*, 메디치)

Skirbekk, G. and N. Gilje(2016), *A History of Western Thought*, Yoon, Hyungsik Tr., Ihaksa (시르베크 & 길리에(2016), *서양철학사*, 윤형식 역, 이학사)

Smith, A. (2016), *The Theory of Moral Sentiments*, Kwangsu Kim Tr., Hangilsa Publishing Co. (애덤 스미스(2016), *도덕감정론*, 김광 수 역, 한길사)

Smith, A. (2007), *The Wealth of Nations*, Soohaeng Kim Tr., Bibong Publishing Co. (애덤 스미스(2007), *국부론-개역판*, 김수행 역, 비봉 출판사)

Son, M.(1999), Yoo, D. H. Tr., *Sonja's War Strategy*, Hongik Publisher (손무(1999), 유동환 역, *손자병법*, 홍익출판사)

Song, Hogeun(2006), *Equalitarianism in Korea*, SERI (송호근(2006), *한국의 평등주의, 그 마음의 습관*, 삼성경제연구소)

Sophokles(2017), Chun, B.H. Tr., *Sophokles´ Tragedy*, Soop (소포클레 스(2017), 천병희 역, *소포클레스 비극전집*, 숲)

Tagore, R.(2020), Kim, Y.S. Tr., *Gitanjali*, Bumwoosa, (타고르(2020), 김양식 역, *기탄잘리*, 범우사)

The School of Life(2016), Kim & Oh Tr., *Great Thinkers*, Wiseberry (인생학교(2016), 김한영 & 오윤성 옮김, *위대한 사상가*, 와이즈베리)

The Service Korea Initiative(2023), Welcome Speech, in *Proceedings of Service Korea Initiative 2023 Grand Conference*, The Service

Korea Initiative, Dec. 2023, pp.7-10 (서비스강국코리아(2023), 환영사, *서비스강국코리아 2023 그랜드 컨퍼런스 자료집*, 2023.12, pp.7-10)

The Service Korea Initiative(2016), A Vision Statement for Global Service Korea Initiative, in *Proceedings of Service Korea Initiative 2016 Conference*, The Service Korea Initiative, Oct. 2016, pp.18-23 (서비스강국코리아(2016), 글로벌 서비스강국코리아 비전, *서비스강국코리아 2016 자료집*, 2016.10, pp.18-23)

The Society of Service Science(2015), A Vision Statement for Service Korea Initiative, in *Proceedings of Service Korea Initiative 2015 Conference*, The Society of Service Science, Dec. 2015, pp.42-47 (서비스사이언스학회(2015), 서비스강국코리아 비전문, *서비스강국코리아 2015 자료집*, 2015.12, pp.42-47)

Tocqueville, Alexis de(1997), Lim, H. S. & Park, Z. D. Tr., *De la democratie en Amerique*, Hangilsa (토크빌(1997), 임효선&박지동 역, *미국의 민주주의*, 한길사)

Toynbee, A. J. (2016), Sajung Hong Tr., *A Study of History I, II*, Dongseomunhwasa (토인비(2016), 홍사중 옮김, *역사의 연구 I, II*, 동서문화사)

Turchin, P.(2018), *Ultrasociety: How 10,000 Years of War made Humans the Greatest Cooperators on Earth*, Lee, Kyungnam Tr., Power of Thoughts, 2018 (피터 터친(2018), *초협력사회*, 이경남 역, 생각의 힘)

Yang, Haerim(2012), *A History of Western Philosophy*, Jipmundang

(양해림(2012), *서양철학사*, 집문당)

Yoon, Jinsook (2013), The Joseon Dynasty`s Equal Division of Inheritance and Its Significance, *Journal of Philosophy on Law*, Vol.16, No.2 Aug. 2013, pp.273-292 (윤진숙(2013), 조선시대 균분 상속제도와 그 의미, *법철학연구*, 제16권 제2호, pp.273-292)

Yoon, Sukchul(2011), *Right Way of Life*, Wisdom House (윤석철 (2011), *삶의 정도*, 위즈덤하우스)

서비스학 연보

2002년 2월 15일 사단법인 한국IT서비스학회 설립

   정보통신부 산하 사단법인으로 설립

   한국SI학회로 설립 후, 2005년 12월 명칭 변경

   기존의 수직적 학문체계를 타파하는 광범위 융합학회로 설립

   최신 외부서비스학의 신학문으로서 새로운 학문체계 구축

   설립 이후 매년 춘계 및 추계 학술대회 개최

   조찬 포럼 등 각종 포럼 및 연구회 개최

   신경제를 위한 법제도 개선 활동 수행

2002년 6월 한국IT서비스학회지 창간

   새로운 학문을 연구하는 새로운 형식의 학술지로 창간

   각 학문들이 연구서비스 네트워크로 연결되어 연구 수행

   2005년 1월 한국연구재단 등재후보학술지 선정

   2010년 1월 한국연구재단 등재학술지 선정

   2024년 2월 제23권 제1호 발간

2006년 6월 서비스사이언스연구회 설립

   (사)한국IT서비스학회 산하 연구포럼으로 발족

   세미나 수행

서비스 리더 교육 수행

2006년 12월 『'서비스사이언스』(매경출판) 발간

2007년 4월 사단법인 서비스사이언스전국포럼 설립

　기획재정부 서비스경제과 산하 최초의 사단법인

　정부 13개 서비스 관련 부처가 참여하여 공동 운영

　서비스산업 분야별로 총 13개 위원회로 구성하여 활동

　법제도 개선 등 실질적 산업 진흥 활동 수행

2008년 9월 사단법인 서비스사이언스학회 설립

　지식경제부 지식서비스과 산하 최초의 사단법인

　서비스사이언스전국포럼과 자매 조직으로 설립

　순수 학술 활동 조직으로 설립

　매년 춘계 및 추계 학술대회 개최

　각종 포럼 및 연구회 운영

　2011년 1월 『지식경제시대의 서비스사이언스』(생능출판) 발간

　2015년 12월 서비스강국코리아2015 개최

　글로벌 서비스강국코리아 비전 선포

　서비스철학과 서비스본질 등 기반서비스학 연구 강화

　서비스학 체계 정립 연구 강화

　2023년 12월 정기 추계학술대회 개최

2009년 6월 「Journal of Service Science Research」 창간

　　Springer 공동 발간, 11년 무료 발간 후원

　　전세계 연구자들에게 서비스학 전파

　　전세계 서비스연구자들의 서비스학 연구 플랫폼 역할 수행

　　2019년 12월 제11권 제2호 발간

2010년 12월 사단법인 한국서비스산업연구원 설립

　　기획재정부 서비스경제과 산하 사단법인

　　한국 서비스산업 발전을 위한 연구 수행

　　서비스R&D 확산 등에 기여

2011년 9월 「서비스연구」 저널 발간

　　2009년 창간된 영문 국제저널과 별도의 한글 저널 창간

　　한국 연구자들의 서비스학 연구 플랫폼 역할 수행

　　새로운 학문인 서비스학을 국내에 전파하는 목적 수행

　　기존 전통 학문을 새로운 서비스학으로 발전 유도

　　2015년 1월 한국연구재단 등재후보학술지 선정

　　2017년 1월 한국연구재단 등재학술지 선정

　　2020년 1월 등재학술지 재인증

　　2024년 3월 제14권 제1호 발간

2016년 7월 사단법인 서비스강국코리아 설립

　　산업통상자원부 산업정책과 산하 사단법인으로 설립

　　대한민국을 '서비스'가 강한 국가로 발전시키려는 목표로 설립

　　서비스산업, 서비스문화, 서비스철학이 강한 국가로 발전 목표

　　한국인의 유형 중심 인식 및 문화 체계 개선 목표로 활동

　　신뢰, 배려 등의 서비스문화, 사회적 자본 증대 등 목표로 활동

　　서비스인 헌장 등 제정 공표

　　서비스강국코리아 2016 개최

　　서비스강국코리아 2017 개최

　　서비스강국코리아 2023 개최

2023년 12월　대한민국 서비스문화 및 철학 강국화 활동 개시

　　서비스강국코리아 2023 이후 활동 강화

　　서비스에 대한 문화적 기반이 강한 대한민국 구현 활동 개시

　　서비스에 대한 철학적 기반이 강한 대한민국 구현 활동 개시

SERVICE KOREA INITIATIVE 2015

"글로벌 서비스강국으로의 도약"

[2015년 12월 서비스강국코리아 비전 선포식 개최]

서비스학 개요
왜 서비스인가?

발 행 | 2024년 2월 22일
저 자 | (사)서비스사이언스학회, 김현수
펴낸이 | 한건희
펴낸곳 | 주식회사 부크크
출판사등록 | 2014.07.15.(제2014-16호)
주 소 | 서울특별시 금천구 가산디지털1로 119 SK트윈타워 A동 305호
전 화 | 1670-8316
이메일 | info@bookk.co.kr

ISBN | 979-11-410-7314-5

www.bookk.co.kr
ⓒ (사)서비스사이언스학회, 김현수 2024
본 책은 저작자의 지적 재산으로서 무단 전재와 복제를 금합니다.